Assessment Program

Pruebas
Pruebas cumulativas
Exámenes de habilidades
Bancos de ideas

Margaret Juanita Azevedo
Stanford University
Palo Alto, CA

ScottForesman

Editorial Offices: Glenview, Illinois

Regional Offices: San Jose, California • Atlanta, Georgia
Glenview, Illinois • Oakland, New Jersey • Dallas, Texas

Table of Contents

ISBN: 0-673-21699-3
Front Cover Photo: © Stewart Aitchison/DDB Stock Photo
Back Cover Photo: © Buddy Mays/Travel Stock
Copyright © 1996
Scott, Foresman and Company, Glenview, Illinois
All Rights Reserved. Printed in the United States of America.

345678910-VR-040302010099989796

To the Teacher

The ScottForesman Assessment Program for *PASO A PASO,* Level 3, includes a variety of ways to evaluate the language learning and communicative abilities of your students. The Assessment Program consists of:

- a test covering *Pasodoble*
- seven to ten quizzes per chapter *(Pruebas)*
- twelve cumulative chapter quizzes *(Pruebas cumulativas)*
- twelve proficiency chapter tests *(Exámenes de habilidades)*
- four test banks *(Bancos de ideas)*

In addition, this test book includes:

- a tapescript of the Listening Comprehension testing tape for the proficiency tests
- a tapescript of the Listening Comprehension testing tape for the test banks
- a Speaking Proficiency script
- teacher answer sheets
- separate student answer sheets
- suggestions and a scale for evaluating writing and speaking proficiency
- suggestions for using the *¿Lo sabes bien?* section in the textbook

Types of Testing

Current second-language instruction usually focuses on two areas:

1. linguistic knowledge (vocabulary, grammar, and pronunciation) and
2. communicative ability (using linguistic elements in meaningful, situational contexts involving listening, speaking, reading, and writing). Historically there have been two different types of formal testing of language acquisition: achievement tests covering linguistic knowledge and proficiency tests covering communicative ability.

Achievement Testing

Achievement tests determine **what students know** by evaluating them on specific, previously learned material, such as the names of classroom objects or verb conjugations. They test for discrete elements of knowledge. For example, more value is placed on the correctness of the student's use of individual words than on the message he or she is attempting to communicate. Achievement tests are used to measure the incremental steps involved in learning a second language—for example, to cover what was taught in a particular chapter.

Quizzes or tests which measure achievement may be given with some frequency as proof of regular progress for both student and teacher.

Proficiency Testing

Proficiency tests assess **what students can do** with the second language. They evaluate the various functions or tasks students can perform, their knowledge of content, and the accuracy or quality of the message being conveyed. Proficiency tests do not involve testing specific items; rather they are performance-based, checking how well students integrate what they have learned. Their characteristic open-endedness permits students to use what they know to receive or communicate a message, since the emphasis is on communication needs. Proficiency tests address the question: How well and at what level can the student use the language to interpret and express meaningful information?

True proficiency tests are administered at significant transition points, and only after the students have had the opportunity to practice new content and language functions.

Prochievement Testing

Prochievement testing combines the characteristics of both the achievement and proficiency types of testing. It is based on research demonstrating that linguistic knowledge and communicative ability, while separable, nonetheless go hand in hand, and that teachers need a realistic way of assessing student progress.

A prochievement test includes characteristics of achievement and proficiency testing:

- It assesses achievement in the specifics of the language (vocabulary and grammar).
- It places these specifics in meaningful, realistic contexts.
- It measures student proficiency in the interpretive skills of listening and reading.
- It measures student proficiency in the expressive skills of speaking and writing.

The sequence in a prochievement test ranges from integrating achievement in a meaningful context to open-ended proficiency assessment. In the achievement sections, answers tend to be either correct or incorrect. In the proficiency sections, the focus is on the student's general competence in comprehending or communicating in the second language rather than on the correctness of form (grammar, vocabulary, spelling, and pronunciation). Incorrect form becomes important only when it interferes with communication.

The ScottForesman Assessment Program

For each chapter of *PASO A PASO,* Level 3, the complete ScottForesman Assessment Program includes a combination of quizzes, cumulative quizzes, and proficiency tests. This combination allows for progress checks as well as evaluation in increasingly larger increments and incorporates both prochievement and proficiency testing. Prochievement testing occurs in both the *Pruebas* and *Pruebas cumulativas,* but only the skills of reading and writing are assessed. The student's proficiency in all four language skills—listening, reading, writing, and speaking—is evaluated in the *Examen de habilidades.*

Description of the Assessment Materials

• *Prueba* (quiz)

The first four *Pruebas* for each chapter assess the student's knowledge of the *Vocabulario para comunicarse* section, including *También necesitas.* The first *Prueba* of each pair requires recognition only, whereas the second *Prueba* of each pair combines recognition and production of a single Spanish word or phrase. The subsequent *Pruebas* assess the student's knowledge of the grammar points introduced in each chapter. These quizzes may be a combination of recognition and/or production of a particular verb or grammatical structure. In the *Pruebas* requiring production, the student will never write more than a single word or phrase.

- *Prueba cumulativa* (**cumulative quiz**)

The *Prueba cumulativa* is a comprehensive chapter quiz which assesses student achievement contextually. The different sections of the *Prueba cumulativa* test the student's knowledge of vocabulary, verbs, and grammatical structures. In some instances, the sections require recognition only, while in others they require production of a single Spanish word or phrase.

- *Examen de habilidades* (**proficiency test**)

In the *Examen de habilidades*, student proficiency is tested separately for each language skill in the sections entitled:

    I. Listening Comprehension
    II. Reading Comprehension
    III. Writing Proficiency
    IV. Cultural Knowledge
    V. Speaking Proficiency

The vocabulary and structures are fully integrated as opposed to being tested in isolation. The content of the *Examen de habilidades* is based on the general theme of the chapter. In the Cultural Knowledge section, students are expected to write briefly in English about the main cultural points introduced in the *Álbum cultural*.

Assessment Options

The *Prueba cumulativa* and the *Examen de habilidades* offer teachers choices.

1. Offer the *Prueba cumulativa* as an end-of-chapter final quiz to assess students' knowledge of vocabulary and grammar. This final quiz will prepare them for the *Examen de habilidades*.

2. Choose not to give the *Prueba cumulativa*, having determined the students' knowledge of vocabulary and grammar by using the shorter *Pruebas*. Teachers may then use only the *Examen de habilidades* as the test for that chapter.

3. Use the *Prueba cumulativa* as a make-up quiz or a retest for the chapter vocabulary and grammar. Teachers could give the entire quiz or the specific section related to the content students need to retake.

- *¿Lo sabes bien?*

The *¿Lo sabes bien?* section of the textbook provides your students with the opportunity to prepare for the *Examen de habilidades*. It includes model responses similar to those they will find in the test. The tasks incorporate each of the five skills—listening, reading, writing, cultural knowledge, and speaking—and are based on the chapter's theme. You may choose to use the *¿Lo sabes bien?* section in the following ways:

- review the Listening and Reading sections with the entire class
- assign students the task of writing a sample similar to the one in the Writing section
- assign as homework, or pair work in class, the task of answering the questions in the Cultural Knowledge section
- use the Cultural Knowledge section as a basis for discussion with the whole class
- have student pairs practice the dialogue of the Speaking section or create a similar dialogue

A copy of the tapescript for the Listening section is located in the teacher's section of the Assessment Program textbook on pages T11–T27.

- *Pasodoble*

The *Pasodoble* test should be given to the students after they have completed the *Pasodoble* section of the textbook. The test consists of reading, writing, cultural, and speaking activities, some in the form of word puzzles. In some instances the activities require recognition only, while in others they require production of a single Spanish word or phrase. In the speaking section *(Para hablar)*, students are expected to speak briefly on a selected topic.

- *Bancos de ideas*

The *Bancos de ideas* provide you with a variety of test items you may wish to use to "copy, cut, and paste" to create your own proficiency tests at the end of the first and second semesters. These include items for assessing the proficiency of your students in listening, reading, writing, speaking, and cultural knowledge. The *Bancos de ideas* include new test items for Chapters 1–6, Chapter 7, Chapter 8, and Chapters 9–12. The *Bancos de ideas* test items are organized by chapters so that you have more flexibility in choosing only those chapters covered by the end of the semester. The tapescript for the *Bancos de ideas* follows the tapescript section for the *Exámenes de habilidades*.

Answer Sheets

To allow for greater test security and for ease of grading, students will write their answers on separate answer sheets *(Hojas para respuestas)*. These follow each test and are organized according to the format of the tests themselves. They contain the title of each section and subsection, the suggested point values, and anything else required to complete the test, such as multiple-choice answers to be circled, or write-on lines for students to write their answer. In the case of the *Examen de habilidades,* any illustrations or text needed to do the Listening Comprehension and Reading Comprehension sections are included.

Teacher answer sheets appear in the front pages of this book. The Speaking Proficiency explanatory line *[See pages T29–T37 for suggestions on how to administer this portion of the test.]*, appears only on the teacher answer sheet, not on the student answer sheet. The speaking topics for discussion and conversation do, however, appear on the tests themselves.

It may at first appear that the test plus the answer sheet format requires some additional paper and photocopying. This will be true in the first year of use. With proper storage of the test copies, however, only the answer sheets need be duplicated in subsequent years.

Scoring Suggestions

Prueba and *Prueba cumulativa*

Each *Prueba* and *Prueba cumulativa* in the ScottForesman Assessment Program is scored on a range of 0–100%. As the teacher, you are free to weight the students' grades in these tests in any way you feel is appropriate. Since the *Pruebas* are shorter in length than the *Prueba cumulativa* and the *Examen de habilidades,* you might want to weight these differently. For example, each *Prueba* could be worth one half of a *Prueba cumulativa,* or one fourth. The total point value of each activity is shown following the instructions to the student. Your students should always be made aware of the weighting scheme you have chosen before you administer the test.

Examen de habilidades

The *Examen de habilidades* is also scored on a range of 0–100%. Each of the five sections is worth 20 points.

I. Listening Comprehension (20 points)
II. Reading Comprehension (20 points)
III. Writing Proficiency (20 points)
IV. Cultural Knowledge (20 points)
V. Speaking Proficiency (20 points)

To grade the entire *Examen de habilidades,* first determine the percentage score the student received for each of the five sections. Average the five scores to get the final percentage score for the entire test. We have provided a suggested scale on page T9 as a possible way of determining the percentage grade for the Writing Proficiency and Speaking Proficiency sections of the *Examen de habilidades.* The following section offers some suggestions for grading and evaluating the individual sections of the test.

Grading the Listening Comprehension and Reading Comprehension Sections of the *Examen de habilidades*

The Listening Comprehension and Reading Comprehension sections can be graded according to the number of points earned in each section. For example, if a student missed three points out of the possible twenty points in the Listening section, the student's percentage grade for that section would be 85%. (Seventeen correct answers divided by the twenty possible equals 85%.) This percentage would be averaged in with the percentages of the other sections.

Evaluating Writing Proficiency in the *Examen de habilidades*

Writing is a highly individualized skill, and scoring for writing proficiency should reflect that. Here are some criteria that you may want to consider as you evaluate your students:

- Was the task completed?
- Was the message conveyed?
- Was creativity shown by bringing in previously learned material?
- Were appropriate coping strategies attempted (paraphrases or circumlocutions) to cover deficiencies or to substitute for unknown words and structures?
- Is the student working up to his or her ability and showing a willingness to take risks?

Preceding the Listening Comprehension Tapescript you will find a full-page scale for evaluating both the Writing and the Speaking Proficiency sections of the *Examen de habilidades.* It is based on a scale of 1–5 (5 being the highest), with a separate multiplier for each of the four areas that we recommend as the basis for evaluation of student performance. The multiplier is the weight to be assigned to each area in the evaluation.

Here is an example:

> QUESTION: *Describe in about five sentences what you do during a typical day.*
> RESPONSE: *Como pan y leche y voy a escuela. En la mañana teno cuarto clases. Despues como y hablo con amigos. Despues teno tres clases. Me gusta education físico. Voy a la casa son las tres y haco la tarea. Despues como y miro la tele.*

This response can be evaluated by using the suggested scale shown below.

Comprehensibility and appropriateness of response

| 0 | 1 | 1.5 | 2 | 2.5 | 3 | 3.5 | 4 | 4.5 | (5) | x | 6 | = | 30 |

Quantity of information given and ideas expressed

| 0 | 1 | 1.5 | 2 | 2.5 | 3 | 3.5 | (4) | 4.5 | 5 | x | 6 | = | 24 |

Correctness of language used, including vocabulary, structures, spelling (writing) / and pronunciation (speaking)

| 0 | 1 | 1.5 | 2 | 2.5 | (3) | 3.5 | 4 | 4.5 | 5 | x | 4 | = | 12 |

Risk-taking, including variety and creativity of expression; willingness to elaborate or explain; use of coping strategies; and other signs of improvement that may have met or exceeded expectations

| 0 | 1 | .1.5 | 2 | 2.5 | (3) | 3.5 | 4 | 4.5 | 5 | x | 4 | = | 12 |

TOTAL: 78%

How did we arrive at this particular score? The student's message is comprehensible and responsive to the question asked, regardless of grammatical errors. The correctness of the language used is another matter, and we have evaluated it at a midpoint 3 out of 5. Sentences are complete and the errors made show a reasonable understanding of how the language works when one considers that the use of correct verb forms, spelling, and the use of adjective agreement, for example, take time to master. As for quantity of information and quality of response (risk-taking, for example), the student might well have responded thusly: *Como y voy a escuela. Teno siete clases. Me gusta education físico. Voy a casa. Como y miro la tele.* The student would have met the requirement of writing five sentences. But note the difference between these five short declarative statements and the student's actual response: use of compound sentences, adverbs, telling when he or she goes home. The student has gone beyond the basic task.

We believe that it is important that you share the scale with the students in advance. Knowing the criteria by which you will be evaluating performance clarifies the task and can be more motivating.

Evaluating Cultural Knowledge in the *Examen de habilidades*

The answers in this section will vary, but they should address the question accurately and express what was taught in the *Álbum cultural* section of the textbook. Sometimes students have prior experience with the culture and include this knowledge as part of their answer. If correct, this knowledge should be acknowledged also. A possible consideration for assessing the answers in this section of the *Examen de habilidades* might be:

- Answers correctly, completely, and with some detail — 90–100%
- Answers correctly in general, but does not elaborate — 80–89%
- Answers with some correct information — 70–79%
- Answers with little or no correct information — 0–69%

Evaluating Speaking Proficiency in the *Examen de habilidades*

It is not necessary to administer the speaking tests for *every* chapter. If you choose not to administer some of the Speaking Proficiency tests, you might consider using the speaking topics, along with those suggested in the *Bancos de ideas,* for evaluating the speaking proficiency of your students at the end of the semester. Whenever the Speaking Proficiency section is not used, the 20 points allocated should be reassigned to another portion of the test.

It is desirable to evaluate formally each student's speaking proficiency at least twice during the school year, and preferably more often than that. The test should be conducted in a reasonably private area to reduce the anxiety level of the student being tested and to prevent other students from hearing the conversation. Here are some suggestions for administering the Speaking Proficiency assessment of your students.

- While other students are working on an individual assignment, such as homework, writing in their journals, working on a cultural project, or engaged in some pair activity, conduct the interview with one or two individuals.
- Test smaller groups of students every few chapters or weeks rather than trying to test all of the students at once during three or four consecutive class periods.
- Have all or some students record their responses on a non-interactive topic in the language lab or on tape recorders placed where the students have some privacy.
- Collaborate with a colleague willing to trade classes or preparation periods with you so that you are both free to conduct the test during your class period.
- Train teacher assistants, advanced second language students, or bilingual students to conduct the test. Have them record the speaking test so that you can evaluate the conversation.
- Test outside of classtime, if possible.

For the formal evaluation of your students, we suggest using the scale on page T9. In addition, you will find in the section entitled Speaking Proficiency Script a list of questions for your convenience and for putting the students at ease while conducting the speaking assessment. We also suggest the following procedures, adapted from the Oral Proficiency Interview provided by the American Council on the Teaching of Foreign Languages (ACTFL) and the Educational Testing Service (ETS):

1. *Warm-up.* This is very brief and consists mainly of everyday questions, comments, and small talk in the second language in order to make the student feel more comfortable and to ease him or her into using the language.

2. *Choosing the topic.* You select the topic or situation most likely to allow the student to be successful in this stressful situation. Or you might allow the student to choose from among the topics given. Let the student read the situation and ask any clarifying questions. Allow time for the student to collect his or her thoughts. If the individual has difficulty getting started, ask a simple yes or no question. If total silence ensues, ask some questions you think the student can answer. Then, ask the student to think about the chosen topic and set a date for another interview. The student should never leave with a sense of failure.

3. *Probe.* The test should, insofar as possible, have a natural, interactive feel to it, so adjust your level of questioning so that both more and less able students can experience some satisfaction and success. This stage is designed to establish the student's proficiency level as you ask questions that will lead to a demonstration of his or her maximum ability.

4. *Closing.* When you feel confident of the student's level of speaking proficiency, bring the conversation back down to the level at which he or she can function most comfortably. End the conversation in the most natural way possible, with a thank you and a normal farewell.*

*Adapted from Alice C. Omaggio, *Teaching Language in Context: Proficiency-Oriented Instruction.* Boston: Heinle & Heinle Publishers, Inc., 1986.

Variations for Individual Needs

You do not have to administer all of the tests for each chapter. You know best what has been covered and emphasized in your own classroom and how often you need to assess your students. For example, you may prefer to make a choice between the receptive and productive type of quiz *(Prueba)*, depending upon the kind of students you teach. At the end of each chapter, you may choose to assess the achievement of your students with the *Prueba cumulativa* rather than the *Examen de habilidades,* because one suits your style of instruction more than the other. Therefore, feel free to choose those tests and sections that meet the needs and goals of your curriculum.

Scale for Evaluating Writing/Speaking Proficiency

Comprehensibility and appropriateness of response

| 0 | 1 | 1.5 | 2 | 2.5 | 3 | 3.5 | 4 | 4.5 | 5 | x | 6 | = | —— |

Quantity of information given and ideas expressed

| 0 | 1 | 1.5 | 2 | 2.5 | 3 | 3.5 | 4 | 4.5 | 5 | x | 6 | = | —— |

Correctness of language used, including vocabulary, structures, spelling (writing) / and pronunciation (speaking)

| 0 | 1 | 1.5 | 2 | 2.5 | 3 | 3.5 | 4 | 4.5 | 5 | x | 4 | = | —— |

Risk-taking, including variety and creativity of expression; willingness to elaborate or explain; use of coping strategies; and other signs of improvement that may have met or exceeded expectations

| 0 | 1 | 1.5 | 2 | 2.5 | 3 | 3.5 | 4 | 4.5 | 5 | x | 4 | = | —— |

TOTAL: ——

EXAMEN: CAPÍTULO 1

8:42 Counter no. _____

A. Tus amigos están hablando en la cafetería sobre sus familias. Escucha la descripción que hacen de cada persona. Después, emparéjalas con el dibujo apropiado.

1. Mi primo y yo tenemos muy poco en común, pero nos llevamos muy bien. Él siempre mantiene el buen sentido del humor mientras yo me enojo. Es muy tranquilo y nada le molesta.

2. Tengo una hermana que a veces no me hace caso y discutimos a menudo. Pero lo mejor de ella es que es sincera y muy modesta.

3. Me llevo bien con todos mis abuelos, menos uno. Lo malo es que él cree que siempre debe dar consejos a los demás. Y lo peor es que se queja de todo.

4. Admiro mucho a mi tía Bárbara. Hace muchos viajes por el país dando consejos a gente de negocios. Mantengo una buena amistad con ella. Me influye mucho y creo que soy su mejor aficionada. Lo mejor de mi tía es que comparte todo con los demás y no es vanidosa.

B. Luis y Marta son muy comprensivos con sus amigos. Escucha las dos conversaciones y luego encierra en un círculo la mejor respuesta a cada pregunta.

DIÁLOGO 1

—Marta, ¿me puedes ayudar con un problema?

—Claro, Juana. ¿Qué te pasa?

—Tengo amistad con una persona que generalmente es considerada. Pero la semana pasada alguien me dijo que Pilar le dijo unos secretos míos.

—¡No me digas! No es una amiga muy responsable ni sincera. ¿Te enojaste, Juana?

—¡Claro que sí! Lo más importante de una amistad íntima es apoyarse, ¿verdad, Marta?

—¡Verdad! Pero Juana, no debes hacerle caso. Los demás no la van a respetar mucho. Acompáñame a la fiesta. Te voy a presentar a unos nuevos amigos. ¿Quieres?

—¡Genial!

1. ¿Por qué se enojó Juana?
2. ¿Qué tipo de persona es Pilar?
3. ¿Cómo es Juana, la amiga de Marta?

DIÁLOGO 2

—Hola, Ignacio, parece que tuviste algún conflicto con Mariana, ¿verdad?

—Sí. Mariana es mi mejor amiga, pero siempre habla y no me escucha. ¿Tienes algún consejo para mí, Luis?

—Lo más importante es hablar con ella para resolver el problema. ¿Ya le hablaste?

—¡Qué va! Ella siempre se enoja. No quiero un conflicto con ella. ¿Qué debo hacer?

—Primero, discútelo con ella. Explícale cómo te sientes.

—Pero, ¿cómo puedo mantener la amistad con ella?

—Dile que los buenos amigos deben compartir más. Dile que la amistad con ella es lo más importante para ti, pero que ella tiene que ser más considerada.

4. ¿Por qué es difícil para Ignacio resolver su problema?
5. ¿Qué consejo le da su amigo Luis?
6. Según Luis, ¿cómo se puede mantener una amistad?

EXAMEN: CAPÍTULO 2

7:52 Counter no. _____

A. Te encontraste con unos amigos que hacía tiempo que no veías. Te están hablando de problemas que tuvieron hace poco. Empareja cada descripción con el dibujo apropiado.

1. No lo vi. Yo caminaba muy contento mirando el paisaje cuando salió el ciclista de no sé dónde. Él no se lastimó, pero yo llevé un yeso por ocho semanas.

2. Pues, eran las once y media de la noche y todos estábamos dormidos en el coche, menos papá. Un grito fuerte nos despertó a todos. Cuando llegamos al peaje nadie tenía los dos dólares para pagar al señor. Tuvimos que regresar a casa, después de un viaje de dos horas.

3. Lo mismo le pasó a nuestra familia. Íbamos a la playa para pasar el fin de semana. Para llegar a la playa hay que cruzar el puente.

Pues, claro, nadie tenía el dinero para cruzarlo. Le ofrecimos a la señorita el reloj de mamá, pero ella no podía aceptarlo.

4. Salí de mi clase de baile con la bolsa escondida debajo de la chaqueta. Empecé a caminar por una acera donde las luces no estaban encendidas. La calle estaba aislada de otros peatones. Por eso creo que el ladrón pudo robarme todo, la chaqueta y la bolsa.

B. Estás conversando con unos amigos sobre cómo es vivir en diferentes lugares. Escucha la descripción y luego emparéjala con el nombre del lugar donde la persona quisiera vivir.

1. Ya sé dónde me gustaría vivir algún día. Conozco un lugar que está situado al pie de unas montañas. Tiene una iglesia antigua, la escuela tiene sólo una sala de clases y hay cuatro o cinco tiendas. Tiene una población pequeña y por eso nunca se oye de robos ni atascos. Allí es donde quisiera vivir.

2. Pues yo prefiero vivir donde la gente no tenga tanto en común. Para mí es importante tener todo al alcance de la mano y un ambiente más animado. Prefiero que los demás no me conozcan. No me dan miedo las aceras llenas de peatones ni las presiones. La vida urbana le ofrece a uno mil oportunidades de escaparse de la rutina diaria porque hay tanto que ver y hacer.

3. Me importa mucho tener todo al alcance de la mano. Sin embargo, necesito más espacio y no quisiera vivir en un lugar aislado. Me parece importante vivir donde hay transporte público y bastante población para mantener buenos negocios, escuelas y actividades culturales. Por un lado, hay que pagar más impuestos en un lugar que ofrece mucho a su comunidad. Por otro lado, los impuestos contribuyen a una comunidad más segura. Creo que me gustaría trabajar en la ciudad, pero vivir lejos del centro.

EXAMEN: CAPÍTULO 3

8:48 Counter no. _____

A. Estás en una galería de arte donde varias personas están conversando. Escucha con atención los comentarios que hacen y selecciona el dibujo que mejor corresponda a cada uno.

1. Fíjate, Sara, cómo usó el pintor la luz y la sombra. ¿No te parece que podrías comer los duraznos y las manzanas que están en el primer plano? Me encantan las naturalezas muertas.

2. No puedo interpretar esta pintura. ¿Qué quiere comunicarnos el artista? Aquí veo algo como una nariz y allí parte de una boca. ¡Ah, es el perfil de una mujer!

3. Este pintor es muy conocido por sus cuadros. ¿Te gusta éste? Creo que lo pintó en la primera etapa de su vida artística. Es un autorretrato bastante bueno para un pintor joven.

4. No me gusta criticar mucho, pero el mensaje no está muy claro. Trato de comunicar temas que expresan el punto de vista del pueblo, pero los colores del mural son demasiado apagados.

5. A mí me gustaría comprar este cuadro con las figuras tristes en el fondo. Lo veo como un sueño en el que está reflejado la vida personal de la artista. Me encanta esa figura sentada en el primer plano. ¿Crees que es la artista tratando de decirnos algo de su pasado?

B. Fuiste al museo para escuchar presentaciones sobre algunos artistas que te interesan. Después de escuchar dos, escoge *Sí* si la declaración es correcta y *No* si es incorrecta.

PRIMERA PRESENTACIÓN

José Clemente Orozco fue un muralista mexicano que nació en 1883. En sus murales vemos su punto de vista sobre la violencia y su visión de un mundo roto y de sombras. Recibía su inspiración de la revolución mexicana y las frustraciones de su pueblo. Cada línea de sus dibujos sugiere color. Su estilo tiene características del movimiento barroco por sus temas dramáticos y los fuertes contrastes de color y luz. Más famoso por sus murales que por sus pinturas, Orozco sigue influyendo a muchos pintores de hoy. Murió en 1949.

SEGUNDA PRESENTACIÓN

Diego Rivera participó activamente en el arte moderno de su época. Le influyeron los movimientos franceses, como el impresionismo y el cubismo, durante los quince años que vivió en Europa. Al regresar a México, Rivera se dedicó a pintar murales impresionantes. No sólo pintó los murales que le hicieron famoso, sino también pintó numerosos retratos de mujeres, pinturas de niños y flores, y cuadros que representaban su punto de vista sobre la vida mexicana. Entre los muchos temas que expresa en sus murales, verán los temas del indio como víctima de los europeos y el obrero mexicano y su importancia en la producción económica del país. Diego Rivera nació en 1886 y murió en 1957.

EXAMEN: CAPÍTULO 4

7:55 Counter no. _____

A. Tus compañeros de clase están hablando de los programas que vieron hace poco en la tele. Escucha tres descripciones diferentes y luego escoge de la lista las dos definiciones que correspondan a cada opinión.

1. Me reí mucho con un programa que vimos el domingo. Lo grabamos el sábado porque no íbamos a estar en casa para verlo. La gente envía al programa videos de situaciones graciosas. Creo que en algunos se han manipulado las situaciones para hacerlas graciosas. También creo que algunos videos han sido víctima de la censura porque no pudimos ver todo el video que enviaron. Me entretuve mucho con el programa.

2. El mejor programa que he visto recientemente lo dieron anoche. Me pareció bastante impresionante porque fue un comentario sobre la influencia de la televisión. Siempre he pensado que la televisión entretiene, nos da información o, a veces, nos aburre con sus programas violentos y tontos, pero anoche vi cómo un programa subjetivo puede manipular al público o cómo un anuncio comercial puede influir en nuestro subconsciente. Creo que en el futuro voy a hacer más caso de lo que miro en la televisión.

3. ¡Estoy cansada de tanta violencia en la tele! Anoche cambié de canal un millón de veces tratando de encontrar algo más objetivo y más positivo. ¿Por qué creen que el público necesita ese tipo de programa para entretenerse? Yo sé que hay mucho crimen y violencia, pero los noticieros sólo presentan el lado negativo. No siempre reflejan la vida tal como es. Tenemos el derecho de escoger lo que vemos en la tele, pero cuando la mayoría de los programas no nos dan los dos lados, la televisión nos está controlando a nosotros.

B. Tu amigo Benito te está diciendo lo que hizo este fin de semana. Indica con *Sí* las oraciones que son correctas y con *No* las que son incorrectas.

—He visto películas tontas, pero este fin de semana he visto la peor de las peores. La alquilé porque según la teleguía no había ninguna película de interés. Además, no dieron mis programas favoritos porque pusieron el campeonato de fútbol.

—¿Por qué no me llamaste? Mi papá nos ha regalado la televisión por cable y ahora recibimos muchos canales más.

—¡No me digas! No pude salir porque mis padres fueron al cine y tuve que cuidar a mi hermanito. Me pasé la noche bostezando, sin reírme ni emocionarme un sólo momento.

—¿Qué viste?

—Generalmente prefiero ver programas divertidos. No me gusta ver siempre la vida tal como es. La película se trataba de una sociedad futurista de la Tierra y un robot.

—Pues, ¿cómo terminó?

—No sé, porque ya estaba dormido en el sofá cuando regresaron mis padres del cine. ¿Y sabes qué? Todavía la tengo en casa y ahora me van a dar una multa porque no la devolví a tiempo. ¡Fíjate!

EXAMEN: CAPÍTULO 5

6:06 Counter no. _____

A. Lina y su familia están visitando unas ruinas en la selva tropical. Escucha la descripción del guía y sigue el mapa para saber dónde encontrar todo. Escribe la letra del dibujo que corresponda al orden en que oyes cada descripción diferente.

Bienvenidos a esta gran civilización precolombina. Cuando los arqueólogos empezaron a excavar cerca de estas ruinas, nadie sabía lo que iban a encontrar. Gracias a ellos hemos encontrado las ruinas de lo que fue el rico esplendor de una civilización enterrada. Bueno, saquen el mapa mientras yo les explico dónde está todo. Primero, a nuestra derecha, pasaremos por unas tres esculturas con símbolos que representan la antigua escritura de este pueblo. Siguiendo el sendero, pasaremos por un observatorio que todavía conserva mucha de su arquitectura original. En las paredes hay jeroglíficos que describen las ceremonias religiosas. Después de visitar el observatorio, llegaremos al lugar más importante, el templo, que está sobre una pirámide. Bajaremos a la tumba, donde encontrarán vasijas, cuencos y joyas de jade.

Allí quiero que vean los objetos y estatuas religiosas que enterraron hace siglos.

B. Estás mirando un documental sobre México. Escucha la narración del programa y luego indica con *Sí* las oraciones correctas y con *No* las oraciones incorrectas.

Cuando los españoles llegaron a México, la civilización que antes existía en Uxmal, en la península de Yucatán, ya había desaparecido. Los cuencos y vasijas que han encontrado después de excavar parecen ser de los años 300 a 1000 d.C., su época clásica. Sin embargo, el legado del pueblo maya existe todavía en el esplendor de su gran arquitectura donde vemos frecuentemente la imagen de la serpiente, un símbolo religioso también en otras civilizaciones precolombinas. Entre tantos edificios impresionantes en Uxmal, la Casa de las Tortugas es el único edificio maya que tiene forma de tortuga. ¿Y por qué la tortuga? Algunos piensan que como la tortuga vive cerca del agua, el animal y el agua tuvieron un significado importante en esa cultura. Se ha dicho que la gente de Uxmal desapareció cuando el agua de la región desapareció.

EXAMEN: CAPÍTULO 6

7:15 Counter no. _____

A. Estás escuchando un programa de concursos para jóvenes. Identifica el dibujo o la expresión que corresponda a cada descripción.
Y ahora, cada respuesta vale cien puntos.

1. Este invento electrónico ha revolucionado nuestra vida privada. Se puede hablar con los amigos o con cualquier negocio sin salir del coche.
2. Con este medio de comunicación se podrá estudiar arquitectura, matemáticas o francés en la propia casa enfrente del televisor.
3. Con este sistema se mandan cartas a otras oficinas con rapidez por la línea telefónica.
4. Eres una arquitecta y quieres comunicar tus ideas a otro arquitecto en tu oficina sin levantarte de la silla enfrente de tu computadora.
5. Nunca tendrás que contestar el teléfono si estás ocupado o si no quieres hablar con los que te llaman. En tu casa u oficina este aparato te ayudará a comunicarte sólo cuando tú quieras.

B. Escucha estos diálogos e identifica el problema de cada persona. Escoge de la lista las dos oraciones que correspondan a cada diálogo.

DIÁLOGO 1

—¡Aló! ¡Aló! Nadie me está contestando. Oigo un tono, pero no parece ser el tono de una línea ocupada. ¿Qué pasa aquí? Puse una moneda, marqué el número y ahora nadie contesta. Yo sé que están en la oficina porque no es día de fiesta. Señor, ¿me podría ayudar? Creo que este teléfono no funciona.
—Pues, es posible. A veces estos teléfonos públicos no funcionan. Volvamos a llamar de nuevo. ¿Tiene una ficha?
—¿Una qué?
—Una ficha. Se compran allí en el quiosco. Hay que poner una ficha cada tres minutos.
—¡Ajá! Por eso no me comuniqué. No sabía nada de las fichas. Gracias, señor.

DIÁLOGO 2

—¿En cuánto tiempo llegará este paquete?
—Depende, señorita. ¿Lo quiere mandar por vía aérea, por correo urgente o por segunda clase?
—Pues, no sé. El director no me explicó cómo debía mandarlo.
—¿Qué tiene el paquete?
—Pues, creo que es la máquina de fax de la oficina. Esta mañana, cuando supimos que no funcionaba, el director escribió una carta y me la dio con este paquete.
—Ay, señorita, el paquete no tiene remitente pero la carta sí lo tiene. ¿Lo podría escribir aquí, al lado del destinatario, por favor? Y también me parece que no lo envolvieron muy bien. En aquella mesa lo puede envolver mejor. Después, lo mandaremos por correo urgente, aunque le costará un poco más.

EXAMEN: CAPÍTULO 7

9:15 Counter no. _____

A. Tus amigos están describiendo los trabajos que hacen como voluntarios después de responder a los anuncios que leyeron en el periódico. Escucha cada descripción y luego emparéjala con el anuncio correspondiente en la hoja para respuestas.

1. A causa de un accidente de bicicleta, tuve que estar dos años en una silla de ruedas. Estoy bien ahora, pero esa experiencia me ayudó a entender mejor la vida de los minusválidos. Me prometí hacer algo por ellos. Por eso estoy trabajando como entrenador en un centro de rehabilitación.

2. Para mí es importante que nos garanticen nuestros derechos como adolescentes. Los sábados trabajo en una oficina donde ayudo a una abogada que se ha dedicado a defender los derechos de los jóvenes. He aprendido mucho sobre las responsabilidades de ser un buen ciudadano y lo que se debe hacer para contribuir más a la sociedad. Creo que ahora voy a participar más en las elecciones del consejo estudiantil.

3. Por un lado no tengo tanto tiempo ni para mis tareas ni para participar en ningún equipo, pero por otro lado me ha beneficiado mucho mi trabajo en el refugio. Vienen pobres de todas las edades a nuestro comedor de beneficencia y los ayudamos, por eso me encanta mi trabajo.

4. Siempre he sacado buenas notas en mis clases de matemáticas. No sé todavía qué haré con mi vida después de graduarme de la escuela secundaria, pero mi trabajo como voluntario este año me está ayudando a aprender más sobre mis intereses personales. Trabajo como voluntario con la Cruz Roja y he obtenido mucho conocimiento sobre cómo solicitar donaciones de la gente de la comunidad. Gracias a este trabajo creo que mi talento en las matemáticas me servirá en el mundo de los negocios.

B. Escucha lo que dice Vicente sobre su experiencia personal trabajando en la comunidad. Escoge la letra de la respuesta que complete cada oración correctamente.

Muchas gracias por haberme invitado a hablarles hoy. Me gradué de esta escuela hace dos años, pero es posible que muy pocos me reconozcan porque era bastante tímido y no participé en muchas actividades. Actualmente trabajo en un centro de la comunidad por la tarde mientras sigo estudiando en la universidad por la mañana. Empecé como voluntario hace tres años, pero ahora me están pagando. Quisiera hablarles de las ventajas que disfruto como resultado de mi experiencia en el centro. Cuando empecé no lo hice por un fuerte deseo de ayudar a otros, sino que me presenté porque mi mejor amigo lo hizo y yo estaba aburrido de mirar la tele todo el día. Me daba miedo estar solo con los ancianos, pues creía que no teníamos nada en común. Mi trabajo ahora en el centro es principalmente con ellos y me encanta. Los ayudo a prepararse para obtener la ciudadanía, doy clases de inglés y a veces ayudo a organizar protestas en contra de o a favor de causas diferentes. El mes pasado, por ejemplo, se organizó una marcha para juntar fondos. Es importante que protestemos contra las leyes que son injustas con los mayores de edad. Yo les enseño algunas cosas, pero creo que me he beneficiado más que ellos. Cuando me gradué de la secundaria, iba a presentarme al ejército. Gracias a los consejos de unos ancianos, me convencieron de que tengo capacidad para ser abogado.

EXAMEN: CAPÍTULO 8
10:34 Counter no. _____

A. En la clase de sociología, los estudiantes tienen que hacer un proyecto sobre fenómenos inexplicables. Antes de empezar sus proyectos, varios estudiantes están conversando sobre lo que saben de esos fenómenos. Empareja cada conversación con dos dibujos apropiados.

1. —Leí en una revista que los extraterrestres se comunican con nosotros.
—¡Qué va! Dudo mucho que se hayan comunicado con la Tierra. Lo que sí creo es que puede haber posibilidad de comunicación, pero hasta ahora no hay ni evidencia ni datos.
—Pues, yo he leído y visto fotografías realistas de objetos voladores con forma de rueda y lucecitas ovaladas.

2. —Me fascinan los misterios de las civilizaciones antiguas. ¿Por qué no hacemos una investigación sobre los fenómenos que ocurrieron en la época precolombina?
—De acuerdo. Podríamos leer más sobre las figuras geométricas de Nazca.
—¿Qué te parece la idea de construir un mini-desierto en el cual trazaremos los mismos dibujos de arañas y monos?
—¡Genial! Podríamos aprender cuánto medían de largo y de ancho en realidad, y hacer una leyenda para nuestro modelo que represente el tamaño auténtico.

3. —¿Has visto las fotografías de las cabezas gigantescas de los olmecas?
—Sí, y me parece improbable que alguien haya hecho esculturas tan enormes. ¡Mira las caras de duda de los científicos en esta foto! Dudo mucho que ellos sepan su significado.

—No creo que nadie haya resuelto el misterio. Las cabezas pesan entre 11 y 24 toneladas. ¿Cómo es posible que estén estas cabezas en un lugar donde no había piedras tan enormes?

—Vamos a empezar nuestra investigación hoy. En mi clase de cerámica podría hacer unas cabezas como las de las fotos, aunque las mías no pesarán tanto.

B. A Serafina le encanta un programa de la radio que se llama "Lo fascinante e inexplicable." Escucha el programa con ella y luego indica si las oraciones son verdaderas (*Sí*) o falsas (*No*) encerrando en un círculo la respuesta correcta.

Hoy nuestro programa les llevará a dos diferentes partes del mundo. Oirán descripciones de fenómenos extraños que, a pesar de la avanzada tecnología que nos llevó a la Luna y que nos ha permitido estudiar civilizaciones antiguas, todavía quedan sin explicación lógica o científica.

PRIMERO

Primero, les llevaremos a un lugar del océano Atlántico que queda entre la península de Florida, las islas Bermudas y Puerto Rico, conocido como el Triángulo de las Bermudas. Este fenómeno se hizo popular con la publicación de una novela en 1974 titulada *The Bermuda Triangle.* Según la gente que defiende la existencia de ese triángulo misterioso, ha sido el lugar donde barcos y aviones han desaparecido sin explicación durante muchos años. Algunos sugieren que hay extraterrestres y hasta una civilización submarina en ese lugar. Para los que han estudiado profundamente la documentación de este fenómeno, el famoso "triángulo" se trata de un misterio fabricado sin ninguna evidencia que pruebe que existe.

SEGUNDO

Para hablar de nuestro segundo fenómeno, vamos a un lugar cerca de San Juan Capistrano, en California, donde en 1980 ocurrió un incidente increíble que algunos piensan que fue un extraño fenómeno eléctrico. Un helicóptero con su piloto y tripulación estaban filmando un anuncio comercial de televisión. Cada vez que el helicóptero llegaba cerca de la tierra, la cámara se apagaba. Al principio el piloto y la tripulación pensaron que se debía a la aceleración del helicóptero. Como prueba, el piloto llevó el helicóptero hacia la derecha y luego hacia la izquierda con fuerte aceleración, pero la cámara

siguió funcionando. Sólo se apagaba cuando el helicóptero estaba sobre una determinada roca. Hasta ahora no ha sido explicado este fenómeno.

Y ahora, señores y señoras, me despido de ustedes hasta nuestro próximo programa. Siempre sabrán lo último sobre "Lo fascinante e inexplicable" si nos escuchan cada semana.

EXAMEN: CAPÍTULO 9

12:21 Counter no. _____

A. Estás en una feria de trabajos de verano oyendo las descripciones y requisitos de los diferentes trabajos para estudiantes. Escucha cada descripción y escoge tres letras: una para el trabajo, otra para la descripción y otra para el requisito. Escríbelas en los espacios en blanco debajo de cada categoría.

1. No hay que tener experiencia para empezar, pero el gerente prefiere jóvenes que tengan ambición. Empiezan repartiendo productos electrónicos a diferentes compañías y, cuando tengan más experiencia, empezarán a trabajar en la oficina.

2. Para este trabajo hay que estar en buen estado físico y de salud. Se enseñará a niños de cinco a siete años a nadar. El director de la piscina municipal busca jóvenes que sean maduros, responsables y capaces de salvar vidas en caso de emergencia.

3. Se puede solicitar para este trabajo ahora mismo. La jefa de un negocio busca tres jóvenes que sepan manejar los aparatos típicos de una oficina moderna y comercial. Tendrán que escribir y enviar cartas por fax, fotocopiar y archivar documentos. Aunque no habrá tareas administrativas, se espera que realicen sus responsabilidades con eficiencia.

4. Para cualquier joven que quiera dedicarse a tareas administrativas, se ofrece entrenamiento durante el verano, con un ascenso y aumento de sueldo después de un año. Se prefiere experiencia previa. Momento oportuno para ser gerente de su propio negocio en una cadena de tiendas.

5. Se necesitan jóvenes que sepan hablar y escribir español. Trabajarán contestando el teléfono y también haciendo citas en una clínica de dentistas y médicos. Los requisitos son que tengan buenos modales con los clientes en persona y por teléfono.

B. Cachita decidió consultar con una agencia de empleos para conseguir trabajo estas vacaciones. Escucha la conversación que tiene con la agente. Luego, encierra en un círculo la letra de la frase que mejor complete cada oración.

AGENTE Buenas tardes. ¿En qué puedo servirte? Supongo que buscas empleo para el verano, ¿verdad?

CACHITA Buenas tardes. Sí, quisiera conseguir algo en junio, que es cuando me gradúo. No tuve mucho éxito con los anuncios clasificados esta semana. Todos buscan jóvenes que ya sepan hacer esto o lo otro, y yo tengo muy poca experiencia. Sin embargo, soy capaz de aprender si me quieren entrenar. No quiero asistir a la universidad hasta que sepa qué me interesa estudiar. Por eso me gustaría conseguir un trabajo que me dé entrenamiento y que me ayude a adquirir destrezas especiales.

AGENTE Primero, háblame de tus talentos e intereses personales. ¿Qué materias te interesan más? ¿Sabes manejar la computadora? ¿Te gusta atender al público?

CACHITA A pesar de que siempre cumplí con mis tareas y deberes en la escuela, nunca realicé todas mis metas. Sin embargo, este año empecé a escribir en computadora cuando unos amigos y yo decidimos publicar un periódico en español. Creemos que los estudiantes bilingües merecen una voz más fuerte.

AGENTE Bueno, me parece que esa experiencia te puede servir aunque no sea experiencia formal en el mundo del trabajo. Sigue hablando, por favor.

CACHITA Pues, mis amigos y yo trabajamos como vendedores, escritores y también repartidores distribuyendo el periódico por todas partes de la comunidad. Nuestros clientes han sido los diferentes negocios que compraron anuncios en nuestro periódico. Yo me encargué de administrar las diferentes tareas y también escribí dos columnas, una literaria y otra sobre la política.

AGENTE Me parece que no sólo eres capaz de realizar un trabajo con responsabilidades administrativas, sino también mereces estar en un puesto que te dé un buen entrenamiento para el futuro. Te voy a mostrar algo que puede interesarte. Lo recibí hace una hora. El periódico principal de la ciudad, que también publica una revista bilingüe, ofrece un puesto a jóvenes que muestren interés en escribir. Además, buscan futuros empleados que sepan comunicarse en español. ¿Qué te parece?

CACHITA ¡No lo creo! ¡Claro que me interesa! Pero, ¿habrá sueldo? Necesito trabajo de tiempo completo.

AGENTE No sólo hay sueldo, sino también aumento después del entrenamiento y trabajo fijo con el periódico si resulta que eres lo que ellos necesitan. Prefieren que vayas directamente a solicitar en persona ahora mismo, si puedes.

CACHITA Muchísimas gracias, señora. Me ha tratado muy bien y lo aprecio.

EXAMEN: CAPÍTULO 10

9:06 Counter no. _____

A. Estás escuchando las noticias de la radio. Escucha cada noticia y luego indica con *Sí* las oraciones correctas y con *No* las oraciones incorrectas.

1. Hoy pusieron en libertad a un asesino después de cumplir una sentencia de veintidós años. A la gente de la comunidad les molesta que el castigo no haya sido más severo y temen que el asesino no esté rehabilitado y que pueda volver a la vida del crimen de nuevo. Un grupo de quince personas se ha organizado para evitar que ese hombre viva de nuevo en su comunidad. Dicen que todavía recuerdan a las tres personas que fueron víctimas del tiroteo loco del asesino.

2. Sonó la alarma a las tres de la mañana, lo que sorprendió al guardia que desde hacía horas estaba leyendo la novela *Asesinato de un narcotraficante*. Corrió hacia el interior del banco, donde dice que oyó pasos en la oscuridad. El guardia nos cuenta que gritó en voz alta: "Tiren las armas al suelo y salgan con las manos arriba." En ese momento salió corriendo de un lado a otro

un gato blanco. Nuestro sospechoso se fue del lugar de los hechos sin el menor atentado en contra del guardia. Se supone que buscaba la cena que le esperaba en el basurero del banco.

3. Hace una hora, una explosión despertó a todos en el barrio San Martín, cerca de la capital. El ataque ocurrió en una fábrica, donde fueron heridas unas veinte personas. Todavía no se sabe el número de muertos. Unos minutos después del incidente, unos terroristas llamaron a la policía declarándose responsables del atentado. Han secuestrado a tres rehenes y dicen que no los pondrán en libertad hasta que obtengan un rescate de dos millones.

B. En tu clase de historia, los estudiantes van a discutir en un debate sobre la violencia y la justicia. Escucha lo que dice cada estudiante y luego escoge la letra que mejor complete cada frase.

PRIMER ESTUDIANTE

En la década de los ochenta, asesinos adolescentes mataron a más de 11,000 personas. En los últimos años el número está subiendo dramáticamente. Los asesinatos son la segunda causa principal de muerte de los jóvenes de quince a diecinueve años, después de los accidentes automovilísticos. Nuestra opinión, y tenemos hechos concretos para comprobarla, es que hay demasiada violencia en la televisión y hay que acabar con ella. Recomendamos que se censuren no sólo los programas violentos sino también los videojuegos. Además, es necesario que se impongan sentencias más severas a los criminales. Nosotros estamos a favor del castigo corporal como medida que evite que los asesinos y narcotraficantes sigan recurriendo a la violencia para resolver sus problemas y ganar dinero.

SEGUNDA ESTUDIANTE

Estamos de acuerdo en que el número de víctimas es alarmante y nos asombra que cada año haya más, pero no creemos que la solución sea imponer sentencias severas. Hay que poner más énfasis en las causas del problema y menos en las consecuencias. Ustedes no quieren resolver el por qué del problema y la única solución que ofrecen es la censura de programas y videojuegos. Dijeron que tienen hechos concretos para comprobar que la violencia en la televisión es la causa de tanta violencia en nuestra sociedad. ¡Muéstrenmelos! ¡Dénmelos! Es cierto que hay violencia en la televisión, pero la censura no es la solución. Nadie tiene el derecho de imponer sus opiniones sobre otra persona. Lo que los adolescentes necesitan es seguridad y más trabajos. Nuestra solución es la educación.

EXAMEN: CAPÍTULO 11

12:25 Counter no. _____

A. Estos estudiantes de español están contestando una pregunta que el profesor les hizo. Escucha lo que dice cada uno y luego indica con *Sí* las oraciones correctas y con *No* las oraciones incorrectas.

PROFESOR   Clase, quisiera que me dieran ejemplos que muestren la fusión de culturas. Quiero que expliquen qué aspectos de las culturas se combinaron y cuáles han sido los resultados.

ESTUDIANTE 1   Yo tengo un ejemplo. Soy de Nueva York, pero mis padres vinieron de Puerto Rico. No querían que yo perdiera mi lengua y por eso en casa me hablan en español. Quieren que yo mantenga mi cultura. Me encanta la música caribeña y por eso estoy tomando lecciones de instrumentos de percusión, como el bongó y la conga. Los ritmos del Caribe fueron traídos a América por los africanos y actualmente se mezclan con otros ritmos indígenas. Para mí, esa fusión musical es fascinante.

ESTUDIANTE 2   Profesor, creo que mi familia refleja una mezcla de culturas diversas. Tengo un padre mexicano y una madre española. Las comidas de esos dos países son muy diferentes. Al español no le gusta lo picante y no conoce las comidas que se hacen con la tortilla de maíz, como el taco. Tampoco come con frecuencia el aguacate, un ingrediente tan importante en el guacamole. Pero en mi casa la comida se ha combinado y todos comemos algo de las dos culturas. Ahora mi madre come su tortilla española siempre con salsa picante encima. A mi padre le encanta el aceite de oliva y el ajo, que no comía a menudo de niño.

ESTUDIANTE 3 El verano pasado mi familia y yo hicimos un viaje a las islas Filipinas para visitar a mis abuelos. Yo nací allí y por eso hablo más de una lengua: el tagalo, el ilokano y, claro, el inglés. Mi país es el resultado de una mezcla de otras culturas porque otros países lo conquistaron. Los españoles perdieron las Filipinas en 1898, pero más tarde vinieron los japoneses. Ellos también perdieron su poder cuando lucharon con Estados Unidos en la guerra. Las lenguas que mi familia habla combinan vocabulario del español y del japonés. Sé también que mucha de la comida nuestra es una fusión de esas dos culturas y la comida original de las islas Filipinas.

PROFESOR Me han dado buenos ejemplos de la fusión de culturas. Gracias, clase. Les voy a dar otros ejemplos más. La música de *rap,* con sus ritmos africanos mezclados con el *jazz,* ahora también se oye en español, pero el resultado es un *rap* diferente. En Japón hay jóvenes a quienes les encanta tocar y cantar el *jazz* de los años cuarenta de nuestro país. En África la influencia de los franceses, que tuvieron colonias en algunos países africanos, se ve en la lengua que se llama *francophone.* Los *Gipsy Kings,* un grupo popular en todo el mundo, combina la música de *rock* y el *jazz* con la rumba flamenca de la región del sur de España. Se ha creado una nueva y original fusión en la música. La influencia de una cultura sobre otra no se puede evitar.

B. Rodolfo está presentando un informe oral en la clase de historia. Escucha su informe y luego escoge la letra de la frase que mejor complete cada oración.

Cuando se establecieron las misiones en California en el siglo XVIII, la cultura del indígena cambió dramáticamente. Para el misionero era importante que los indígenas se convirtieran al cristianismo. Generalmente les pedían que se cambiaran sus nombres para que tuvieran nombres cristianos. También insistían en que se vistieran con ropa al estilo europeo. Los misioneros temían que la ropa de cuero no fuera higiénica y que causara enfermedades. Dividían a los indígenas en grupos y les daban a cada uno una tarea. Tenían que ayudar con la construcción de las misiones y de los presidios. La mujer indígena también tenía que ayudar en la preparación de la comida y limpieza de las casas. Pero a pesar de adoptar el estilo de vida de los europeos, hubo algunos incidentes de rebelión en la historia de las misiones. En 1824, los indígenas decidieron rebelarse contra los padres de la misión de Santa Bárbara. Cuando los soldados mataron a dos de ellos, los indígenas se escaparon a las montañas. Los misioneros les pidieron que regresaran y prometieron perdonarles. Los indígenas decidieron que era mejor que lo hicieran y no se rebelaron más. A través de los años, la cultura indígena perdió su lengua y las viejas costumbres que practicaban antes del encuentro con los españoles.

EXAMEN: CAPÍTULO 12

8:36 Counter no. _____

A. Alejandro y Verónica fueron a una agencia de empleos para hablar de futuros trabajos. Indica con *Sí* las oraciones correctas y con *No* las oraciones incorrectas.

1. —Alejandro, creo que te interesaría mucho este trabajo. Como ya sabes el lenguaje por señas y no quieres trabajar cuarenta horas por semana, es perfecto para ti.
—¿Qué tendría que hacer? No tengo mucha experiencia.
—Me has dicho que dominas la computadora. Trabajarías en una clínica 28 horas por semana, por las tardes. Habría contacto con los pacientes, que incluye a gente sin la habilidad de oír. Escribirías en computadora, contestarías el teléfono y harías citas para los pacientes.
—¿Y no hace falta experiencia?
—No, sólo es necesario que saludes a la gente cuando llegue y salga. Además, si quieres seguir con tus estudios universitarios en el otoño, podrías mantener tu posición con ellos.

2. —Buenas tardes, Verónica. ¿En qué te podría ayudar?
—Quisiera un trabajo en el que haga falta saber el idioma chino.
—¿Qué más sabrías hacer?
—Me interesa mucho escribir. He sido periodista y también redactora del periódico escolar.

—A ver… ¡Ah! Esta posición es en un periódico que se publica en tres lenguas. Tendrías que aceptar tiempo completo y sería importante que siguieras con el trabajo después de las vacaciones. Es decir, es un puesto permanente. Te entrenarían como redactora. También hay una posibilidad de llegar a ser corresponsal.

—¡Maravilloso! Este trabajo me daría la oportunidad de hacer algo para lo que ya tengo habilidad.

—Pero el requisito es que domines la segunda lengua, en tu caso el chino.

—No sólo lo hablo, sino también lo leo y lo escribo. Vivimos cinco años en Taiwán.

B. Armando y Marcela están conversando después de recibir los resultados de un examen. Escucha su conversación y luego escoge la letra de la frase que mejor complete cada oración.

—Armando, ¿qué tienes en la mano, el examen de historia?

—Hola, Marcela. No, en realidad es un examen que tomé para analizar mis habilidades y talentos. Es para ayudarme a escoger un trabajo o una carrera. Los resultados son, ummm, pues, fascinantes.

—Ah, sí. Yo lo tomé hace un mes. Según los resultados míos, recomiendan que sea contadora o banquera. Creo que es porque me encanta trabajar con números.

—Pues, a mí me sugieren que siga carreras que no me interesan, por ejemplo, la de cocinero, técnico o diseñador de ropa.

—¿Diseñador de ropa? No me digas.

—Tendría que ser porque me gustan los trabajos manuales y me gusta dibujar. Mis padres insisten en que sea médico. Si yo pudiera escoger, viajaría por el mundo como intérprete o traductor de francés, árabe y mi lengua materna, el inglés.

—Los míos quieren que sea abogada. Si tuviera la oportunidad, sería corresponsal internacional, pero me haría falta aprender más idiomas.

—Tengo una idea. Cuando yo sea un cocinero famoso en el extranjero, tú podrías ser mi contadora mientras escribas un artículo sobre la comida maravillosa que preparo.

—Y tú, Armando, podrías diseñarme la ropa elegante que llevaría mientras defienda a gente famosa en las cortes internacionales.

BANCO DE IDEAS: CAPÍTULOS 1 a 6

34:00 Counter no. _____

A. Tus amigos están leyendo una revista que tiene fotografías y artículos de personas famosas. Escucha sus comentarios y luego empareja cada descripción con el nombre correspondiente.

   1. Aquí está Karla Rey. Me gusta mucho cómo canta y me parece fascinante la vida animada que lleva, pero mira esta fotografía. Unos jóvenes le piden su autógrafo y ella no les quiere hacer caso. Prefiere mirarse en el espejo en vez de hablarles.

   2. ¡Aaaaaaaay! ¡José Ramón! Aquí está con su banda, tocando en un orfanato. Siempre seré su admiradora porque, además de ser muy guapo y vivir una vida sana, siempre apoya a los demás. Lo admiro porque es muy considerado.

   3. ¿Qué te parece este artículo sobre Sergio? Dice que para escaparse de las presiones de la vida que lleva haciendo películas, pasa mucho tiempo en su granja. Mira la foto que le sacaron dormido en su jardín. Pero, ¿quién es esa mujer rubia y los dos niños que están dando comida a las ardillas? ¡Ay, Sergio no es soltero!

   4. ¡No lo creo! Este artículo describe a Fernando José de niño. Parece que cuando tenía unos quince años, vivió en un orfanato donde, según él, siempre había conflictos entre los jóvenes. Un día alguien le ofreció un papel en una obra teatral porque era simpático y guapo. Ahora vive en un rascacielos y desde su apartamento tiene una vista bella de toda la ciudad. ¡Qué maravilla!

B. El doctor Claudio tiene un programa en la radio para ayudar a los jóvenes con sus problemas. Escucha cada conversación y luego indica con *Sí* las oraciones correctas y con *No* las oraciones incorrectas.

DIÁLOGO 1

—Buenas tardes. Me llamo Amelia y necesito ayuda con un problema que tengo con mi novio.

—Hola, Amelia. Dime lo que te pasa.

—Mi novio es un aficionado a todo tipo de deporte. Yo le admiro mucho porque es el mejor jugador de la escuela, en los equipos de fútbol, béisbol, tenis . . .

—Pues, me parece muy bien, pero no entiendo por qué es un problema. Explícame más.

—Hace poco, Andrés, mi novio, decidió inscribirse en una clase de esgrima y ahora no me hace caso. Antes nos llevábamos muy bien y él compartía todo conmigo. Ahora, nunca tiene tiempo para mí porque está practicando la esgrima noche y día. Doctor Claudio, ¿me puede dar un consejo?

—Amelia, es importante que los novios se entiendan y que tengan algo en común. ¿Te gustan los deportes?

—¡Me encantan! También soy muy buena deportista. Soy la campeona en mi equipo de básquetbol.

—Amelia, inscríbete en una clase de esgrima. Cuando Andrés quiera practicar, tú le puedes acompañar. Tu amistad con él será más íntima porque tendrán más en común. Respeta los intereses de tu novio, pero también sugiero que mantengas tus propios intereses personales.

—Gracias, doctor Claudio. Me parece muy buen consejo.

DIÁLOGO 2

—Doctor Claudio, ¿me puede dar unos consejos? Tengo un problema con mi hermana.

—Espero que sí. Primero, hazme el favor de decirme tu nombre.

—Ay, perdón. Soy Ricardo. Mi hermana Beatriz siempre se entretiene riéndose de mí o bostezando cuando quiero decirle algo importante. Si estoy mirando algún programa que me emociona mucho, ella cambia de canal. Y lo peor es que cuando mis amigos me dejan un recado en el contestador automático, Beatriz lo borra y me dice que nadie me llamó.

—Hmmmm. ¿Cuántos años tiene ella?

—Tiene siete años menos que yo. Aunque no tenemos tanto en común por ser de diferentes edades, es importante que nos llevemos bien. Antes de mudarme a la universidad, quisiera llevarme bien con ella. Creo que soy bastante comprensivo, pero no sé cómo resolver este problema.

—¿Siempre se ha portado tan traviesa?

—No, sólo recientemente. Desde que decidí irme a estudiar a la universidad.

—Creo que tu hermana está haciendo lo que hace porque quiere que le hagas más caso. Aunque pienses que de los dos tú eres el más considerado, ¿no se te ha ocurrido que le da miedo perder a su hermano mayor?

—Pues, nunca lo había pensado.

—Es necesario que le hagas saber que ella es muy importante en tu vida. Recomiendo que salgas y compartas un poco más de tu tiempo con ella antes de mudarte.

C. Un grupo de amigos ha ido a un museo. Escucha las conversaciones y luego escoge la letra del dibujo que corresponda a cada diálogo.

NÚMERO 1

—Carlos, ¿has visto estas estatuas enormes? Hacía unos ocho siglos que estaban enterradas cuando las descubrieron y ahora las podemos ver por primera vez.

—Claro que las he visto. ¡Son una maravilla! Todavía es posible ver los jeroglíficos. Parecen comunicar un idioma antiguo.

—Todavía hay mucho que ver en el museo. ¿Adónde quieres ir ahora, Cristina?

—Han abierto el café. ¿Por qué no tomamos un refresco y luego visitamos la sala de los dioses?

NÚMERO 2

—Parece que el artista se emocionó y echó pintura por todas partes en este cuadro.

—No, Beto, fíjate bien. Mira, aquí están los perfiles de tres personas. En el fondo se ve un viejo de pie con paleta y pincel en la mano.

—Pero, Gloria, no entiendo nada de lo que estoy viendo. Además, no me gustan los colores apagados.

—No lo entiendes porque no sabes nada del arte abstracto y no tienes mucha imaginación. Es el autorretrato del pintor con su familia.

—¡No me digas!

NÚMERO 3

—Carolina, ven a ver esto. ¿Es una fotografía?

—Creo que no. Es una pintura hecha al estilo del realismo. El artista quería comunicarnos todo detalle de la naturaleza en el momento en que la estaba pintando.

—Las figuras de los animales parecen estar observándonos. Es como estar en el medio de la selva en este momento.

—Casi me dan miedo esas sombras enormes de los árboles. Parecen gigantes.

NÚMERO 4

—Creo que este pintor perdió todo el sentido del humor.

—¿Por qué lo dices?

—No veo más que autopistas, atascos y contaminación por todas partes. Me gusta el realismo, pero creo que esto es demasiado.

—Sí, pero el arte puede enseñar además de entretener. La gente siempre está tratando de escaparse de la realidad. ¿Y sabes qué? Mientras estábamos discutiendo la obra, descubrí algo que antes no había visto, este puente, aquí en el primer plano.

—Tienes razón. No hay nada de contaminación sino colores vivos y pájaros cantando en los árboles.

—Parece que el artista quisiera ver el futuro desde un punto de vista positivo.

NÚMERO 5

—Marta, ¿qué es esta obra de arte?

—Hmmm. No estoy segura, Angélica. No hay significado en todos los objetos de arte.

—Es verdad, pero creo que habrá algo que el artista quiso decir con esta escultura. Mira, aquí hay parte de una vieja computadora. A la derecha tenemos un televisor descompuesto y a la izquierda está colgando un contestador automático roto. Al lado de todo esto ha puesto un buzón, pero ninguna carta. No hay nada más que polvo.

—¡Ah, ya sé lo que quiere el artista! Nos está recomendando que nos comuniquemos.

—¿Cómo?

—Pues, aunque hay tanta tecnología, todavía mucha gente vive sin saber cómo compartir con los demás.

D. Tus amigos están describiendo el lugar donde pasaron su infancia. Escucha cada descripción y luego empareja el nombre de la persona que habla con la frase que le corresponde.

NÚMERO 1   Me encantaba el paisaje que veíamos desde nuestra casa. Podíamos disfrutar de la naturaleza sin oír los ruidos de los lugares llenos de gente. La vida rural era mucho más segura que la vida urbana. Teníamos algunos animales como gallinas y vacas. Había un jardín donde yo cultivaba de todo. A veces un venado venía a comer, pero nunca podía acercarse a la lechuga y las judías verdes porque mi padre había puesto una cerca. Ustedes dirán que estoy mintiendo porque mi vida de niña parece ser tan idealizada, pero les estoy diciendo la verdad.

NÚMERO 2   No me gustaba jugar en la calle porque el tráfico me daba miedo. Tampoco me gustaba vivir en los apartamentos porque no había jardines. El parque estaba muy cerca, pero a veces era peligroso. Por otro lado había más oportunidades de trabajo para mi papá y una abundante vida cultural y social. Cuando mis padres decidieron mudarse a un pueblo, yo tenía unos diez años. De esos años sí tengo muy buenas memorias: cuando mi equipo de béisbol ganó el campeonato del año y cuando mis padres me llamaron al jardín para ver mi primer perro. Me lo habían regalado por mi cumpleaños.

NÚMERO 3   Cuando tenía dos años nos mudamos del centro de la ciudad y por eso no recuerdo mucho del primer lugar de mi infancia. Sin embargo, recuerdo nuestra segunda casa en las afueras porque vivimos allí diez años. La escuela estaba cerca y el centro comercial también. Mis padres iban al trabajo en el metro. Los fines de semana íbamos al teatro o a los museos. Siempre había algo que hacer porque vivíamos bastante cerca del centro, pero con la ventaja de vivir aislados del ruido y de la contaminación de la ciudad. Siempre tendré una imagen positiva de esos años.

NÚMERO 4   Yo recuerdo los viajes fascinantes que hacía con mis padres mientras visitábamos alguna pirámide o las ruinas de una civilización antigua en la selva tropical. Los dos son arqueólogos y siempre me llevaban con ellos, por eso la imagen que tengo de mi infancia es una llena de chozas viejas con cuencos y vasijas de jade más que de muñecas y ositos de peluche. Una vez hicieron una película de mis padres porque descubrieron una tumba que había estado enterrada hacía más de ochocientos años. Yo no estuve en la película porque ese día estudiaba en la escuela rural. Nunca olvidaré la primera vez que entré en la tumba con mi padre y vi los colores vivos del mural y los objetos de oro y plata.

E. Dolores y Francisco quieren hacer llamadas por teléfono, pero tienen problemas. Escucha la conversación de cada uno y luego indica con *Sí* las oraciones correctas y con *No* las oraciones incorrectas.

[Riinn]

—¡Aló, operador! ¿Me podría ayudar? Me encuentro sin dinero y tengo que hacer una llamada a mis padres. Es urgente, operador.
—Puede hacer una llamada a cobro revertido. ¿De parte de quién, por favor?
—De su hija, Dolores. Dígales que se me perdió la cartera en el metro y ahora no tengo . . .
—Un momento, señorita. ¿Me podría dar el número, por favor?
—Sí, es el 67-49-51. ¡Ay, no! Ése es el número de nuestra casa y mis padres no están en casa. Están en casa de mi tía Mercedes. Un momentito, lo voy a buscar en la guía telefónica . . .
—Por favor, señorita. ¡No puedo esperar!
—¡Ay, operador, no me cuelgue! No tengo más dinero para poner en el teléfono.
—Le doy treinta segundos más, entonces colgaré.
—Ya lo estoy buscando. Barroso . . . Blanco . . . Bravo. . . ¡Aquí está! Buenrostro. 96-01-46. Gracias, operador, gracias.

[Riinn]

¿Carolina? ¡Ay, qué bueno que te encuentro! Debo pedirte un favor. No lo vas a creer. Esta mañana descubrí que dejé mis cheques de viajero en el hotel en Madrid y sólo tengo doscientas pesetas en el bolsillo. Ayer, después de cenar contigo, regresé al hotel, pagué la cuenta y salí por avión para Barcelona, donde estoy ahora. Hice muchas llamadas al hotel pero la línea estaba siempre ocupada. Cuando alguien contestó finalmente, me dijo que estaba equivocado de número. Busqué el número correcto en la guía telefónica, compré más fichas y volví a llamar. Por suerte, me dijeron en el hotel que habían encontrado mis cheques. Sin embargo, no me los podrán enviar por correo urgente, porque ¿cómo sabrán ellos quién soy? Tendré que recogerlos en persona o darle a alguien permiso por escrito para recogerlos. Ése es el favor que te pido. Yo te enviaré una carta explicando que tú, Carolina Hernández, tienes mi permiso para recoger los cheques. Entonces, tú me los podrás enviar a Barcelona, al Hotel Madrid. ¿Puedes? ¡Genial! Y mil gracias, Carolina. Nos veremos en dos semanas cuando regrese a Madrid.

BANCO DE IDEAS: CAPÍTULO 7

15:25 Counter no. _____

A. En su programa de radio *Toño te apoya,* Toño les ofrece ayuda a todas las personas que llamen por teléfono con un problema. Escucha los problemas del programa de hoy. Luego, empareja cada uno con el consejo apropiado que le da Toño a cada persona.

NÚMERO 1

Estamos pensando en organizar una manifestación porque nadie se interesa en nuestra causa. La mayoría de la gente no entiende lo difícil que es para los necesitados vivir en la pobreza diariamente. Con el frío que hace en estos meses, hemos buscado refugio en los centros comunitarios de varias ciudades, pero no nos quieren hacer caso. ¿Qué nos recomiendas, Toño?

NÚMERO 2

Somos muy buenos deportistas y creemos que la comunidad podría beneficiarse de nuestros talentos. Practicamos el básquetbol todas las tardes después de las clases, pero el problema es que nadie quiere apoyarnos ni aceptar la responsabilidad de ayudar a deportistas incapacitados. Siempre nos prometen hacer algo, pero todavía no hemos visto ninguna ayuda financiera. ¿Qué nos aconsejas, Toño?

NÚMERO 3

La sociedad puede ser muy justa, pero en nuestro caso los ciudadanos de nuestra comunidad son bastante incomprensivos. No exigimos que nos donen nada, ni ropa ni dinero ni hogar. Lo que sí esperamos es que la gente nos respete y que nos garantice nuestros derechos. Después de haber contribuido nosotros a la sociedad por más de cincuenta años pagando impuestos como ciudadanos responsables, sólo queremos leyes justas que nos protejan. ¿Qué podemos hacer, Toño, para protegernos en nuestros últimos años?

NÚMERO 4

Toño, no soy ni incapacitado ni pobre. El problema mío es que quisiera compartir mi tiempo libre después de las clases o los fines de semana con la gente necesitada, pero no sé cómo hacerlo. Tengo algunos talentos: me encanta cantar, componer música, leer y ayudar a los que no tengan la capacidad de ayudarse a sí mismos. No conozco muy bien la ciudad; hace sólo un mes que mi familia y yo nos hemos mudado. ¿Me podrías recomendar alguna organización o servicio social que podría beneficiarse con un voluntario como yo unas horas por semana?

NÚMERO 5

Mis amigos y yo no tenemos todavía la edad necesaria para votar y por eso es difícil que tengamos influencia sobre el gobierno votando a favor o en contra de algún candidato que represente nuestra causa. El problema que tenemos es éste. Nuestra comunidad ha decidido cerrar el centro recreativo porque dicen que les cuesta demasiado mantenerlo y que los únicos que están beneficiándose son la gente sin hogar. Hemos protestado a los oficiales que gobiernan la ciudad, pero no hemos podido influirles. Toño, ¿qué sugieres que hagamos?

B. Tienes que ayudar a decidir quién debe ganar el debate en tu clase de economía. Escucha primero a Laura y luego a Enrique. Después, escoge la letra de la frase que mejor complete cada oración.

LAURA

Nuestra escuela debe exigir que todos los estudiantes hagan algún trabajo voluntario antes de graduarse de la escuela secundaria. El trabajo voluntario sigue teniendo gran importancia hoy en día. Las razones por las cuales deberían exigirlo son lógicas. Primero, los estudiantes que participan en servicios voluntarios aprenden cuáles son las responsabilidades de un buen ciudadano. Comprueban así que los problemas se resuelven mejor al trabajar todos juntos. También, sirviendo a la comunidad se puede entender mejor la sociedad y respetarla más. Además, los trabajos voluntarios en la comunidad son una buena manera de explorar campos profesionales como las leyes, la medicina, la tecnología o los servicios sociales. Las universidades siempre quieren saber qué tipo de experiencia el estudiante ha tenido trabajando en la comunidad. Es importante que todos la tengan si quieren ser aceptados en una universidad buena o quieren conseguir ayuda financiera más fácilmente. Recomiendo que nuestra escuela colabore más con la comunidad y que desarrolle un programa para servirla mejor. Esperamos que lo hagan este año. Es su responsabilidad hacerlo.

ENRIQUE

Todo lo que dice Laura parece bastante lógico. Sin embargo, ninguna escuela o institución tiene el derecho de exigir que alguien trabaje y que lo haga sin ganar dinero. En primer lugar, la principal responsabilidad de los estudiantes es estudiar. Muchos están muy dedicados a sus estudios y no les quedan horas libres para hacer otra cosa. También es importante que los estudiantes practiquen algún deporte o que participen en actividades extracurriculares de la escuela. Muchas universidades están interesadas en el estudiante que sea buen deportista o que sepa contribuir a la comunidad de la escuela. Ninguna universidad puede garantizar una posición o apoyo financiero a los estudiantes que hayan tenido experiencia como voluntario. Hay estudiantes que no tienen la ventaja de vivir en un ambiente urbano y viven aislados en el campo. No es conveniente para ellos trabajar lejos de casa y es injusto exigirles esa experiencia. No todos los jóvenes están preparados para entender los problemas de la sociedad. Aunque hay algunos que tienen interés en ayudar a los ancianos, a la gente sin hogar o a las personas con SIDA, no todos tienen la habilidad de ayudar a otros con problemas. Los adultos deberían hacerlo. Por eso yo protesto y estoy en contra de que el trabajo como voluntario sea obligatorio. Tenemos derechos como estudiantes.

BANCO DE IDEAS: CAPÍTULO 8

11:18 Counter no. _____

A. Unos estudiantes están en un museo y hacen comentarios sobre lo que ven en la exhibición. Escoge la letra de la expresión que corresponda a lo que cada persona está describiendo.

1. ¡Increíble! Aquí dice que el faraón Tutankamón de Egipto murió aproximadamente en el año 1350 antes de Cristo. Lo enterraron ese mismo año, pero no fue encontrado hasta el año 1922 por un arqueólogo inglés. El lugar donde Tutankamón estaba enterrado medía 2.75 metros de largo. Para llegar a la momia o cuerpo de Tutankamón, tuvieron que

levantar una piedra enorme que lo protegió por más de tres mil años bajo la tierra.

2. No comprendo estas fotos de objetos ovalados. Parecen estar volando en el espacio trazando líneas de humo en el cielo. Mira, aquí al otro lado de esta ventanilla se ven las caras de seres pequeños con ojos enormes y verdes. ¡No lo creo!

3. Ésta es una foto de una civilización antigua. La ciudad llamada actualmente Machu Picchu fue construida por los incas sobre una montaña. No fue descubierta hasta 1911. Se cree que los trabajadores que la construyeron tenían que donar su tiempo a diferentes proyectos. Por ser tan fuerte la arquitectura de los incas, la ciudad ha quedado bien preservada.

4. ¡No puedo creer esto! En 1974 unos trabajadores chinos excavaban en busca de agua cuando descubrieron más de siete mil figuras de cerámica. Las figuras representaban un ejército de hombres que cuidaba la tumba de un emperador chino. El ejército había estado enterrado por más de dos mil años. Cada figura era de tamaño normal y ningún cuerpo era exactamente como otro. También encontraron figuras de caballos adornados de oro y plata.

5. Y, ¿qué es esto? Parece ser una nave espacial con ventanillas por todos lados. A ver, según la descripción dice que el invento del batíscafo ha permitido la exploración del mar. Con este aparato se puede bucear a grandes profundidades en los océanos por más tiempo y es más seguro. Gracias al batíscafo, es posible hacer exploraciones de barcos que han estado perdidos por muchos siglos. En 1960, un arqueólogo estadounidense aplicó las mismas técnicas arqueológicas que se usan sobre tierra al ambiente acuático. Él pudo explorar y sacar objetos de un barco de la Edad de Bronce de tres mil años de antigüedad. ¡Qué fascinante!

B. Jaime y Vicente, unos compañeros de clase, están hablando en la biblioteca de su escuela. Escucha su conversación y luego indica con *Sí* las oraciones correctas y con *No* las oraciones incorrectas.

—Hola, Vicente. Este verano va a vivir con nosotros un estudiante de intercambio chileno. En su carta del otro día me explicó un poco sobre la isla de Pascua y ahora yo quisiera aprender más de esta isla. No sé ni dónde está. ¿Has oído de la isla?

—¡Claro! He leído un poco y sé que, según los turistas, una visita a la isla de Pascua es una experiencia maravillosa. Dame el libro que tienes. Aquí hay un mapa. Mira, queda a unas 2,350 millas al oeste de Chile, en el océano Pacífico.

—Hernando, el estudiante chileno, me dijo que hay más de 500 esculturas en la isla. Son cabezas gigantescas y miden 10 metros de alto. Algunas pesan de 5 a 10 toneladas. Existen muchas teorías sobre su origen, pero es evidente que los escultores tenían altos conocimientos de ingeniería y astronomía.

—Lo que yo leí es que los científicos dudan que los escultores hayan tenido poderes sobrenaturales, pero es posible que las estatuas representen algún tipo de construcción religiosa.

—Tengo un tío que es antropólogo. ¿Quieres que lo llame para pedirle más información?

—Sí, por favor. No quisiera tener cara de tonto cuando llegue Hernando. Él ya sabe todo sobre nuestro país.

BANCO DE IDEAS: CAPÍTULOS 9 a 12

20:44 Counter no. _____

A. Estás escuchando un programa que dan por la radio cada semana en el que anuncian los diferentes empleos que se ofrecen en tu comunidad. Empareja cada descripción con el dibujo del trabajo que le corresponda.

Para ponerse en contacto con los diferentes negocios que ofrecen empleos esta semana, llamen a nuestra estación entre las ocho de la mañana y las cinco de la tarde, de lunes a sábado. A continuación les damos los empleos de la semana:

1. El centro recreativo busca jóvenes que sepan nadar bien. Darán lecciones por la mañana y cuidarán a los niños y jóvenes que nadan en la piscina por la tarde. Tiempo completo durante el verano.

2. Se ofrece trabajo en una oficina. Consiste en archivar documentos, distribuir correo, contestar y recibir recados por teléfono.

3. Se busca persona que tenga destrezas en administración de hoteles. Tendrá varias responsabilidades además de entrevistar y contratar a los futuros empleados. Tiempo completo y buenos beneficios.

4. Trabajo administrativo en una compañía con un gran futuro. Se encargará de veinticinco técnicos de computadoras y las responsabilidades financieras del departamento de producción. Buen sueldo y posible ascenso.

5. Se necesitan jóvenes para distribuir paquetes por la mañana temprano, entre las cinco y las siete. No hay que tener experiencia, pero sí tener coche y ser puntual.

B. Un policía está hablando con la señora Montoya. Escucha la conversación entre ellos y luego escoge la letra de la frase que mejor complete cada oración.

POLICÍA Señora Montoya, ¿es usted quien nos llamó para reportar un asesinato?

SRA. MONTOYA Sí, fui yo. ¡Ay, tengo tanto miedo! Nunca en mi vida he sido testigo de un crimen.

POLICÍA ¿Es éste el lugar de los hechos?

SRA. MONTOYA No, aquí no ocurrió nada. Lo vi todo por la ventana, allí en ese apartamento de enfrente. ¡Ay, ay! Estoy tan nerviosa. Esta noche, mientras le daba de comer a mi gatito . . .

POLICÍA Señora, ¡los hechos, por favor!

SRA. MONTOYA Pues, por esa ventana del octavo piso vi la figura de una mujer. No me llamó mucho la atención hasta que aparecieron en la ventana dos personas más. Eran dos hombres y uno tenía un arma en la mano.

POLICÍA ¿Qué tipo de arma era?

SRA. MONTOYA Tenía que ser una pistola, porque después oí un tiroteo y los gritos de una mujer. Me parece que ella luchó, pero cuando se apagaron las luces no fue posible ver más. ¡Ay, qué horrible! No sé si la han matado o la han herido.

POLICÍA ¿Vio usted las caras de los hombres antes de que apagaran las luces?

SRA. MONTOYA Pues, no pude verlos bien porque está un poco lejos. Y no conozco a nadie en esos apartamentos. Pobre mujer. Es una lástima que vivamos todos en un ambiente de tanta violencia, drogas, secuestros y ataques por la calle.

POLICÍA Señora, me permite usar el teléfono.

SRA. ¡Claro, pero hágalo rápidamente!

MONTOYA Es posible que la salven y que los asesinos no se hayan escapado todavía.

POLICÍA *[Marca un número y se oyen dos timbres de teléfono.]* Sí, habla aquí Hernández. Estoy en el apartamento de la señora Montoya. Ah, sí . . . sí . . . mmm . . . pues sí . . . . Bueno. Entiendo. Se lo diré. Adiós.
[El policía cuelga.]

SRA. MONTOYA ¿Qué pasa? ¿Encontraron a la mujer? ¿Arrestaron a los ladrones?

POLICÍA Señora Montoya, no se preocupe más. Gracias a su llamada hemos capturado a los dos culpables y a la mujer de la ventana ya la llevaron al hospital. Sólo la hirieron en el brazo y no es serio. Mientras hablábamos usted y yo, el guardia que vigilaba el apartamento capturó a los dos sospechosos cuando salían del ascensor. Señora Montoya, ojalá fueran como usted todos los ciudadanos. Hoy en día nadie quiere arriesgarse.

C. Claudia y su familia están de vacaciones. Una guía les está hablando sobre los diferentes lugares de interés. Escucha lo que dice y luego escoge el dibujo que corresponda a la descripción.

¡Bienvenidos! Soy Pilar, su guía. Hoy visitaremos lugares de interés de una época fascinante. Por eso, tengan sus cámaras preparadas y disfruten de las mil y una maravillas históricas que van a ver. Síganme con sus mapas a mano porque cuando hable de algo importante me voy a referir al número correspondiente en el mapa. Antes de subir al autobús, quisiera darles una explicación general de lo que visitaremos.

Primero, busquen el número uno en su mapa. Es la plaza central de la ciudad, donde estamos ahora. Antes de que salgamos para continuar nuestra excursión, quisiera que notaran esa linda fuente. Aunque fue construida hace más de cuatrocientos años, verán que el color azul de la cerámica sigue siendo muy brillante. Hoy visitaremos la fábrica de azulejos, el número dos en su mapa, donde se hicieron éstos y otros que todavía decoran muchas fuentes en la ciudad. También iremos por el barrio más antiguo de la ciudad, donde verán arquitectura típica de la época árabe. En sus mapas busquen el número tres, por favor. Entraremos en patios de casas que todavía tienen rejas hechas en el siglo XV. Algunas familias nos permiten entrar en sus patios pero, por favor, no toquen las plantas y sean siempre corteses. Pasaremos por varios edificios que son importantes ejemplos de la arquitectura árabe-cristiana. Fíjense en el número cuatro del mapa. Entraremos en la mezquita, una joya del arte islámico. Después, pasaremos por la catedral que los reyes cristianos hicieron construir. Ellos están enterrados allí. Es el número cinco en el mapa.

Si quieren, podemos almorzar cerca de un castillo en el campo, número seis en el mapa. O si prefieren, podríamos comer en un restaurante que sirve la mejor comida de toda la ciudad. Creo que sería mejor, porque allí podrán ver el museo con los balcones originales de madera que hicieron en el siglo XIII. ¿Lo ven? Es el número siete en el mapa. Está más cerca del próximo lugar de interés. Después del almuerzo, les llevaré al número ocho en el mapa, el alcázar. Es tan grande que creo que de aquí se puede ver la torre principal. Entraremos por el lado donde está la torre, que es el número nueve, y luego terminaremos la excursión al otro lado de la ciudad. Subiremos la colina hasta que veamos la vista panorámica con todos los techos de la ciudad. ¿Saben dónde queda en el mapa? Es el número diez. Al caer el sol por la tarde, la vista de todos los techos es muy romántica. Bueno, creo que ya es hora de subir al autobús. ¡Vamos!

D. María y Vicente están en una agencia de empleos leyendo las descripciones de algunos trabajos. Empareja cada descripción con el dibujo del trabajo que le corresponda.

1. Departamento de crédito de compañía moderna busca personas con experiencia en la recolección de pagos. Hace falta habilidad en las matemáticas y conocimiento en computadoras. Sueldo competitivo. Se requiere dos años de estudios universitarios.

2. Necesitamos persona que pueda hablar por señas. Trabajo consiste en visitas a familias en la comunidad para ayudarles con diferentes necesidades. Beneficios y sueldo fijo.

3. Si les gusta el silencio y leer mucho, éste es el trabajo ideal. Buscamos personas interesadas en trabajar en la biblioteca pública tiempo completo durante los meses de verano.

4. Negocio internacional busca personas bilingües que puedan traducir al inglés cartas comerciales en español, japonés y alemán. Tiempo parcial y aumento de sueldo después de dos meses.

5. Periódico local busca gente que tenga experiencia de escritor o escritora. Trabajarán con los reporteros que escriben las noticias diarias. Buen sueldo.

[Note to the Teacher: You may want to photocopy each of the speaking situations you decide to administer and place them on separate 3 x 5 cards. After the warm-up, give the student the card with the topic you have selected.]

PARA HABLAR: PASODOBLE

Warm-up: Greet the student, then continue with a few familiar questions or comments such as: *¡Hola! ¿Cómo estás hoy?*

Choosing a topic: Hand a card with the topic to the student before you begin the conversation. Have the student read it out loud so that there is no misunderstanding about what he or she is to do during the conversation.

Probes: If the student has trouble getting started, you might begin by saying or asking:

Tu futuro: *¿Cómo crees que será nuestro futuro? ¿Cuáles son tus predicciones?*

Try to encourage the student to speak at greater length by asking a question that will elicit more than just a yes or no answer. Whenever possible, have the student ask you questions about the topic. You might continue with the following probes:

Tu futuro: *Descríbeme la ropa, la comida, la tecnología, los trabajos o profesiones del futuro. ¿Qué harás tú? ¿Por qué? Explícame cómo ese trabajo ayudará a otros.*

Closing: Make your closing statements appropriate to the topic the student has been talking about. You could end the conversation with a comment on something the student has told you, a personal opinion, or a simple expression that the student will understand. It is important to give the student the opportunity to say something he or she can say well. End with an appropriate comment for closure. *Muy bien y muchas gracias, Luis(a). Hasta luego.*

EXAMEN: CAPÍTULO 1

Warm-up: Greet the student, then continue with a few familiar questions or comments such as: *¡Hola! ¿Cómo estás? ¿Participas en muchas actividades?*

Choosing a topic: Decide which situation is most appropriate for the student. Hand the card to the student before you begin the conversation. Have the student read it out loud so that there is no misunderstanding about what he or she is to do during the conversation.

Probes: If the student has trouble getting started, you might begin by saying or asking:

A. Voluntario(a): *Buenos días. ¿En qué te puedo servir?*

B. Actividades en la escuela: *Hola. Soy un(a) estudiante nuevo(a) en esta escuela.*

Try to encourage the student to speak at greater length by asking a question that will elicit more than just a yes or no answer. Whenever possible, have the student ask you questions about the topic. You might continue with the following probes:

A. Voluntario(a): *¿Por qué quieres trabajar aquí? ¿Por qué crees que puedes ser buen voluntario(a)? Pregúntame si yo trabajo como voluntario(a) a menudo.*

B. Actividades en la escuela: *Explícame qué actividades extracurriculares hay. No conozco a nadie en la escuela. ¿Qué me recomiendas? Pregúntame sobre mi escuela.*

Closing: Make your closing statements appropriate to the topic the student has been talking about. You could end the conversation with a comment on something the student has told you, a personal opinion, or a simple expression that the student will understand. It is important to give the student the opportunity to say something he or she can say well. End with an appropriate comment for closure. *Muy bien y muchas gracias, Luis(a). Hasta luego.*

EXAMEN: CAPÍTULO 2

Warm-up: Greet the student, then continue with a few familiar questions or comments such as: *¡Hola! ¿Cómo estás? ¿Dónde vives?*

Choosing a topic: Decide which situation is most appropriate for the student. Hand the card to the student before you begin the conversation. Have the student read it out loud so that there is no misunderstanding about what he or she is to do during the conversation.

Probes: If the student has trouble getting started, you might begin by saying or asking:

A. Dónde quiero vivir: *¿Dónde te gustaría vivir? ¿Por qué?*

B. Comunidad ideal: *En tu opinión, ¿cuál es la comunidad ideal? ¿Por qué?*

Try to encourage the student to speak at greater length by asking a question that will elicit more than just a yes or no answer. Whenever possible, have the student ask you questions about the topic. You might continue with the following probes:

A. Dónde quiero vivir: *¿Cuáles son las ventajas de vivir allí? ¿Y las desventajas? ¿Por qué? Pregúntame algo sobre el lugar donde yo vivo.*

B. Comunidad ideal: *¿Dónde está ese lugar ideal? ¿Qué pueden hacer los jóvenes y los mayores? Pregúntame qué hay en mi comunidad ideal.*

Closing: Make your closing statements appropriate to the topic the student has been talking about. You could end the conversation with a comment on something the student has told you, a personal opinion, or a simple expression that the student will understand. It is important to give the student the opportunity to say something he or she can say well. End with an appropriate comment for closure. *Muy bien y muchas gracias, Luis(a). Hasta luego.*

EXAMEN: CAPÍTULO 3

Warm-up: Greet the student, then continue with a few familiar questions or comments such as: *¡Hola! ¿Cómo estás? ¿Te interesa el arte?*

Choosing a topic: Decide which situation is most appropriate for the student. Hand the card to the student before you begin the conversation. Have the student read it out loud so that there is no misunderstanding about what he or she is to do during the conversation.

Probes: If the student has trouble getting started, you might begin by saying or asking:

A. Clase de arte: *¿Cuáles son tus pintores favoritos? Explícame por qué te gustan.*

B. Una pintura: *Háblame de alguna pintura que te guste. ¿Por qué te atrae?*

Try to encourage the student to speak at greater length by asking a question that will elicit more than just a yes or no answer. Whenever possible, have the student ask you questions about the topic. You might continue with the following probes:

A. Clase de arte: *¿Cuáles son los temas de este(a) pintor(a)? ¿En qué estilo(s) pinta? Pregúntame algo sobre otro(a) pintor(a).*

B. Una pintura: *Descríbeme algo más de la pintura. ¿Por qué tiene valor? Pregúntame algo sobre una pintura que me guste.*

Closing: Make your closing statements appropriate to the topic the student has been talking about. You could end the conversation with a comment on something the student has told you, a personal opinion, or a simple expression that the student will understand. It is important to give the student the opportunity to say something he or she can say well. End with an appropriate comment for closure. *Muy bien y muchas gracias, Luis(a). Hasta luego.*

EXAMEN: CAPÍTULO 4

Warm-up: Greet the student, then continue with a few familiar questions or comments such as: *¡Hola! ¿Cómo estás? ¿Miras mucho la tele?*

Choosing a topic: Decide which situation is most appropriate for the student. Hand the card to the student before you begin the conversation. Have the student read it out loud so that there is no misunderstanding about what he or she is to do during the conversation.

Probes: If the student has trouble getting started, you might begin by saying or asking:

A. Valor de la televisión: *¿Tiene influencia la televisión en la vida de los jóvenes? Explica si crees que sea una influencia positiva o negativa.*

B. Programas: *Háblame de algunos programas buenos y otros no tan buenos. ¿Qué influencia tienen?*

Try to encourage the student to speak at greater length by asking a question that will elicit more than just a yes or no answer. Whenever possible, have the student ask you questions about the topic. You might continue with the following probes:

A. Valor de la televisión: *¿Cómo influye la televisión en la vida de los jóvenes? Dame un ejemplo de un programa bueno o de uno malo. ¿Qué soluciones les sugieres a los jóvenes que miran demasiada televisión? Pregúntame algo sobre el tema de la televisión.*

B. Programas: *¿Cómo se puede mejorar la televisión? Dame un ejemplo de un programa que haya tenido buena o mala influencia. ¿Por qué? Pregúntame mi opinión.*

Closing: Make your closing statements appropriate to the topic the student has been talking about. You could end the conversation with a comment on something the student has told you, a personal opinion, or a simple expression that the student will understand. It is important to give the student the opportunity to say something he or she can say well. End with an appropriate comment for closure. *Muy bien y muchas gracias, Luis(a). Hasta luego.*

EXAMEN: CAPÍTULO 5

Warm-up: Greet the student, then continue with a few familiar questions or comments such as: *¡Hola! ¿Cómo estás? ¿Qué te gustaba hacer de pequeño(a)?*

Choosing a topic: Decide which situation is most appropriate for the student. Hand the card to the student before you begin the conversation. Have the student read it out loud so that there is no misunderstanding about what he or she is to do during the conversation.

Probes: If the student has trouble getting started, you might begin by saying or asking:

A. Experto(a): *Me interesan mucho las culturas precolombinas. Cuéntame algo de una que conozcas muy bien.*

B. Tu vida de pequeño(a): *Recuerdo muchas cosas de cuando era niño(a). ¿Y tú? ¿Qué has hecho hasta ahora?*

Try to encourage the student to speak at greater length by asking a question that will elicit more than just a yes or no answer. Whenever possible, have the student ask you questions about the topic. You might continue with the following probes:

A. Experto(a): *Explícame cómo era su vida artística y su religión. ¿Qué contribuyeron al mundo? Háblame más de esta civilización. Pregúntame algo que quisieras saber.*

B. Tu vida de pequeño(a): *Háblame de algo que habías hecho ya antes de empezar la escuela secundaria. ¿Qué sigues haciendo? ¿Qué más me puedes contar de tu vida de pequeño(a)? Pregúntame algo de mi vida.*

Closing: Make your closing statements appropriate to the topic the student has been talking about. You could end the conversation with a comment on something the student has told you, a personal opinion, or a simple expression that the student will understand. It is important to give the student the opportunity to say something he or she can say well. End with an appropriate comment for closure. *Muy bien y muchas gracias, Luis(a). Hasta luego.*

EXAMEN: CAPÍTULO 6

Warm-up: Greet the student, then continue with a few familiar questions or comments such as: *¡Hola! ¿Cómo estás? ¿Les escribes cartas a tus amigos?*

Choosing a topic: Decide which situation is most appropriate for the student. Hand the card to the student before you begin the conversation. Have the student read it out loud so that there is no misunderstanding about what he or she is to do during the conversation.

Probes: If the student has trouble getting started, you might begin by saying or asking:

A. Teléfono público: *Soy el (la) operador(a). ¿En qué te puedo ayudar?*

B. Carta y paquete: *Quisiera escribirle a nuestro abuelito. ¿Me puedes ayudar? ¿Qué debo hacer primero?*

Try to encourage the student to speak at greater length by asking a question that will elicit more than just a yes or no answer. Whenever possible, have the student ask you questions about the topic. You might continue with the following probes:

A. Teléfono público: *Pues, no puedo esperar mucho tiempo más. ¿Me puedes decir cuál es tu problema? Hay una mala conexión. No comprendí lo que dijiste antes. ¿Me lo puedes explicar de nuevo? Pregúntame algo sobre lo que debes hacer en esta situación.*

B. Carta y paquete: *¿Qué más tengo que hacer con la carta? ¿Y con el paquete? ¿Qué hago después, cuando llegue al correo? Pregúntame otra cosa que quisieras saber.*

Closing: Make your closing statements appropriate to the topic the student has been talking about. You could end the conversation with a comment on something the student has told you, a personal opinion, or a simple expression that the student will understand. It is important to give the student the opportunity to say something he or she can say well. End with an appropriate comment for closure. *Muy bien y muchas gracias, Luis(a). Hasta luego.*

EXAMEN: CAPÍTULO 7

Warm-up: Greet the student, then continue with a few familiar questions or comments such as: *¡Hola! ¿Cómo estás? ¿Haces trabajo voluntario?*

Choosing a topic: Decide which situation is most appropriate for the student. Hand the card to the student before you begin the conversation. Have the student read it out loud so that there is no misunderstanding about what he or she is to do during the conversation.

Probes: If the student has trouble getting started, you might begin by saying or asking:

A. Trabajo voluntario: *Buenos días. La secretaria me dijo que quieres hablar conmigo sobre algo importante. ¿Cuál es el problema?*

B. Consejero(a): *Hola. No sé qué hacer este verano. ¿Qué me sugiere?*

Try to encourage the student to speak at greater length by asking a question that will elicit more than just a yes or no answer. Whenever possible, have the student ask you questions about the topic. You might continue with the following probes:

A. Trabajo voluntario: *Tienes que darme más evidencia en contra de la idea. Nosotros en la administración pensamos que es muy buena idea. ¿Tienes una sugerencia alternativa? Pregúntame algo sobre los trabajos como voluntario.*

B. Consejero(a): *No tengo mucha experiencia con los trabajos voluntarios. ¿Me puedes explicar más sobre lo que necesito hacer? ¿Cómo me beneficia? ¿Qué debería hacer ahora? Pregúntame si yo he trabajado como voluntario(a).*

Closing: Make your closing statements appropriate to the topic the student has been talking about. You could end the conversation with a comment on something the student has told you, a personal opinion, or a simple expression that the student will understand. It is important to give the student the opportunity to say something he or she can say well. End with an appropriate comment for closure. *Muy bien y muchas gracias, Luis(a). Hasta luego.*

EXAMEN: CAPÍTULO 8

Warm-up: Greet the student, then continue with a few familiar questions or comments such as: *¡Hola! ¿Cómo estás? ¿Crees en los fenómenos inexplicables?*

Choosing a topic: Decide which situation is most appropriate for the student. Hand the card to the student before you begin the conversation. Have the student read it out loud so that there is no misunderstanding about what he or she is to do during the conversation.

Probes: If the student has trouble getting started, you might begin by saying or asking:

A. Cosas inexplicables: *Me fascinan las cosas inexplicables. ¿Y a ti? Háblame de algunos fenómenos que conozcas.*

B. Película: *¿Fuiste al cine anoche? ¿Qué viste? Cuéntame el argumento de la película.*

Try to encourage the student to speak at greater length by asking a question that will elicit more than just a yes or no answer. Whenever possible, have the student ask you

questions about the topic. You might continue with the following probes:

A. Cosas inexplicables: *¡No me digas! Quiero saber más. ¿Cuándo y dónde ocurrió? ¿Qué explicación hay? ¿Y cuál es tu opinión? Pregúntame algo sobre fenómenos inexplicables.*

B. Película: *¿Qué fue lo que más te impresionó de la película? ¿Por qué? ¿Por qué me recomiendas que la vea o no? Pregúntame algo sobre ese tipo de película.*

Closing: Make your closing statements appropriate to the topic the student has been talking about. You could end the conversation with a comment on something the student has told you, a personal opinion, or a simple expression that the student will understand. It is important to give the student the opportunity to say something he or she can say well. End with an appropriate comment for closure. *Muy bien y muchas gracias, Luis(a). Hasta luego.*

EXAMEN: CAPÍTULO 9

Warm-up: Greet the student, then continue with a few familiar questions or comments such as: *¡Hola! ¿Cómo estás? ¿Trabajas después de la escuela?*

Choosing a topic: Decide which situation is most appropriate for the student. Hand the card to the student before you begin the conversation. Have the student read it out loud so that there is no misunderstanding about what he or she is to do during the conversation.

Probes: If the student has trouble getting started, you might begin by saying or asking:

A. Agencia de empleos: *Buenos días. ¿Te puedo servir en algo? Dime cuáles son tus habilidades.*

B. Un trabajo tuyo: *¿Trabajaste alguna vez? ¿Dónde? ¿Cuándo? Descríbeme lo que hacías en ese trabajo.*

Try to encourage the student to speak at greater length by asking a question that will elicit more than just a yes or no answer. Whenever possible, have the student ask you questions about the topic. You might continue with the following probes:

A. Agencia de empleos: *¿Por qué crees que alguien te debe dar empleo? ¿Qué otras destrezas y características sobresalientes tienes? ¿Con qué requisitos de trabajo puedes cumplir? Pregúntame alguna cosa que quisieras saber.*

B. Un trabajo tuyo: *¿Cuáles eran tus responsabilidades en ese trabajo? Explícame los detalles. ¿Qué hacían las otras personas? ¿Por qué te emplearon a ti y no a otra persona? Pregúntame sobre un trabajo que yo haya tenido.*

Closing: Make your closing statements appropriate to the topic the student has been talking about. You could end the conversation with a comment on something the student has told you, a personal opinion, or a simple expression that the student will understand. It is important to give the student the opportunity to say something he or she can say well. End with an appropriate comment for closure. *Muy bien y muchas gracias, Luis(a). Hasta luego.*

EXAMEN: CAPÍTULO 10

Warm-up: Greet the student, then continue with a few familiar questions or comments such as: *¡Hola! ¿Cómo estás? ¿Qué piensas de la violencia?*

Choosing a topic: Decide which situation is most appropriate for the student. Hand the card to the student before you begin the conversation. Have the student read it out loud so that there is no misunderstanding about what he or she is to do during the conversation.

Probes: If the student has trouble getting started, you might begin by saying or asking:

A. La violencia: *Gracias por haber venido a nuestra escuela para hablar de la violencia. ¿Puedes darnos una descripción del problema?*

B. La violencia y la justicia: *¿Cuál es tu opinión sobre por qué hay tanta violencia hoy en día? Explícamela en detalle.*

Try to encourage the student to speak at greater length by asking a question that will elicit more than just a yes or no answer. Whenever possible, have the student ask you questions about the topic. You might continue with the following probes:

A. La violencia: *¿Qué se puede hacer para evitarla? ¿Qué les recomiendas a los jóvenes que hagan? ¿Cómo pueden ellos protegerse? ¿Hay otras soluciones? ¿Qué esperas de la familia? ¿De la escuela? ¿De la sociedad? ¿Sabes de una situación personal en que alguien haya sido víctima de la violencia? Cuéntamela. Pregúntame lo que quisieras saber.*

B. La violencia y la justicia: *Explícame tu opinión de nuestro sistema de justicia. ¿Qué*

se debe o no se debe cambiar? ¿Por qué? ¿Sabes de una situación personal en que alguien haya sido víctima de la violencia? Cuéntamela. Pregúntame algo sobre el tema de la violencia.

Closing: Make your closing statements appropriate to the topic the student has been talking about. You could end the conversation with a comment on something the student has told you, a personal opinion, or a simple expression that the student will understand. It is important to give the student the opportunity to say something he or she can say well. End with an appropriate comment for closure. *Muy bien y muchas gracias, Luis(a). Hasta luego.*

EXAMEN: CAPÍTULO 11

Warm-up: Greet the student, then continue with a few familiar questions or comments such as: *¡Hola! ¿Cómo estás? ¿De dónde eran tus antepasados?*

Choosing a topic: Decide which situation is most appropriate for the student. Hand the card to the student before you begin the conversation. Have the student read it out loud so that there is no misunderstanding about what he or she is to do during the conversation.

Probes: If the student has trouble getting started, you might begin by saying or asking:

A. De otro país: *Nací en otro país y hace poco tiempo que vivo aquí. ¿Me podrías explicar algunas cosas que debería saber de tu cultura?*

B. Antepasados: *Quisiera saber más de ti y de tus antepasados. Dime lo que sepas. Si no sabes mucho de ellos, ¿me podrías hablar de los antepasados de otra persona?*

Try to encourage the student to speak at greater length by asking a question that will elicit more than just a yes or no answer. Whenever possible, have the student ask you questions about the topic. You might continue with the following probes:

A. De otro país: *¿Qué les trajo aquí? Explícame más sobre las circunstancias históricas y políticas de tu país. ¿Ha tenido problemas? Descríbemelos. ¿Cómo se benefició esta sociedad con las contribuciones de otras culturas? ¿Cómo te beneficias personalmente? Pregúntame algo que quisieras saber sobre el país de mis antepasados.*

B. Antepasados: *¿Cuáles son algunas características sobresalientes de tus antepasados? ¿Cómo ha cambiado su cultura* *a través de los años? ¿Qué contribuyeron ellos a la cultura de este país? Pregúntame algo de mi cultura y de mis antepasados.*

Closing: Make your closing statements appropriate to the topic the student has been talking about. You could end the conversation with a comment on something the student has told you, a personal opinion, or a simple expression that the student will understand. It is important to give the student the opportunity to say something he or she can say well. End with an appropriate comment for closure. *Muy bien y muchas gracias, Luis(a). Hasta luego.*

EXAMEN: CAPÍTULO 12

Warm-up: Greet the student, then continue with a few familiar questions or comments such as: *¡Hola! ¿Cómo estás? ¿Qué idiomas sabes hablar?*

Choosing a topic: Decide which situation is most appropriate for the student. Hand the card to the student before you begin the conversation. Have the student read it out loud so that there is no misunderstanding about what he or she is to do during the conversation.

Probes: If the student has trouble getting started, you might begin by saying or asking:

> **A. Lenguas extranjeras:** *Buenos días. ¿Quisieras hablar conmigo sobre algo importante? ¿Por qué piensas así?*
>
> **B. Consejero(a):** *No sé qué hacer después de graduarme. ¿Qué me sugieres que haga?*

Try to encourage the student to speak at greater length by asking a question that will elicit more than just a yes or no answer. Whenever possible, have the student ask you questions about the topic. You might continue with the following probes:

> **A. Lenguas extranjeras:** *Nuestra escuela tiene una situación financiera muy difícil. Tienes que convencerme por qué no debemos eliminar los cursos de lenguas extranjeras. ¿Qué les pasaría a los estudiantes si no pudieran estudiar una lengua extranjera? Pregúntame algo que quisieras saber.*
>
> **B. Consejero(a):** *¿Qué tipo de preparación necesito? ¿Qué haría en estos trabajos. ¿Me puede recomendar más según mis habilidades? Pregúntame algo sobre el tema de carreras.*

Closing: Make your closing statements appropriate to the topic the student has been talking about. You could end the conversation with a comment on something the student

has told you, a personal opinion, or a simple expression that the student will understand. It is important to give the student the opportunity to say something he or she can say well. End with an appropriate comment for closure. *Muy bien y muchas gracias, Luis(a). Hasta luego.*

BANCO DE IDEAS: CAPÍTULOS 1 a 6

Warm-up: Greet the student, then continue with a few familiar questions or comments such as: *¡Hola! ¿Cómo estás? ¿Cómo te sientes hoy?*

Choosing a topic: Decide which situation is most appropriate for the student. Hand the card to the student before you begin the conversation. Have the student read it out loud so that there is no misunderstanding about what he or she is to do during the conversation.

Probes: If the student has trouble getting started, you might begin by saying or asking:

> **A. Amistad:** *Dime algo sobre tus amigos.*
>
> **B. Año escolar:** *Muchas gracias por la invitación a tu escuela. ¿Cómo es tu escuela? ¿Y cómo son los estudiantes?*
>
> **C. Casa:** *Quisiera comprar una casa. ¿Me puedes ayudar? No sé dónde es mejor vivir. ¿Qué me recomiendas?*
>
> **D. De pequeño(a):** *Tengo muchos recuerdos de cuando era pequeño(a). ¿Y tú? ¿Dónde vivías?*
>
> **E. Exhibición:** *¿Qué hiciste este fin de semana? Yo fui a una exhibición de arte.*
>
> **F. Debate:** *¿Qué piensas de la televisión? ¿Por qué?*
>
> **G. Civilización:** *¿Qué película viste en la clase de historia? Dime de qué se trataba.*
>
> **H. Comunicación:** *¿Qué piensas de los medios de comunicación que tenemos ahora? ¿Cuáles conoces?*
>
> **I. Carta y paquete:** *Quisiera mandar una carta y un paquete de mucho valor a mis primos. No sé qué hacer. ¿Me podrías ayudar?*
>
> **J. Por teléfono:** *¿Me puedes ayudar, por favor? No sé cómo hacer una llamada desde este teléfono. No es como los teléfonos públicos de mi país.*

Try to encourage the student to speak at greater length by asking a question that will elicit more than just a yes or no answer. Whenever possible, have the student ask you questions about the topic. You might continue with the following probes:

> **A. Amistad:** *¿Cuáles son las características de un(a) buen(a) amigo(a)? ¿Eres buen(a) amigo(a)? ¿Por qué? Explícame algún*

problema que pueda ocurrir entre amigos. Pregúntame algo sobre la amistad.

B. Año escolar: *¿Qué se puede hacer después de las clases? Quisiera mejorar mi inglés. ¿Qué me sugieres? Pregúntame algo sobre mi escuela y los estudiantes.*

C. Casa: *¿Cuáles son las ventajas de esta casa? ¿Y las desventajas? Descríbeme más del lugar. Pero, sería mejor comprar una casa en _____ , ¿verdad? ¿Por qué? Pregúntame algo sobre mis preferencias.*

D. De pequeño(a): *Dime lo que hacías todos los días. ¿Y tu familia? Explícame algo bueno (o malo) que te ocurrió alguna vez. ¿Qué pasó después? Pregúntame algo sobre mi vida de pequeño(a).*

E. Exhibición: *Descríbeme la pintura. ¿Por qué (no) te gustó? ¿Cuáles son los estilos de arte que prefieres? ¿Por qué? Pregúntame algo sobre el arte.*

F. Debate: *No estoy de acuerdo con tu posición. Dime algo más. ¿Cómo se puede mejorar los programas de la televisión? Cuéntame de algún programa como evidencia de que la televisión es buena (mala) influencia sobre la sociedad. Pregúntame algo sobre el tema de la televisión.*

G. Civilización: *¿Qué te impresionó de esa civilización? Cuéntame más sobre ellos. ¿Cuáles fueron sus contribuciones significativas? ¿Qué circunstancias históricas o políticas les influyeron? Pregúntame algo sobre el tema.*

H. Comunicación: *¿Cuáles son los aspectos negativos o positivos de los diferentes medios de comunicación que tenemos ahora? Me han dicho que tienes muy buenas ideas para mejorar los medios de comunicación. Explícamelas. Pregúntame algo sobre el tema de la comunicación.*

I. Carta y paquete: *Primero, ¿qué hago con el paquete? ¿Y con la carta? No quiero enviar la carta con el paquete. ¿Qué debería hacer? ¿Y después? Pregúntame algo sobre esta situación.*

J. Por teléfono: *Cuando traté de poner unas monedas, no las aceptó. Explícame por qué. ¿Qué hago después? ¿Qué hago si no contesta nadie? ¿Cómo puedo comunicarme con el operador? Pregúntame algo sobre esta situación.*

Closing: Make your closing statements appropriate to the topic the student has been talking about. You could end the conversation with a comment on something the student has told you, a personal opinion, or a simple expression that the student will understand. It is important to give the student the opportunity to say something he or she can say well. End with an appropriate comment for closure. *Muy bien y muchas gracias, <u>Luis(a)</u>. Hasta luego.*

BANCO DE IDEAS: CAPÍTULO 7

Warm-up: Greet the student, then continue with a few familiar questions or comments such as: *¡Hola! ¿Cómo estás? ¿Eres un(a) buen(a) ciudadano(a)?*

Choosing a topic: Decide which situation is most appropriate for the student. Hand the card to the student before you begin the conversation. Have the student read it out loud so that there is no misunderstanding about what he or she is to do during the conversation.

Probes: If the student has trouble getting started, you might begin by saying or asking:

A. Ciudadano(a): *Quisiera hacerme ciudadano(a). Explícame qué debo hacer.*

B. Consejero(a): *Quisiera hacer algo por mi comunidad este verano. ¿Qué me sugieres?*

Try to encourage the student to speak at greater length by asking a question that will elicit more than just a yes or no answer. Whenever possible, have the student ask you questions about the topic. You might continue with the following probes:

A. Ciudadano(a): *¿Qué recomiendas que haga ahora? ¿Qué tengo que hacer para prepararme? ¿Cómo me beneficia ser ciudadano(a)? ¿Cuáles son mis responsabilidades? ¿Cuáles son algunos problemas que debería considerar? Pregúntame algo más sobre este tema.*

B. Consejero(a): *Descríbeme qué tendré que hacer en cada trabajo. ¿Cómo se beneficia la sociedad? ¿Cómo me beneficia ser voluntario(a) en estos programas o trabajos? Pregúntame algo sobre mis intereses relacionados al trabajo en la comunidad.*

Closing: Make your closing statements appropriate to the topic the student has been talking about. You could end the conversation with a comment on something the student has told you, a personal opinion, or a simple expression that the student will understand. It is important to give the student the opportunity to say something he or she can say well. End with an appropriate comment for closure. *Muy bien y muchas gracias, <u>Luis(a)</u>. Hasta luego.*

BANCO DE IDEAS: CAPÍTULO 8

Warm-up: Greet the student, then continue with a few familiar questions or comments such as: *¡Hola! ¿Cómo estás? ¿Te gusta la ciencia ficción?*

Choosing a topic: Decide which situation is most appropriate for the student. Hand the card to the student before you begin the conversation. Have the student read it out loud so that there is no misunderstanding about what he or she is to do during the conversation.

Probes: If the student has trouble getting started, you might begin by saying or asking:

A. Antropólogo(a): *Gracias por haber aceptado la invitación para estar en nuestro programa. Háblanos de tus experiencias recientes.*

B. Fenómeno: *Se ha dicho que existen fenómenos extraños. ¿Qué piensas tú? Dime lo que sepas del tema.*

Try to encourage the student to speak at greater length by asking a question that will elicit more than just a yes or no answer. Whenever possible, have the student ask you questions about the topic. You might continue with the following probes:

A. Antropólogo(a): *Explícanos más sobre esta civilización. ¿Qué te impresionó de ellos? ¿Por qué? Dinos algo extraño o extraordinario sobre esta civilización. ¿Crees que pueda ser posible una cosa tan extraordinaria o maravillosa? Pregúntame algo más que quisieras saber.*

B. Fenómeno: *¿Cuándo y dónde ocurrió esto? ¿Cuál es tu teoría personal sobre este fenómeno? ¿Cuál fue tu reacción cuando lo supiste? Pregúntame algo sobre el tema de los fenómenos.*

Closing: Make your closing statements appropriate to the topic the student has been talking about. You could end the conversation with a comment on something the student has told you, a personal opinion, or a simple expression that the student will understand. It is important to give the student the opportunity to say something he or she can say well. End with an appropriate comment for closure. *Muy bien y muchas gracias, Luis(a). Hasta luego.*

BANCO DE IDEAS: CAPÍTULOS 9 a 12

Warm-up: Greet the student, then continue with a few familiar questions or comments such as: *¡Hola! ¿Cómo estás? ¿Cómo te sientes hoy?*

Choosing a topic: Decide which situation is most appropriate for the student. Hand the card to the student before you begin the conversation. Have the student read it out loud so that there is no misunderstanding about what he or she is to do during the conversation.

Probes: If the student has trouble getting started, you might begin by saying or asking:

A. Agencia de empleo: *Busco empleo. ¿Hay alguno que me puedas recomendar?*

B. Crimen: *Me dicen que eres un(a) testigo del crimen. Explícame todo lo que ocurrió.*

C. La violencia: *No creo que la violencia sea una cosa tan seria. ¿Y tú? Pero, ¿por qué?*

D. Antepasados: *Explícame algo de tus antepasados. ¿De dónde vinieron? ¿Cuándo? ¿Por qué?*

E. Ambiente multicultural: *Descríbeme lo que para ti significa vivir en un ambiente multicultural. ¿Crees que sea una ventaja tener diferentes comunidades multiculturales en este país? ¿Por qué?*

Try to encourage the student to speak at greater length by asking a question that will elicit more than just a yes or no answer. Whenever possible, have the student ask you questions about the topic. You might continue with the following probes:

A. Agencia de empleo: *Descríbeme cada trabajo, por favor. ¿Qué destrezas debería tener? ¿Los requisitos? ¿El sueldo? ¿El horario? ¿Las responsabilidades? Pregúntame algo más sobre los trabajos que yo he hecho.*

B. Crimen: *¿Por qué estabas en el lugar de los hechos? Descríbeme la situación. ¿Qué recuerdas de los sospechosos? ¿Qué hacía la víctima? ¿Qué ocurrió después? ¿Qué hacías tú mientras ocurría el crimen? Pregúntame algo que quisieras saber.*

C. La violencia: *¿Cuáles son las causas de la violencia, en tu opinión? ¿Hay soluciones? Dime cuáles son. Cuéntame una situación personal o de algún amigo que haya tenido problema con la violencia. Pregúntame algo sobre el tema de la violencia.*

D. Antepasados: *¿Fue una desventaja o una ventaja para ellos venir a este país? Explícame por qué. ¿Cómo se beneficia este país de la cultura de tus antepasados? ¿Qué disfrutas tú personalmente de tus antepasados? Pregúntame algo sobre mis antepasados.*

E. Ambiente multicultural: *Estoy en contra de las comunidades multiculturales porque pienso que la gente que vive aquí debe adaptarse a la cultura estadounidense. ¿Y tú?*

El inglés debería ser el único idioma que se usa en este país. ¿Qué piensas tú? Explícame cómo se puede evitar la violencia entre culturas diferentes. Pregúntame algo más que quisieras saber del tema.

Closing: Make your closing statements appropriate to the topic the student has been talking about. You could end the conversation with a comment on something the student has told you, a personal opinion, or a simple expression that the student will understand. It is important to give the student the opportunity to say something he or she can say well. End with an appropriate comment for closure. *Muy bien y muchas gracias, <u>Luis(a)</u>. Hasta luego.*

Teacher Answer Sheets

PASODOBLE

Prueba Pasodoble

[To the teacher: Tell the students that the penultimate section in this test requiring art production will not be graded. It was included as a fun activity.]

• **¿QUIÉNES SON NUESTROS LECTORES?** *(12 puntos)*

B 1. Su escuela no es estricta sobre las reglas de vestir.
A 2. No puede llevar maquillaje en su escuela.
C 3. Esta persona está muy ocupada este año.
B 4. Les gustaría escribirles a estudiantes que estén interesadas en materias académicas.
C 5. Quisiera dedicarse al mundo de la literatura.
A 6. Pasa más tiempo con los amigos que con las actividades extracurriculares.

• **¿CÓMO SON NUESTROS LECTORES?** *(8 puntos)*

1. n o s _ a c o s t a m o s
2. s e _ c e p i l l a
3. m e _ d e s p i e r t o
4. p e i n a r s e

• **EL RAP A RITMO DE PASODOBLE** *(10 puntos)*

	Sí	No
1. A Sarasonora le encantaba bailar.	Sí	No
2. No era muy atrevida de niña.	Sí	No
3. Se portaba mal a veces cuando era pequeña.	(Sí)	No
4. Es la única persona en su familia que tiene talento musical.	Sí	(No)
5. A su abuelo le encantaba jugar en los columpios.	Sí	(No)
6. De pequeña pasaba mucho tiempo con sus parientes.	(Sí)	No
7. La música será más importante en su futuro que los estudios académicos.	Sí	(No)
8. Sarasonora empezó cantando canciones de rock.	(Sí)	No
9. Ella ya es una rapera muy conocida.	Sí	(No)
10. Ella está muy aburrida con la música que compone.	Sí	(No)

5

PASODOBLE

Prueba Pasodoble

• **CRUCIGRAMA: DÍAS DE FIESTA FAVORITOS** *(20 puntos)*

HORIZONTALES

2. Siempre celebrábamos el Día del _____ el tercer domingo de junio.
4. Siempre le dábamos algo bonito para celebrar con ella el Día de la _____.
6. Mi familia y yo nos reuníamos siempre el 24 de diciembre. ¡Me gustaba mucho esa fiesta!
8. El 31 de octubre nos vestíamos de gente famosa y nos divertíamos mucho.
10. Mis abuelos le compraron un reloj a mi hermano porque el 16 de junio terminó sus estudios de secundaria. Todos celebramos su _____.

VERTICALES

1. Siempre comíamos pavo relleno el Día de Acción de _____.
3. En mi ciudad celebraban el 12 de octubre con un desfile. Es el día que Cristóbal Colón llegó a las Américas.

6

PASODOBLE

Prueba Pasodoble

5. ¡Qué alegría! Mi prima se casó la semana pasada. Toda la familia fue a su _____

7. Mi novio me compró rosas y chocolates. ¡Me encanta el Día de los _____!

9. El 25 de diciembre siempre íbamos a casa de mis tíos para celebrar. Me encantaban los juguetes que recibía cada año.

• **CONSEJOS PARA LOS LECTORES QUE VAN DE VACACIONES** *(10 puntos)*

_A_ 1. Lleva pilas y una linterna.
_B/C_ 2. No lleves una olla.
_A_ 3. Siempre ten repelente y calamina a mano.
_C_ 4. Pide ayuda si te enfermas en el vuelo.
_B_ 5. No pongas toallas en la maleta, pero si lleva un despertador.
_A_ 6. Ten cuidado con los animales venenosos.
_B/C_ 7. Conversa en el idioma del país donde aterrizas.
_A/B_ 8. Ponte bronceador.
_B/C_ 9. Consigue cheques de viajero antes de salir de viaje.
_A_ 10. No olvides los fósforos.

• **MI CASA TENDRÁ...** *(10 puntos)*

a. secador   e. horno   i. extinguidor
b. calentador   f. ventilador   j. lavaplatos
c. fregadero   g. estante
d. microondas   h. detector

_b_ 1. Será importante tenerlo si vivimos en un lugar frío.
_d_ 2. Además de una estufa, nuestra casa tendrá este aparato eléctrico para calentar la comida más rápidamente.
_g_ 3. Habrá muchos en todos los cuartos de mi casa porque leeré muchos libros.
_a_ 4. Pondré uno en el baño para el pelo.
_c_ 5. ¿Qué casa no tendrá un lugar donde lavarse las manos o los platos mientras cocinemos?
_e_ 6. Todas las estufas tienen uno. Mi cocina tendrá dos para preparar la carne y otros platos calientes lentamente y con sabor.
_f_ 7. En lugares donde hace mucho calor, la casa siempre necesitará este aparato.

PASODOBLE

Prueba Pasodoble

_h_ 8. Siempre sabré si hay un incendio porque este aparato me dirá si hay humo en mi casa.
_j_ 9. Este aparato eléctrico será necesario para limpiar los utensilios de cocina mientras yo esté hablando con mis visitas.
_i_ 10. En caso de un incendio en el garaje o en la cocina, en mi casa habrá varios aparatos en diferentes cuartos. Podré apagar el incendio más fácilmente.

• **LO QUE VIMOS ESTE MES** *(10 puntos)*

_B_ 1. No es la primera vez que los cines dan esta película.
_B_ 2. Esta película parece ser popular con toda la familia.
_C_ 3. El argumento de esta película romántica no es ni serio ni triste.
_A_ 4. A Iñaki le gustó esta película romántica con un argumento a veces triste.
_D_ 5. No podrán ver esta producción en el cine.
_B_ 6. No todos los personajes del argumento son animales.
_A_ 7. El personaje principal de esta producción no está vivo.
_C_ 8. El argumento de esta película trata principalmente de una fiesta.
_D_ 9. Ésta es una obra musical para jóvenes y mayores.
_C_ 10. Una escena importante en esta película ocurre durante una celebración importante.

• **PARA DIVERTIRTE: HAZ UN FOLLETO**
Los folletos y dibujos variarán.

• **PARA HABLAR: TU FUTURO** *(20 puntos)*
[See pages T29–T37 for suggestions on how to administer this portion of the test.]

Paso a paso 3 Nombre ____

CAPÍTULO 1

Fecha ____ **Prueba 1-1**

A Tú y una amiga están mirando fotografías de tu familia. Mientras las miran, tú le dices cómo son tus parientes. Empareja *(match)* cada dibujo con la descripción apropiada y escribe la letra a la izquierda del número. *(50 puntos)*

a

c

e

b

d

f

c 1. Es mi tío Humberto. Es muy incomprensivo.

a 2. Me encanta mi tío Francisco. Es una persona muy tranquila.

b 3. Éste es Santi. Es mi primo, pero también es un amigo muy comprensivo.

f 4. Éste es mi primo Cristóbal. Prefiere quejarse de todo.

e 5. Mi otro primo Manuel siempre quiere ayudar y le encanta compartir todo.

B Paulina y Patricio están en la cafetería hablando de sus amigos. Subraya *(underline)* la palabra o la expresión que mejor complete la oración. *(50 puntos)*

1. —Beti siempre se lleva bien con todos, ¿verdad?
   —¡Qué va! Ella siempre quiere (entender / discutir).
2. —Respeto mucho a Julián.
   —Yo también. Siempre quiere (apoyar / enojarse) a los demás.
3. —Tú y Donald son amigos íntimos, ¿verdad?
   —¡Claro! Mantenemos una (discusión / amistad) muy buena desde hace dos años.
4. —¿Qué te parece Verónica? No tengo mucho en común con ella. ¿Y tú?
   —¡Pues yo sí! Ella me ayuda mucho y nunca me (da un consejo / hace caso) malo.
5. —¿Conoces a la nueva estudiante en la clase de biología?
   —Pues, no. No le (entendí / hice caso) a ella ayer.

Paso a paso 3 Nombre ____

CAPÍTULO 1

Fecha ____ **Prueba 1-2**

A Marta es la directora de la obra de teatro que su escuela va a presentar en noviembre. Escribe la palabra que corresponda a la descripción de los personajes. *(40 puntos)*

1. La señora Mariel no es muy ***comprensiva*** .

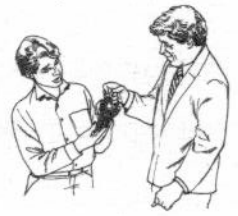

2. Su hijo Justino no es ***modesto*** .

3. Ana, la hermana de Justino, es ***vanidosa*** .

4. No es una familia muy ***tranquila*** .

B Quieres trabajar en la consulta *(doctor's office)* de un médico los sábados. Por eso, tienes que escribir una descripción personal. Selecciona la palabra o expresión de la lista que mejor complete las siguientes oraciones. Escribe la palabra en el espacio en blanco. *(60 puntos)*

llevarme bien con	dar consejos	enojarme	apoyarme	admirar
hacer caso a	los demás	mudarme	lo mejor	discutir con

1. Soy una persona muy amable. Me gusta ***llevarme bien con*** todos.
2. Me encanta ayudar a mis amigos con sus problemas. Me gusta ***dar consejos*** a otras personas.
3. No me gusta ***discutir con*** mi familia ni con mis amigos. Prefiero escuchar y entender a todos.
4. Creo que les debo ***hacer caso a*** las personas que se quejan. A veces tienen un problema importante que necesita atención.
5. También creo que es importante respetarse uno mismo y a ***los demás*** .
6. Ya sé que no puedo resolver todos los problemas siempre. Por eso debo tener un buen sentido del humor, ser paciente y no ***enojarme*** en una situación difícil.

CAPÍTULO 1

A Tu amigo que vive en Venezuela te escribió una carta sobre las actividades que los jóvenes de su país hacen después de las clases. Encierra en un círculo (circle) la letra que mejor complete lo que tu amigo te escribió. (50 puntos)

1. Aquí en Venezuela todos participamos en actividades extracurriculares. Por ejemplo, los _____ a la música forman parte de una banda.

   a. asilos   **b.** aficionados

2. A los que les gusta escribir, pueden participar en _____ del periódico o de la revista literaria de la escuela.

   a. la discusión   **b.** la redacción

3. Los estudiantes que saben inglés pueden _____ a otros estudiantes.

   a. dar clases particulares   b. influir

4. Algunos practican deportes que la escuela no ofrece, como _____.

   a. la esgrima   b. la campaña

5. Los trabajos comunitarios están _____ una gran popularidad entre los jóvenes venezolanos.

   a. inscribiéndose   **b.** adquiriendo

B Unos amigos están hablando de las actividades que quieren hacer después de las clases. Empareja las oraciones (match the sentences) y escribe la letra correcta a la izquierda del número. (50 puntos)

_f_ 1. Quisiera practicar un deporte que la escuela no ofrece.

_d_ 2. Creo que podría ayudar a otros estudiantes con sus materias.

_e_ 3. Me gustaría trabajar ayudando a las personas mayores de edad.

_a_ 4. Quisiera influir sobre los problemas del medio ambiente.

_c_ 5. Hay tantos niños sin padres. Me gustaría apoyarlos.

a. Por eso debes participar en la campaña de reciclaje conmigo.

b. ¿Quieres hablar con mi tía? Ella trabaja en una guardería.

c. Yo también. ¿Por qué no trabajamos de voluntarios en el orfanato este año?

d. Puedes ser ayudante en la clase de química conmigo.

e. ¿Por qué no me acompañas al asilo los sábados?

f. Pues, debes inscribirte en la clase de artes marciales.

CAPÍTULO 1

A Tu mamá quiere saber qué actividades vas a hacer este año en los fines de semana. Escribe la palabra o expresión que mejor corresponda a cada dibujo. (60 puntos)

1. —¡Qué va! Me gustaría participar en _la redacción_ de la revista literaria de la escuela.

2. —¿Por qué no practicas algún deporte, como _la esgrima_ ?

3. —No, creo que no. Podría ayudar a las personas mayores de edad que viven en un _asilo_ .

B Lucho quiere trabajar como voluntario después de las clases. Lee (read) los anuncios que él encuentra en la oficina de los consejeros. Escribe la letra de la palabra o expresión que corresponde a cada anuncio. (40 puntos)

a. un orfanato   d. influir   g. inscribirse
b. aficionado   e. ayudantes   h. campaña
c. adquirir   f. guardería   i. dar clases particulares

1. "Se buscan estudiantes para ser _e_ en la clase de matemáticas."

2. "Para participar en la _h_ política, deben ir a la reunión en la Sala 403, este viernes a las 3:30."

3. "Buscamos jóvenes para trabajar en nuestra _f_ con niños de cinco años."

4. "¿Tienes un talento especial? ¿Tocas la guitarra? ¿Cantas? ¿Bailas? Escuela elementaria busca jóvenes para _i_ ."

5. "_a_ necesita tres estudiantes para enseñar a los niños sobre la higiene."

CAPÍTULO 1

Después de las clases trabajas en una guardería de niños. Los niños no se están portando muy bien hoy. Encierra en un círculo la letra que corresponda al mandato afirmativo correcto. *(100 puntos)*

1. Rodolfo, ¡_____ tu sandwich!
  a. coma   **b.** come   c. comas   d. comes

2. María Soledad, ¡_____ bien con tus amiguitos!
  a. te portas   **b.** pórtate   c. se porte   d. pórtese

3. Raquel, ¡_____ tus marcadores con Virginia!
  a. comparte   b. compartas   c. comparta   d. compartes

4. Leonardo, ¡_____ que no estás en casa!
  a. recuerde   b. recuerdes   **c.** recuerda   d. recuerdas

5. Mario, ¡_____ con tus juguetes y no con los de Raquel!
  a. juega   b. juegue   c. juegas   d. juegues

6. Ay, Tere, ¡_____ tus dibujos a los otros niños!
  a. muestra   b. muestres   c. muestras   d. muestre

7. Lucas, ¡_____ el carrito a Mario!
  a. devuelva   b. devuelvas   c. devuelves   **d.** devuelve

8. Inés, ¡_____ la luz! No es posible ver nada aquí.
  a. enciendas   b. encienda   **c.** enciende   d. enciendes

9. Enrique, ¡_____ a Rodolfo en el juego!
  a. incluye   b. incluyes   c. incluya   d. incluyas

10. Rosi, ¡_____ perdón a tus amiguitos! No debes comer su helado.
  a. pida   **b.** pide   c. pidas   d. pidas

CAPÍTULO 1

A Tus amigos siempre te piden consejos porque eres muy inteligente. Encierra en un círculo la letra del mandato afirmativo que complete tus consejos. *(70 puntos)*

1. —Mis amigos nunca me escuchan.
  —Pues, _____ que los buenos amigos siempre escuchan.
  a. digales   b. les dices   **c.** diles   d. les digas

2. —Siempre llego tarde a mi primera clase por la mañana.
  —Pues, _____ más temprano de tu casa.
  a. sal   b. sales   c. salga   d. salgas

3. —Mis maestros no me dan buenas notas en los exámenes.
  —Pues, _____ más caso en la clase.
  a. hazles   b. les hagas   c. hágales   d. les haces

4. —No tengo ninguna amistad íntima.
  —Pues, _____ más amable y generoso con tus amigos.
  a. sé   b. sea   c. seas   d. eres

5. —Estoy muy aburrido. No tengo nada que hacer.
  —Pues, _____ al club de teatro o al club literario. Son muy interesantes.
  a. vayas   b. va   c. vea   **d.** ve

6. —Mis amigos dicen que la ropa que llevo es muy fea.
  —Pues, _____ algo más a la moda. Conozco una tienda muy buena.
  a. póngase   b. te pones   **c.** ponte   d. te pongas

7. —No me gustan los programas que ve mi familia en la tele.
  —Pues, _____ a mi casa. Tenemos dos teles y puedes ver tus programas favoritos.
  a. ven   b. ve   c. vienes   d. venga

B Estás hablando con Laura, una nueva estudiante en tu escuela. Laura quiere pasarlo bien en la clase de español. Por eso tú le das tres consejos. Escribe la forma correcta del mandato afirmativo de los verbos entre paréntesis. *(30 puntos)*

Es una clase muy buena y el maestro es excelente. Si quieres pasarlo bien este año,

_____ mucho en español, _____ todas las composiciones
  habla   *escribe*

y _____ todas las preguntas del maestro. ¡Yo te ayudo si quieres! (hablar / escribir
  responde

/ responder)

T45

Estás hablando con unos amigos sobre los trabajos o las actividades que hacen después de las clases. Para completar la conversación, escoge de la lista la expresión correcta y escríbela en el espacio en blanco. Puedes usar las expresiones más de una vez. *(100 puntos)*

lo mejor   lo bueno   lo peor   lo malo   lo que   lo más   lo menos

1. —Me encanta ser ayudante en la biblioteca. ___Lo que___ más me gusta es que puedo ganar dinero y leer mis novelas favoritas.

2. —Pues a mí no me gusta nada mi trabajo de repartir periódicos. ___Lo malo___ es que no me pagan mucho dinero, pero ___lo peor___ es que tengo que levantarme al amanecer.

3. —Yo trabajo en una guardería. ___Lo bueno___ de mi trabajo es que me encantan los niños y ___lo mejor___ de todo es que me están pagando muy bien.

4. —___Lo más___ interesante de mi trabajo es que estoy aprendiendo mucho sobre redacción. No gano dinero, pero me gusta mucho escribir para el club literario.

5. —Soy voluntaria en un asilo los sábados. Es más o menos interesante, pero ___lo menos___ divertido es escuchar a las personas que se quejan frecuentemente.

6. —Tengo el mismo problema en mi trabajo. En la clínica mucha gente se queja del servicio. ___Lo que___ debemos hacer tú y yo es no escucharlas.

7. —Doy clases particulares enseñando guitarra a unos niños. Algunos no tienen mucho talento, pero ___lo más___ importante es que están practicando y son muy aficionados a la música.

8. —Este año estoy practicando fútbol y me encanta. Pero ___lo malo___ de esto es que llego a casa muy cansado y siempre tengo mucha tarea.

16   *Gramática en contexto / Otros usos de lo*

A Carolina está hablando con Emilio sobre sus relaciones con los demás porque Emilio se queja de no tener buenos amigos. Escribe el pronombre del complemento directo correcto en el espacio en blanco. *(80 puntos)*

1. —¿Conoces bien a tus amigos?
   —No, no ___los___ conozco muy bien.

2. —¿Te influyen mucho tus amigos?
   —No, nunca ___me___ influyen.

3. —¿Llamas frecuentemente a tu amiga Patricia?
   —Pues, no. No ___la___ llamo mucho.

4. —¿Ves a tu amigo Juan todos los días?
   —No, no ___lo___ veo mucho.

5. —¿Entiendes siempre a tus hermanas?
   —Nunca ___las___ entiendo. No hablamos mucho.

6. —¿Discutes tus problemas con tu familia?
   —No, no ___los___ discuto con ellos.

7. —Y tus padres, ¿hablan contigo y con tus hermanas a menudo?
   —No, no ___nos___ hablan mucho porque siempre están trabajando.

8. —Emilio, ¿quieres mi consejo?
   —Sí, Carolina, por favor. ___Te___ respeto mucho a ti y sé que sabes mucho.
   —Pues, Emilio, hay que hacer más caso a las amistades y a la familia. Para tener buenos amigos *tú* tienes que ser un buen amigo.

B Trabajas en un asilo en tus fines de semana. A veces tienes que contestar las preguntas de la gente mayor que vive en el asilo. Escribe el pronombre del complemento indirecto correcto en el espacio en blanco. *(20 puntos)*

1. —¿Escribes muchas cartas a tus abuelos?
   —¡Sí! ___Les___ escribo todos los meses.

2. —¿Qué haces para ayudar a tu mamá?
   —A veces ___le___ preparo la cena y luego lavo todos los platos.

3. —¿Y qué haces para ayudar a tus amigos?
   —Pues, ___les___ presto mis apuntes o dinero para comprar el almuerzo.

4. —¿Siempre dices la verdad?
   —¡Naturalmente! Siempre ___les___ digo la verdad a todos.

Gramática en contexto / Repaso: Los complementos directos e indirectos   15

CAPÍTULO 1

I. Listening Comprehension (20 points)

A. (8 points)

1. _d_
2. _c_
3. _b_
4. _e_

B. (12 points)

DIÁLOGO 1

1. a. Juana le da buen consejo.
   b. Pilar no es buena amiga. *(circled)*
   c. Pilar no le acompaña a la fiesta.
2. **a.** No respeta la amistad. *(circled)*
   b. Le encanta discutir.
   c. Nunca es considerada.
3. a. Le gusta dar consejos sobre la redacción.
   b. Les entiende a otras personas. *(circled)*
   c. Les hace caso a los demás.

DIÁLOGO 2

4. a. Luis no le hace caso.
   b. Ignacio no quiere hablar con Mariana.
   c. Mariana no le entiende a Luis. *(circled)*
5. **a.** Ignacio no debe mantener una amistad con Mariana. *(circled)*
   b. Ignacio debe enojarse con Mariana.
   c. Ignacio debe discutir el conflicto con Mariana.
6. **a.** Hay que compartir más en una amistad. *(circled)*
   b. Hay que tener más en común.
   c. Hay que llevarse mal con los demás a veces.

II. Reading Comprehension (20 points)

1. Este boletín les explica a los estudiantes sobre actividades extracurriculares.   **Sí** *(circled)*   No
2. El boletín es probablemente para los nuevos estudiantes.   **Sí** *(circled)*   No
3. No hay una actividad para los estudiantes interesados en otras culturas.   Sí   **No** *(circled)*
4. Este boletín no incluye información sobre las actividades extracurriculares que ofrece la escuela.   Sí   **No** *(circled)*

22

CAPÍTULO 1

A (16 puntos)

1. _nerviosa_
2. _vanidoso_
3. _tranquila_
4. _comprensiva_

B (16 puntos)

1. _f_
2. _a_
3. _d_
4. _c_

C (16 puntos)

1. _Pon_
2. _Haz_
3. _Ve_
4. _Inscríbete_

D (12 puntos)

1. _la esgrima_
2. _la redacción_
3. _dar clases particulares_

E (16 puntos)

1. _paciente con los menores de edad_
2. _paciente con los mayores de edad_
3. _aficionado a las artes marciales_
4. _interesado en recoger periódicos y latas_

F (24 puntos)

1. _Lo malo_
2. _los_
3. _lo peor_
4. _Lo que_
5. _me_
6. _nos_
7. _lo más_
8. _lo menos_

19

Paso a paso 3   Nombre

CAPÍTULO 2

Fecha   Prueba **2-1**

A Estás hablando con dos estudiantes que no conoces muy bien y les preguntas dónde viven. Subraya la palabra que mejor complete tu conversación con ellos. *(40 puntos)*

1. —Marta, ¿vives cerca de (un peaje / <u>un rascacielos</u>)?

2. —No, porque vivo en (<u>una granja</u> / una senda).

3. —Pablo, ¿viven ustedes cerca de (un camino / una autopista)?

4. —Sí, y queda cerca de un (<u>puente</u> / atasco).

B La semana pasada fuiste a visitar el pueblo donde vivías cuando tenías tres años. Escoge de la lista la palabra o expresión que mejor complete tu descripción del pueblo a una amiga. Escribe la letra en el espacio en blanco. *(60 puntos)*

a. bella	d. animado	g. jardines	j. ruido
b. sano	e. aislado	h. ciclistas	k. seguro
c. lleno de	f. conveniente	i. peaje	

Todo el pueblo me pareció muy _d_ porque está _c_ gente ahora. Hay más tráfico y por eso se oye más _i_ día y noche. Es más _f_ vivir ahora en el pueblo porque hay más tiendas y un centro comercial. También hay más fábricas y contaminación. Por eso creo que es menos _b_ vivir allí. Sin embargo, el pueblo es todavía muy _k_. No hay mucho crimen y todas las casas tienen _g_ bonitos. Los fines de semana se ven muchos _h_ porque les encanta salir y hacer un poco de ejercicio. Aunque está un poco _e_, me gustaría vivir en el pueblo porque tengo buenos recuerdos, pero prefiero vivir aquí en la ciudad porque yo creo que es _a_ .

24   *Vocabulario para comunicarse*

Paso a paso 3   Nombre

CAPÍTULO 1

Fecha   **Examen de habilidades**

5. No hay ninguna actividad para los deportistas.   Sí   (No)

6. Los estudiantes no pueden ser ayudantes.   Sí   (No)

7. Es posible ser ayudante en las clases de química, álgebra o biología.   (Sí)   No

8. El señor Robles es el director de la escuela.   Sí   (No)

9. El boletín quiere influir a los estudiantes a inscribirse en las materias difíciles.   Sí   (No)

10. Hay un club para los estudiantes interesados en escribir poemas.   (Sí)   No

III. Writing Proficiency *(20 points)*

[See page T9 for suggestions for evaluating student writing.]

Hola, _____ :

_____

_____

_____

_____

_____

Saludos,

_____

IV. Cultural Knowledge *(20 points)*

Las respuestas variarán. Tanto en los países hispanos como en Estados Unidos, los adolescentes participan en actividades diferentes. En España y en Hispanoamérica algunos prefieren salir con sus amigos y reunirse en un café para hablar. A otros les gusta practicar deportes fuera de la escuela. Algunos trabajan como voluntarios y otros trabajan para ganar dinero y ayudar a sus padres. En Estados Unidos, muchos adolescentes trabajan de lunes a viernes después de la escuela y los fines de semana. A los jóvenes les gusta estar con los amigos, pero es más común reunirse en casa de alguien o hablar por teléfono que reunirse en algún café.

V. Speaking Proficiency *(20 points)*

[See pages T29–T37 for suggestions on how to administer this portion of the test.]

23

T48

Prueba 2-3

Paso a paso 3   Nombre

CAPÍTULO 2
Fecha

A Tú y tus amigos no están de acuerdo sobre el lugar dónde prefieren vivir. Empareja tus opiniones con las de tus amigos. Escribe la letra a la izquierda del número. (50 puntos)

TÚ

_c_   **1.** Me encanta vivir donde el transporte público está al alcance de la mano.

_b_   **2.** No me molestan ni los atascos ni un lugar lleno de gente.

_a_   **3.** No me gustan las responsabilidades diarias de una casa en el campo.

_f_   **4.** La vida rural me aburre porque no ofrece actividades culturales.

_d_   **5.** Además, en la ciudad uno no paga tantos impuestos viviendo en un apartamento.

TUS AMIGOS

a. Pues, a mí sí porque me gustaría tener un jardín para cultivar flores y verduras.

b. A mí sí. Prefiero vivir aislado de tanta población.

c. A mí no. No me gusta la presión diaria de ir al trabajo en un autobús.

d. Prefiero pagar más dinero y tener el espacio de una casa grande con tierra.

e. Pues, a mí sí porque también hay autobuses, taxis y trenes en el campo.

f. El campo también tiene cines y teatros al alcance de la mano.

B Jorge y Juanita van a casarse en junio y necesitan escoger un lugar dónde vivir. Subraya la palabra o las palabras que mejor completen su conversación. (50 puntos)

JUANITA   Mi amor, quisiera tener una casa (rural / en las afueras) para no estar tan lejos de la ciudad.

JORGE   Pues, yo prefiero (los impuestos / el paisaje) que ofrece el campo.

JUANITA   Yo creo que el campo es muy (cultivado / idealizado) por la gente. Hay lugares bellos en el campo, pero no es tan conveniente.

JORGE   Si uno vive en el campo, hay menos (presiones / oportunidad).

JUANITA   Sí, mi amor, pero en las afueras puedes tener algunas de las ventajas del campo y también (escaparte de / contribuir a) las presiones de la ciudad. ¿Verdad?

JORGE   Sí, mi amor. Vamos a ver…

26   *Tema para investigar*

Paso a paso 3   Nombre

CAPÍTULO 2
Fecha   Prueba **2-2**

A Jacobo y sus amigos están conversando sobre la casa que les gustaría tener en el futuro. Completa su conversación con la palabra o las palabras que correspondan al dibujo. (40 puntos)

1. —Me encantaría vivir en el piso más alto de un ___rascacielos___ .

2. —Pues, yo prefiero tener una casa con ___jardín___ blanca y muchas flores.

3. —Quisiera una casa lejos de la autopista y de los ___atascos___ .

4. —A mí me gustaría tener una casa en el campo con ___una cerca___ .

B Tus amigos te están describiendo los lugares donde vivían cuando eran niños. Subraya la palabra o las palabras que mejor completen cada frase. (60 puntos)

1. —No me gustaba mucho (el ruido / el sano) de la ciudad. Siempre había tantos (peajes / peatones).

2. —A mí me gustaba mucho el campo porque era más (peligroso / seguro). También era posible (tardar / cultivar) todo tipo de verdura y fruta fresca.

3. —Pues, nosotros no vivíamos tan (aislados / animados) como ustedes en el campo. Tampoco teníamos tanto tráfico como ustedes en la ciudad porque estábamos en (las sendas / las afueras).

Vocabulario para comunicarse   25

T49

CAPÍTULO 2

A Estás escribiéndole una carta a un amigo sobre los buenos recuerdos (memories) que tienes de cuando vivías en el campo. Escribe la forma correcta del tiempo imperfecto de los verbos que están entre paréntesis. (36 puntos)

Hola, Gabriel:

Mi familia y yo _**vivíamos**_ (vivir) en una casa grande. Mi cuarto _**estaba**_ (estar) en el segundo piso. En mi cuarto _**había**_ (haber) muchos juguetes, mis bloques, el oso de peluche y mi colección de dinosaurios. No _**tenía**_ (tener) hermanos. Por eso me _**gustaba**_ (gustar) jugar con mi vecino, Justino. Él _**era**_ (ser) muy amable. Justino y yo _**montábamos**_ (montar) en triciclo a menudo. _**Íbamos**_ (ir) por una senda cerca de nuestras casas. Por la senda _**oíamos**_ (oír) los diferentes pájaros que _**cantaban**_ (cantar) y _**comíamos**_ (comer) las manzanas que se caían de los árboles. ¿Y tú, Gabriel? ¿Qué _**hacías**_ (hacer) tú en la ciudad?

B En una conversación con tus amigos, ustedes están hablando de cómo son ahora y de cómo eran hace diez años. Cambia los verbos del presente al imperfecto para completar la conversación. (64 puntos)

1. —Ahora yo no soy callado, pero a los cinco años _**era**_ muy tímido.

2. —Mis hermanos y yo somos obedientes ahora, pero a los cuatro años _**éramos**_ bastante desobedientes.

3. —Ahora veo películas románticas, pero a los cinco años siempre _**veía**_ los dibujos animados.

4. —No hay ningún juguete en mi cuarto ahora, pero antes _**había**_ muchos.

5. —Siempre obedezco a mis padres ahora, pero a los cuatro años no les _**obedecía**_ mucho.

6. —Ahora me encanta ir a la playa, pero a los cinco años nunca _**iba**_.

7. —No juego mucho con mis trenes ahora, pero a los seis años _**jugaba**_ todo el tiempo con ellos.

8. —Mi familia y yo comemos en diferentes restaurantes ahora, pero antes siempre _**comíamos**_ en casa o con los abuelos.

CAPÍTULO 2

A Tienes que escribir un informe sobre las ventajas y desventajas de vivir en un lugar determinado. Para completar tu informe, escoge de la lista un sinónimo (synonym) de la palabra o expresión subrayada (underlined) en cada oración. Escribe el sinónimo en el espacio en blanco. (80 puntos)

oportunidad	contribuye	población	presiones	ofrece	rural
de las afueras	abundantes	escaparse	países	paisajes	cultiva

**abundantes**   1. La ciudad ofrece muchos trabajos.

**presiones**   2. Por un lado, hay muchas responsabilidades en la ciudad.

**escaparse**   3. Por eso la gente necesita salir de la ciudad a veces para encontrar un ambiente más tranquilo.

**ofrece**   4. Por otro lado, la ciudad le da a la gente más trabajos y una variedad de actividades culturales.

**oportunidad**   5. La vida del campo les da a todos la posibilidad de disfrutar de la naturaleza.

**paisajes**   6. Hay vistas y panoramas maravillosos en el campo.

**población**   7. Además, el número de personas es menor y por eso hay menos atascos, contaminación y ruido.

**rural**   8. Sin embargo, la vida del campo también tiene sus desventajas. A veces uno está muy aislado de un ambiente animado.

B Algunos de tus amigos tienen opiniones opuestas (opposite) a las tuyas. Para completar tu conversación con ellos, escoge de la lista el antónimo (antonym) o idea opuesta de la palabra o expresión subrayada. Escríbelo en el espacio en blanco. (20 puntos)

al alcance de la mano	contribuir	impuestos	diferente	espacio	diario

1. —Quisiera tener lo mismo que mis padres, una casa en las montañas.
   —Pues yo no. Quisiera tener algo _**diferente**_, como una casa en la playa.

2. —Me gusta practicar deportes de vez en cuando.
   —Pues, a mí no. Prefiero hacerlo a _**diario**_.

3. —Me gusta vivir cerca de mis vecinos. Prefiero tener menos distancia entre mis vecinos y yo.
   —Pues yo no. Yo prefiero tener mucho _**espacio**_ entre casas.

4. —Me gustaría vivir lejos de mi trabajo y de los negocios.
   —Pues yo no. Quiero tener todo _**al alcance de la mano**_.

T50

CAPÍTULO 2

Ricardo y Catalina están hablando del pueblo de su infancia. Catalina fue a visitarlo hace una semana y Ricardo quiere saber cómo es el pueblo ahora. Cambia el verbo que está entre paréntesis a la forma correcta del participio pasado y escríbelo en el espacio en blanco. *(100 puntos)*

1. —¿Cómo está el pueblo ahora, Catalina? ¿Están **animadas** todas las calles como antes? (animar)

2. —¡Qué va! La mayoría de los negocios están **cerrados** y hay muy poca gente.
   Pocas tiendas están **abiertas** y tampoco nuestra escuela elementaria.
   (cerrar / abrir)

3. —Y de noche, ¿están **encendidas** las luces del parque? Me encantaba ir al parque con mi familia las noches de verano. ¿Están todavía el carrusel y el columpio? (encender)

4. —Pues, el parque quedó en muy malas condiciones después de la inundación. Las luces están siempre **apagadas** y el carrusel está **roto** . No había ningún columpio.
   También hay más pobres en el pueblo. Cuando yo fui, muchos estaban **dormidos** en el parque porque no tienen dónde dormir. (apagar / romper / dormir)

5. —¡Qué lástima! ¿Y el puente que cruzábamos para llegar a la escuela? ¿Está todavía **decorado** con las luces de colores? (decorar)

6. —Ricardo, todo es tan diferente. El puente ya no está **situado** en el mismo lugar.
   Después de la inundación, lo construyeron en otro lugar más conveniente. El río ya no está limpio como antes. Está **contaminado** de la basura que echa la gente. Sí, Ricardo, nuestro pueblo ya no es el pueblo de nuestra infancia. (situar / contaminar)

30   *Gramática en contexto / El participio pasado como adjetivo*

CAPÍTULO 2

Tu profesor(a) de español te preguntó cuál es el lugar que más recuerdas de tu infancia. Tú decides hablarle de cuando viviste en la ciudad. Escoge los verbos correspondientes de la lista y escribe la forma correcta del imperfecto en los espacios en blanco. Puedes usar un verbo más de una vez. *(100 puntos)*

cuidar   haber   jugar   tener   saber   estar   oír   ser   ir

De mi infancia recuerdo bien el año que vivimos en un apartamento en la ciudad. Yo **tenía** cinco años y nosotros no **sabía** mucho dinero. Sin embargo, yo no lo **sabía** porque nosotros siempre **teníamos** buenos desayunos, almuerzos y cenas. Mi madre **era** muy buena cocinera. Nuestro apartamento **estaba** en el quinto piso. Por eso yo **jugaba** con mis juguetes en mi cuarto. **Había** demasiado tráfico y peatones en la calle y era imposible jugar enfrente del apartamento. Mis padres **iban** al trabajo de lunes a viernes y una vecina, quien era de Nicaragua, me **cuidaba** todos los días menos los sábados y los domingos. Me gusta más vivir en las afueras donde ahora tenemos una casa, pero tengo muy buenos recuerdos de ese año que viví en la ciudad.

29   *Gramática en contexto / Otros usos del imperfecto*

T51

T52

CAPÍTULO 2

Paso a paso 3   Nombre
Fecha
Hoja para respuestas
Prueba cumulativa

A (32 puntos)

1. *la autopista / jardines*
2. *ciclistas / senderos*
3. *puentes / peatones*
4. *granjas / cercas*

B (18 puntos)

1. *atascos / el peaje*
2. *al alcance de la mano*
3. *la vida / presión*
4. *campo*

C (18 puntos)

1. *había*
2. *hablaban*
3. *comíamos*
4. *era*
5. *veía*
6. *íbamos*

D (16 puntos)

1. *c*
2. *a*
3. *b*
4. *e*

E (16 puntos)

1. *encendidas*
2. *rotas*
3. *hecha*
4. *cerrada*

33

CAPÍTULO 2

Paso a paso 3   Nombre
Fecha
Hoja para respuestas 1
Examen de habilidades

I. Listening Comprehension (20 points)

A. (8 points)

1. *c*
2. *e*
3. *f*
4. *b*

B. (12 points)

LUGAR

2	las montañas
	la ciudad
	el campo
1	el pueblo
3	las afueras

36

Paso a paso 3

Nombre

CAPÍTULO 3

Fecha

A Tú y unos amigos están conversando en un museo. Subraya la palabra que mejor complete tu conversación con ellos. *(40 puntos)*

1. —Soledad, ¿te gusta este (perfil / autorretrato)?

2. —Sí, pero prefiero aquella pintura de
   (la naturaleza muerta / la paleta).

3. —Este (retrato / pincel) es muy bueno. Creo que El Greco lo pintó.

4. —Y éste también es muy bueno. Es (el perfil / el pincel) de un hombre.

B En tu clase de arte hay una exposición esta semana para los padres y los maestros. Selecciona la letra de la palabra o expresión que mejor complete lo que dicen los visitantes de la exposición. *(60 puntos)*

1. Me gusta mucho el paisaje en esta __b__ .
   a. forma   b. obra   c. artista

2. Fíjate en __c__ . Representa la historia de la escuela, me parece.
   a. este pastel   b. esta forma   c. este mural

3. ¿Qué se ve allí, en __b__ ? ¿Es un perro o un gato?
   a. el estilo   b. el primer plano   c. el tono

4. Éste me parece muy triste. Hay tanta sombra y colores __a__ .
   a. apagados   b. vivos   c. reflejados

5. Me gusta el __b__ de esta pintura. Allí, detrás de la casa.
   a. reflejado   b. fondo   c. pincel

6. Allí __c__ , encima de la figura, hay una mariposa.
   a. junto a   b. sentado   c. arriba

38   *Vocabulario para comunicarse*

Paso a paso 3

Nombre

CAPÍTULO 2

Fecha

Hoja para respuestas 2
Examen de habilidades

II. Reading Comprehension *(20 points)*

1. Alejandro cree que
   a. la vida de la ciudad es idealizada.
   b. la vida rural es una maravilla.
   c.) la vida del campo ya no es para él.

2. Cuando Alejandro era muy joven
   a. iba mucho a los mercados.
   b.) su familia producía mucho de lo que
      comía.
   c. la familia iba a la ciudad todos los días.

3. El lugar donde ellos vivían era
   a.) bastante rural.
   b. bastante urbano.
   c. bastante poblado.

4. Los abuelos de Alejandro
   a. le visitaban a menudo.
   b. buscaban una vida mejor en la ciudad.
   c.) vivían en la misma granja.

5. En la granja, Alejandro
   a. tenía muchos quehaceres diarios.
   b.) disfrutaba mucho con la naturaleza.
   c. jugaba con sus amiguitos del barrio.

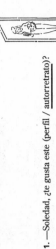

III. Writing Proficiency *(20 points)*

[See page T9 for suggestions for evaluating student writing.]

IV. Cultural Knowledge *(20 points)*

Las respuestas variarán. Si te gusta escalar montañas, te recomiendo el Altiplano de Bolivia. Allí podrías aprender sobre el cultivo de papa, la artesanía y la música de los Andes. Si prefieres la vida de la ciudad, puedes ir a San José de Costa Rica, famosa por su hospitalidad y por su clima excelente; se dice que tiene una primavera eterna. Si te gusta vivir donde todo está al alcance de la mano y te interesan las actividades culturales, visita Buenos Aires, en Argentina, una ciudad internacional con inmigrantes de todas partes.

V. Speaking Proficiency *(20 points)*

[See pages T29–T37 for suggestions on how to administer this portion of the test.]

37

T53

Prueba 3-3

Paso a paso 3   Nombre

Fecha

CAPÍTULO 3

A Estás preparando una breve presentación para tu clase de arte. ¿Qué palabras necesitas para completar tu informe? Escoge una palabra o expresión de la lista y escribe la letra en el espacio en blanco correspondiente. *(60 puntos)*

a. época   d. siglo   g. interpretaron

b. etapa   e. cubismo   h. realismo

c. estilos   f. punto de vista   i. trataron

1. Pablo Picasso fue un pintor español que pintó en varios __c__ .

2. Su arte rompió con las tradiciones artísticas de esa __a__ .

3. A veces las figuras de Picasso no son realistas porque son interpretaciones desde su __f__ .

4. Picasso y otros artistas de su tiempo __i__ de transformar la imagen de las figuras y los objetos.

5. Picasso es famoso por el __e__ . En ese estilo predominan las formas geométricas.

6. Picasso vivió en el __d__ XX.

B Toña tiene que terminar un reporte sobre Salvador Dalí para su clase de español. Subraya la palabra o expresión que mejor complete cada oración de su informe. *(40 puntos)*

1. Muchos de los cuadros de Salvador Dalí expresan (etapas / temas / tonos) de sus propios sueños.

2. Sus ideas son del (subconsciente / mensaje / tema).

3. Antes de Dalí, los pintores (pusieron / quisieron / atrajeron) reproducir las sensaciones creadas por el color y la luz.

4. El arte de Dalí transforma el realismo en algo (abstracto / tratado / apagado).

5. En sus obras, los sueños (se transformaban / trataba de / criticaba) en cuadros.

Prueba 3-2

Paso a paso 3   Nombre

Fecha

CAPÍTULO 3

A Miguel Ángel y Emilia están conversando en una tienda de arte. Escribe la palabra que corresponda al dibujo. *(50 puntos)*

1. —Necesito comprar una nueva __paleta__ para mi clase de arte.

2. —¿No necesitas un __pincel__ también?

3. —Ah, sí. Tenemos que pintar un __autorretrato__ para nuestro proyecto final.

4. —Nosotros tenemos que pintar un __mural__ en la puerta de la cafetería.

5. —Mi hermano me va a hacer una __pintura__ para mi dormitorio.

B Tú y unos amigos quieren comprarle un regalo a la maestra de arte. Empareja lo que tú dices con las opiniones opuestas de tus amigos. *(50 puntos)*

TÚ

__e__ 1. Me gusta mucho este cuadro de colores apagados.

__d__ 2. ¿Creen ustedes que le gustaría éste con los niños sentados?

__a__ 3. Me parece muy bien éste que tiene un paisaje en el fondo.

__c__ 4. No me gusta el cuadro que está arriba del cuadro de perros.

__b__ 5. Me encanta como se ve mucha luz en este cuadro.

TUS AMIGOS

a. Éste con los árboles en el primer plano es más interesante.

b. A mí no. Es mejor este cuadro que tiene tanta sombra.

c. El cuadro de abajo es mucho más interesante.

d. Este cuadro con la mujer de pie es más bonito.

e. La maestra prefiere colores vivos.

Tú y algunos de tus amigos van a ver una exposición de arte moderno. Escribe el pretérito del verbo *poner* o *ponerse* para completar las conversaciones de las personas en la exposición. (*100 puntos*)

1. —Mónica, ¿dónde **pusiste** tú los boletos para entrar en la exposición?

   —Creo que tú y papá los **pusieron** en el bolsillo de la chaqueta.

2. —Guille, ¿te gusta este cuadro? Yo **me puse** muy alegre al verlo porque tiene colores muy vivos.

   —Pues, a mí no me gusta nada aquella pintura. Me parece que al ver el mar, el pintor **se puso** muy triste, ¿verdad?

3. —¿Ves al pintor allí al fondo de la galería? ¡Qué gracioso! Creo que él **puso** su propia imagen en la pintura.

   —Arturo y yo **nos pusimos** furiosos con su obra. Tiene un valor de quince mil dólares y yo no veo más que dos líneas negras sobre un fondo blanco. ¡Quince mil dólares! ¡Fíjate!

4. —¿Por qué **pusieron** ellos estas pinturas aquí? No hay bastante luz y son colores apagados. Mira, llegó Juan. ¡Hola!

   —¿Qué tal? Había mucho tráfico. Traté de no **ponerme** impaciente, pero llegamos una hora tarde a la exposición.

5. —Señora, ¿dónde **puso** usted la chaqueta? Encontramos ésta con dos boletos en el bolsillo. ¿Es suya?

   —Ay, sí. Yo la **puse** encima de la silla enfrente del cuadro de Picasso. Fue tan emocionante ver la pintura original.

A Estás haciendo un crucigrama sobre el tema del arte. Escribe la palabra de la lista que mejor complete cada definición. (*80 puntos*)

surrealismo   inspiración   realismo   criticar   etapas   valor
transformaba   sueños   imagen   épocas   temas   atraer

1. Movimiento artístico que cambiaba o **transformaba** a las personas y los objetos en formas abstractas.

2. Un pintor que pinta exactamente lo que ve es un pintor del **realismo**.

3. Hay pintores que expresan las ideas de sus **sueños**. Por eso es difícil interpretar su arte a veces.

4. Un estilo de arte que expresa las ideas del subconsciente se llama el **surrealismo**.

5. Algunos artistas reciben su **inspiración** de sus experiencias personales.

6. Hay personas que escriben sobre el arte. Su trabajo es estudiarlo porque lo quieren **criticar** para el público.

7. El **valor** de una pintura a veces depende del nombre del pintor.

8. El estilo de un pintor cambia a veces porque las **etapas** de su vida personal cambian.

B En tu clase de arte, el profesor quiere saber qué aprendieron los estudiantes del informe que les presentó ayer. Completa cada frase con un sinónimo de la palabra subrayada. (*20 puntos*)

1. Picasso vivió casi cien años o casi un **siglo**.

2. La idea principal de una pintura es el mensaje o el **tema** de la pintura.

3. Salvador Dalí pintaba lo que él veía en sus sueños o lo que estaba en su **subconsciente**.

4. El precio o el **valor** de una pintura puede llegar a ser hasta de millones de dólares. Depende del nombre del artista y de la calidad de la pintura.

T55

Paso a paso 3

Nombre _____

CAPÍTULO 3

Fecha _____   Prueba **3-7**

Manuel y Paco están hablando en este momento de las actividades que estaban haciendo ayer. Completa su conversación con los verbos en la forma correcta del imperfecto progresivo. Recuerda que también necesitas usar el imperfecto del verbo estar. *(100 puntos)*

1. —Ayer a las tres Santiago y yo _____ **estábamos pintando** _____ en la clase de arte. (pintar)

2. —Pues a la una yo _____ **estaba comiendo** _____ en la cafetería. (comer)

3. —Sí, y a las dos tú _____ **estabas durmiendo** _____ en la clase de historia. (dormir)

4. —Anoche a las nueve mi hermana le _____ **estaba pidiendo** _____ a papá el coche para ir al cine. (pedir)

5. —El sábado por la tarde Juana _____ **estaba leyendo** _____ una novela romántica, ¿verdad? (leer)

6. —Sí, pero tú _____ **estabas mirando** _____ un programa muy tonto en la tele. (mirar)

7. —¿Qué _____ **estaban haciendo** _____ ustedes ayer a las cuatro cuando nos vimos? (hacer)

8. —Nosotros _____ **estábamos repitiendo** _____ el mensaje que tú nos dejaste por teléfono. (repetir)

9. —Tú _____ **estabas mintiendo** _____ ayer sobre el accidente con mi mochila, ¿no? (mentir)

10. —No, en realidad yo _____ **estaba diciendo** _____ la verdad. ¡Fue un accidente! (decir)

44   *Gramática en contexto / Repaso: El imperfecto progresivo*

Paso a paso 3

Nombre _____

CAPÍTULO 3

Fecha _____   Prueba **3-6**

En la clase de historia del arte algunos estudiantes van a hacer el papel de *(play the role of)* artistas famosos. Otros(as) compañeros(as) los van a entrevistar. Completa las dos entrevistas con la forma correcta del pretérito del verbo entre paréntesis. *(100 puntos)*

PRIMERA ENTREVISTA

CRISTINA   Señor Picasso, ¿qué le _____ **influyó** _____ más en su arte a principios del siglo XX? (influir)

PICASSO   Pues, las máscaras de África me _____ **influyeron** _____ mucho. (influir)

CRISTINA   ¿Cree usted que el cubismo _____ **contribuyó** _____ al arte en general? (contribuir)

PICASSO   Claro. Los otros artistas del cubismo y yo _____ **contribuimos** _____ mucho. Por ejemplo, todavía se ve mucho el cubismo en los anuncios comerciales. Y personalmente, yo sé que yo _____ **influí** _____ en los movimientos artísticos de este siglo. ¿Es verdad, no? (contribuir / influir)

SEGUNDA ENTREVISTA

BENJAMÍN   Señor Tamayo, ¿quiénes son los artistas que le _____ **influyeron** _____ a usted? (influir)

TAMAYO   Pues…, Rivera, Orozco…, Siqueiros. Pero en realidad la naturaleza me _____ **influyó** _____ más. (influir)

BENJAMÍN   ¿Cree usted que los murales que usted pintó _____ **contribuyeron** _____ al estilo de los otros muralistas? (contribuir)

TAMAYO   Me gustaría pensar que sí. Veo en su arte elementos que yo considero importantes: forma, espacio y color. Además, ¿no te gustaría a ti decir algún día que tú _____ **contribuiste** _____ a otros movimientos artísticos? (contribuir)

BENJAMÍN   ¡Claro que sí! Hace poco leímos que cuando usted termina de pintar por la tarde, le gusta ir a bailar.

TAMAYO   Es verdad, pero ¿dónde lo _____ **leyeron** _____ ustedes? (leer)

BENJAMÍN   En una revista de la biblioteca. Se llama *Américas*.

43   *Gramática en contexto / El pretérito de los verbos influir y contribuir*

T56

CAPÍTULO 3

Hoja para respuestas
Prueba cumulativa

A (24 puntos)
1. _pinceles / paleta_
2. _de pie / sentada_
3. _sombras / el perfil_

B (10 puntos)
1. _el realismo_
2. _el surrealismo_
3. _el cubismo_
4. _el mensaje social_
5. _el impresionismo_

C (32 puntos)
1. _nació_
2. _estaba viviendo_
3. _estudió_
4. _estaban influyendo_
5. _salió_
6. _estaba atrayendo_
7. _empezó_
8. _estaban siguiendo_

D (24 puntos)
1. _pusieron_
2. _pusimos / fondo_
3. _puso_
4. _puso / vivos_

E (10 puntos)
1. _estilo_
2. _obra_
3. _etapa_
4. _pinturas_
5. _movimiento_
6. _influyeron_
7. _inspiración_
8. _fijarse_
9. _valor_
10. _mensaje_

CAPÍTULO 3

En la clase de historia del arte de la profesora López, los estudiantes tienen que escribir informes sobre artistas famosos. Selecciona los tiempos correctos de los verbos para completar la información que los estudiantes ya tienen. Uno de los verbos debe estar en el pretérito y el otro en el imperfecto progresivo. (100 puntos)

1. Los padres de Francisco de Goya _b_ en Zaragoza cuando el pintor _c_ .
   a. vivieron   c. nació
   b. estaban viviendo   d. estaba naciendo

2. Goya _c_ diferentes técnicas cuando _d_ en un taller en Zaragoza.
   a. estaba aprendiendo c. aprendió
   b. trabajó   d. estaba trabajando

3. Rufino Tamayo _a_ en Oaxaca cuando su madre _c_ en 1907.
   a. estaba viviendo   c. murió
   b. estaba muriendo   d. vivió

4. Pablo Picasso _c_ su famoso cuadro Les Demoiselles d'Avignon cuando Rufino Tamayo _b_ a vivir a la Ciudad de México en 1907.
   a. pintó   c. estaba pintando
   b. fue   d. estaba yendo

5. Cuando Pablo Picasso _d_ el 8 de abril de 1973, Salvador Dalí todavía _c_ .
   a. estaba muriendo   c. estaba pintando
   b. pintó   d. murió

6. En el famoso cuadro de Velázquez, Las Meninas, la niña rubia _c_ cuando el pintor _d_ a pintarla.
   a. jugó   c. estaba jugando
   b. estaba comenzando d. comenzó

7. Cuando los padres de la niña rubia _c_ en la sala para ver la pintura, Velázquez todavía _b_ .
   a. pintó   c. entraron
   b. estaba pintando   d. estaban entrando

8. Diego Rivera ya _a_ cuando _d_ a Frida Kahlo, su futura esposa.
   a. estaba pintando   c. estaba conociendo
   b. pintó   d. conoció

9. Salvador Dalí todavía _a_ en el estilo del realismo cuando _b_ a transformar su arte en algo más abstracto.
   a. estaba pintando   c. pintó
   b. comenzó   d. estaba comenzando

10. Los muralistas mexicanos como Rivera y Tamayo ya _c_ cuando yo _b_ .
   a. estaba naciendo   c. estaban pintando
   b. nací   d. pintaron

Gramática en contexto / El uso del pretérito y del imperfecto progresivo

T57

Page 51

I. Listening Comprehension (20 points)

A. *(10 points)*

1. _b_
2. _f_
3. _e_
4. _a_
5. _d_

B. *(10 points)*

PRIMERA PRESENTACIÓN

1. En las obras de Orozco, no vemos un punto de vista político. — Sí (No)
2. Orozco es más conocido por sus murales que por sus pinturas. — (Sí) No
3. Una característica de su arte es el uso de los colores vivos. — (Sí) No
4. El pueblo mexicano influyó en Orozco y en sus temas artísticos. — (Sí) No
5. Orozco vivió y murió en este siglo. — Sí (No)

SEGUNDA PRESENTACIÓN

6. Diego Rivera sólo pintó en un estilo de arte. — Sí (No)
7. Rivera es más conocido por sus cuadros que por sus murales. — Sí (No)
8. Las tradiciones de México influyeron mucho en el estilo de Rivera. — (Sí) No
9. Un tema importante de Rivera es el obrero mexicano. — (Sí) No
10. Rivera criticaba a otros países en sus obras. — (Sí) No

Page 52

II. Reading Comprehension (20 points)

1. Fernando Botero
   a. vivió en el siglo pasado.
   b. nació en la época en que vivimos.
   c. murió antes de los sesenta años.

2. Según el folleto, Botero expresa su arte
   a. sólo con la pintura.
   b. sólo con la escultura.
   c. con la pintura y con la escultura.

3. En su obra, Botero pinta
   a. temas de su país solamente.
   b. figuras gordas y a veces graciosas.
   c. los puntos de vista de los italianos.

4. Botero encuentra inspiración
   a. en lugares diferentes.
   b. sólo en Italia.
   c. sólo en México.

5. Según el folleto, Botero
   a. se expresaba artísticamente desde muy joven.
   b. no tuvo éxito hasta que vivió en México.
   c. cree que sólo los pintores antiguos expresan temas importantes.

III. Writing Proficiency (20 points)

[See page T9 for suggestions for evaluating student writing.]

_____
_____
_____
_____
_____

IV. Cultural Knowledge (20 points)

Las respuestas variarán. En su obra, el pintor y muralista Diego Rivera quería mostrar respeto por la gente indígena y las clases más pobres de su país. A él le interesaban mucho los problemas políticos y sociales de México.

V. Speaking Proficiency (20 points)

[See pages T29–T37 for suggestions on how to administer this portion of the test.]

T58

A. A tu mejor amigo(a) y a ti les gusta mirar la tele y los videos nuevos, pero nunca están de acuerdo sobre qué película alquilar. Escribe la palabra que corresponda al dibujo para completar tu conversación. (*40 puntos*)

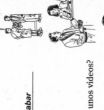

1. —No vamos a estar en casa el sábado. ¿Me puedes __grabar__ el fútbol de México?

2. —¡Claro! ¿Puedes ir conmigo ahora para __alquilar__ unos videos?

3. —Sí, pero por favor, no quiero ver *Drácula III* de nuevo. Me hace __bostezar__.

4. —Bueno. Podemos ver dibujos animados y __reírnos__ por horas.

B. Tus compañeros de clase están comentando sobre los programas que ven en la televisión. Escoge de la lista la palabra o expresión que mejor complete la conversación y escríbela en el espacio en blanco. (*60 puntos*)

| emocionarme | violentos | objetivo | positivo |
| demasiado | has visto | he visto | dieron |

1. —Mis padres creen que los programas de detectives son muy __violentos__ porque siempre alguien está matando a otro.

2. —Yo prefiero ver algún programa que sea menos negativo y más __positivo__, como los documentales.

3. —A mí me gusta el noticiero. A veces es __demasiado__ subjetivo, pero me enseña mucho.

4. —Después de las clases nunca pierdo mi telenovela favorita. Me hace llorar, pero me gusta __emocionarme__.

5. —Mis padres me __dieron__ una tele para mi dormitorio, pero trato de apagarla y no verla noche y día.

6. —Pues, yo nunca veo la tele. Los programas que __he visto__ recientemente no son tan buenos como leer una buena novela.

54   *Vocabulario para comunicarse*

A. Cristina y Lorenzo están hablando por teléfono, tratando de decidir qué hacer esta noche. Escoge el dibujo que corresponda a la palabra o expresión subrayada. (*50 puntos*)

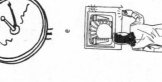

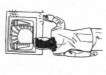

d 1. —Lorenzo, ¿quieres ir al centro comercial para alquilar el video de *Monstruos*?

c 2. —¡Qué va! Me hizo bostezar la primera vez que la vimos.

e 3. —¿Qué te pareció la antena parabólica que compró mi papá?

a 4. —Me encantó. Me reí mucho con el programa que vimos anoche.

b 5. —Yo también. Creo que lo voy a grabar esta noche.

B. Estás entrevistando a tus compañeros de clase sobre programas en la televisión porque tienes que escribir un artículo para el periódico de la escuela. Subraya la palabra o expresión que mejor complete cada frase. (*50 puntos*)

1. —Raquel, ¿(has visto / he visto) algún programa en español esta semana?

2. —Pues, no, porque no tenemos (la multa / la televisión por cable).

3. —Jesús, ¿qué te pareció el noticiero anoche? ¿(Recientemente / Objetivo)?

4. —¿El noticiero? Nunca lo veo porque es bastante (subjetivo / informativo).

5. —Diana, ¿viste el comentario que (dieron / decidieron) anoche?
   —No, no lo vi.

Vocabulario para comunicarse   53

CAPÍTULO 4

A Tu profesor de sociología quiere que les preguntes a diferentes personas sus opiniones sobre la influencia que tiene la televisión. Escoge de la lista la palabra o expresión que mejor complete cada espacio en blanco de tu encuesta. *(50 puntos)*

se ha dicho   hacer daño   comprobar   clasificar   derecho
han manipulado   percepción   entretener   tal como   controlar

1. —¿Cuál es tu _percepción_ de los programas de la televisión en general? ¿Piensas que tienen una influencia positiva o negativa?

2. —Bueno, creo que la mayoría de los programas entretienen, pero hay algunos que pueden _hacer daño_ porque son demasiado violentos.

3. —Verónica, ¿crees que los padres deben tener el _derecho_ de controlar lo que vean sus hijos?

4. —Pues, _se ha dicho_ que algunos programas y anuncios comerciales son una mala influencia sobre los jóvenes, pero generalmente los jóvenes no son tan tontos. No quiero que mis padres decidan qué puedo o no puedo ver.

5. —Mario, ¿crees que los programas violentos _han manipulado_ cómo piensan muchos jóvenes?

6. —¡Claro que sí! No creo que sea necesario _comprobar_ que esos programas tengan una influencia negativa en los jóvenes. Sabemos que muchos tratan de hacer lo que ven en la tele.

B Gloria y sus amigas tienen ideas diferentes sobre la influencia de la televisión en la gente. Empareja sus opiniones contrarias. *(50 puntos)*

a. La televisión siempre entretiene.
b. Los jóvenes creen que la televisión siempre refleja la vida tal como es.
c. La televisión no puede influir mucho.
d. El gobierno tiene el derecho de controlar lo que ven los menores en la televisión.
e. Se ha dicho que el crimen en nuestra sociedad es el resultado de lo que ve la gente en la televisión.

_d_ 1. La gente no quiere que nadie controle lo que vean o no vean.
_a_ 2. Estoy tan aburrida con la tele. Hay pocos programas buenos.
_e_ 3. Los programas violentos no influyen sobre todos de manera negativa.
_b_ 4. Algunos pueden ver un programa sin ser manipulados porque saben que todo lo que ven no es verdad.
_c_ 5. La televisión ha hecho daño a demasiadas personas.

CAPÍTULO 4

A Tu maestro de historia quiere que los estudiantes hablen sobre el valor de la televisión. Subraya la palabra o expresión que mejor complete tu conversación con otro compañero de clase. *(60 puntos)*

1. —Sobre los programas violentos (se ha dicho / se controla) que (comprueban / hacen daño) a los jóvenes.

2. —Pero, ¿quién va a determinar qué programas son violentos y cómo van a (entretenerlos / clasificarlos)? A mí me da miedo (la multa / la censura).

3. —Es verdad. Yo pienso que el público debe tener (tal como / derecho) a escoger los programas que quiere ver.

4. —Otras personas piensan que no. Piensan que se debe (controlar / manipular) lo que vean los jóvenes.

B Tú y tus compañeros tienen que prepararse para un debate en la clase de sociología. Escoge la palabra o expresión apropiada de la lista y escribe la letra en el espacio en blanco. *(40 puntos)*

a. derecho   c. censura   e. comprobar
b. evaluar   d. hacer daño   f. controlar

1. —Tenemos que escoger la posición que queremos defender en el debate. Yo quisiera criticar el aspecto negativo de la televisión. Quisiera _e_ que los programas son una mala influencia para los jóvenes.

2. —Y yo quisiera hablar sobre el aspecto positivo de la televisión. Yo pienso que es mejor enseñar a los jóvenes a _b_ el valor de cada programa para que ellos mismos decidan cuáles deben ver y cuáles no.

3. —Yo no sé de qué lado del debate quisiera estar. En mi opinión hay programas malos y hay otros buenos. Por un lado, el público debe tener _a_ a escoger los programas y por otro lado creo que alguien debe _f_ el número de programas violentos que se ven en la televisión.

T60

CAPÍTULO 4

Tú y tus hermanos están conversando mientras miran la televisión. Completa la conversación con la forma apropiada del participio pasado irregular del verbo entre paréntesis. Recuerda que debes incluir el presente de *haber*. (100 puntos)

1. —Ignacio, ¿qué _**has hecho**_ tú con el control remoto? (hacer)

2. —No lo tengo. Ustedes lo _**han puesto**_ sobre la mesita. (poner)

3. —Ah, sí, Mariana, ¿ _**no hemos abierto**_ tú y yo las cajas de pizza todavía? (abrir)

4. —No. ¿Dónde están? No las _**he visto**_ . ¿Llegaron? (ver)

5. —¡Escucha el noticiero! El locutor _**ha dicho**_ que hubo un terremoto. (decir)

6. —También dijo que nadie _**se ha muerto**_ . (morirse)

7. —¡No me digas! ¿Por qué están aquí los videos que alquilamos la semana pasada? ¿Ustedes no los _**han devuelto**_ a la tienda todavía? (devolver)

8. —¡Chist! Yo quiero ver lo que pasó con el novio de Rebeca después de que se cayó del segundo piso. ¡Ah, solo _**se ha roto**_ un tobillo! Y también salvó al niño. ¡Ay, qué romántico! Ahora él y Rebeca se pueden casar. (romperse)

9. —¡Por favor, cambia de canal! Quiero ver si los policías _**han resuelto**_ el misterio en el programa de detectives. (resolver)

10. —¡Esto es ridículo! ¿Y cuántos _**han escrito**_ ya el informe para la clase de inglés mañana? ¡Ajá! Nadie, ¿verdad? Yo voy a la biblioteca. (escribir)

58 *Gramática en contexto / Los participios pasados irregulares*

CAPÍTULO 4

El maestro de economía quiere formar grupos de estudiantes para hablar sobre la influencia de la televisión. Escribe la forma correcta del presente perfecto de los verbos entre paréntesis para completar lo que dicen los miembros de los diferentes grupos. Recuerda que debes incluir el presente de *haber*. (100 puntos)

1. —Jaime, ¿piensas que los anuncios comerciales _**han manipulado**_ mucho a los niños? (manipular)

2. —Algunos sí, pero no todos. Siempre hablo con mis hermanitos y creo que yo les _**he influido**_ bastante. Ellos miran la televisión de una manera más crítica ahora. (influir)

3. —Susana y Luz, ¿qué programas _**han escogido**_ ustedes para ver esta noche? (escoger)

4. —Después de las clases, Luz y yo siempre vamos a mi casa para ver las telenovelas. En el último episodio de "Amorcito," el novio de Rebeca _**se ha caído**_ del segundo piso tratando de salvar a un niño en un incendio. No sabemos si está muerto o vivo. ¡Esta tarde lo sabremos! (caerse)

5. —¡Susana! ¡Al maestro no le importa lo que pasa en una telenovela! Yo _**he leído**_ que la televisión _**se ha convertido**_ en el medio principal para recibir información y, como resultado, su influencia es muy grande. ¿Qué opinan ustedes? (leer / convertirse)

6. —Yo estoy de acuerdo. La televisión _**ha sido**_ la influencia mayor en la forma de reportar las noticias y hasta en los candidatos políticos que elegimos. (ser)

7. —Clara, ¿ _**has mirado**_ mucha televisión recientemente? Nosotros no te _**hemos oído**_ decir mucho en esta conversación. (mirar / oír)

8. —Pues, no _**he visto**_ nada estos últimos meses porque no funciona nuestro televisor. (ver)

57 *Gramática en contexto / El presente perfecto*

CAPÍTULO 4   Fecha

A Te encontraste con unos amigos y ahora están conversando en la cafetería. Escribe la forma correcta del pretérito del verbo entre paréntesis. *(50 puntos)*

1. —Yo no ___**pude**___ ver la tele anoche porque tenía mucha tarea. ¿Y tú, Raúl? (poder)

   —Yo tampoco. Nosotros no ___**estuvimos**___ en casa anoche porque fuimos al cine. (estar)

2. —¿A qué hora ___**pudieron**___ ustedes entrar al cine anoche? (poder)

   —No ___**pudimos**___ entrar hasta las nueve y media, unos minutos después de que empezó la película. (poder)

3. —Eduardo, ¿ ___**tuviste**___ que ayudar en casa anoche? No te vi con el grupo. (tener)

   —Sí, mi hermano y yo ___**tuvimos**___ que limpiar el garaje y luego nuestro cuarto. (tener)

4. —Antonio, no ___**estuviste**___ en clase ayer. ¿Qué te pasó? (estar)

   —Pues, ___**estuve**___ enfermo todo el día, pero por la tarde ___**me puse**___ mejor. (estar / ponerse)

B Mientras ustedes hablaban, en la mesa de al lado se sentaron otros compañeros(as) que empezaron a hablar de sus cosas. Escucha lo que dicen y cambia el verbo en cada oración del presente al pretérito. *(50 puntos)*

1. Hoy tengo cuatro horas de tarea y la semana pasada no ___**tuve**___ nada.

2. Felipe, Elisa y yo podemos ayudarte hoy con las decoraciones para el baile, pero ayer no ___**pudimos**___ porque teníamos que ayudar en casa.

3. Mateo está mucho mejor hoy, ¿verdad? Ayer ___**estuvo**___ enfermo todo el día.

4. Ramón y Paco, ¿tienen dinero que nos podrían prestar para comprar el almuerzo? Ayer no ___**tuvieron**___.

5. Ay, ya estoy muy cansado para ir a la clase de educación física. Ayer ___**estuve**___ cansado también.

CAPÍTULO 4   Fecha

Unos compañeros de clase están comentando sobre un programa que vieron anoche en la televisión. Primero, decide qué verbo necesitas para completar la conversación, *decir* o *dar*. Después, escribe la forma correcta de ese verbo en el pretérito. *(100 puntos)*

1. —¡Ana María, anoche ___**dieron**___ un programa especial en el Canal 2!

   Participaron varios de nuestros compañeros de clase.

2. —¡No me digas! Y, ¿por qué lo ___**dieron**___ ?

3. —Fue un programa de comentarios e invitaron al consejo estudiantil de nuestra escuela para comentar sobre los programas de la televisión. Todos ___**dijeron**___ algo inteligente sobre el tema.

4. —¿Ah, sí? Y, ¿qué ___**dijo**___ Jorge? Ayer en clase él me ___**dijo**___ que tenía que escribir un informe.

5. —Jorge y Luis ___**dijeron**___ que los programas violentos son una mala influencia sobre la mayoría de los jóvenes. Jorge también ___**dijo**___ que el gobierno debe controlar más los programas que no reflejan la vida tal como es.

6. —¡Ajá! ¡Mis palabras exactas! Cuando Jorge me pidió ayuda con su informe, yo le ___**dije**___ que sí y por eso yo le ___**di**___ mi informe sobre la televisión que escribí para otra clase.

7. —¿Tú no le ___**dijiste**___ que no se debe usar la información de otro estudiante?

   —¡Claro que no! ¡No sabía que él iba a usarlo para hacer un comentario en la televisión!

T62

CAPÍTULO 4 Fecha

Examen de habilidades

I. Listening Comprehension (20 points)

A. (12 points)

a. Para vender sus productos, algunas compañías tratan de llegar al subconsciente de la gente.

b. Hay programas que han usado videos hechos por personas que no son profesionales.

c. Se ha dicho que la televisión influye a los jóvenes.

d. Hay muy poca violencia en la televisión.

e. A veces el noticiero da una sola percepción de las noticias.

f. Hay programas informativos y divertidos.

g. A veces la televisión tiene que cortar segmentos de los videos que da al público.

1. **b / g**

2. **a / f**

3. **e**

B. (8 points)

	Sí	No
1. Benito ha alquilado un video.	(Sí)	No
2. El amigo de Benito ha visto la misma película en la televisión por cable.	Sí	(No)
3. Según Benito, le gustan más las películas que presentan la vida tal como es.	Sí	(No)
4. La película que vio Benito es de ciencia ficción.	(Sí)	No
5. Los padres de Benito llevaron a su hermanito al cine con ellos.	Sí	(No)
6. Benito grabó la película para sus padres que fueron al cine.	Sí	(No)
7. El personaje de la película vivió en una época antigua.	Sí	(No)
8. Benito ya ha devuelto la película.	Sí	(No)

II. Reading Comprehension (20 points)

1. Hay un programa para toda la familia esta tarde en
   a. el canal 12 a las seis.
   (b) el canal 7 a las cinco.
   c. el canal 9 a las cinco.

2. Esta tarde en el canal 9 dan programas
   (a) informativos.
   b. subjetivos.
   c. sólo para mayores.

66

CAPÍTULO 4 Fecha

Prueba cumulativa

A (16 puntos)

1. *alquilar*   3. *la antena parabólica*

2. *grabar*   4. *cambiar el canal*

B (12 puntos)

1. *positivo*   3. *violentos*

2. *objetivos*

C (30 puntos)

1. *dijiste / diste*

2. *dije / di*

3. *diste / me puse / pude*

4. *estuvo / se puso*

5. *tuve*

D (30 puntos)

1. *información*   6. *derecho*

2. *público*   7. *analizar / evaluar*

3. *entretenerse*   8. *crítica*

4. *evaluar / analizar*   9. *manipular*

5. *censura*   10. *objetivos*

E (12 puntos)

1. *has visto*   4. *han escrito*

2. *se ha roto*   5. *ha dicho*

3. *ha devuelto*   6. *he hecho*

63

T63

Capítulo 4

Paso a paso 3

Nombre _____

Fecha _____

Hoja para respuestas 2

Examen de habilidades

3. Van a dar un programa que parece ser totalmente subjetivo en
   a. el canal 12 a las seis.
   b. el canal 9 a las cinco.
   c. el canal 12 a las cinco y media.

4. Éste es un programa informativo sobre la vida tal como es:
   a. en el canal 7 a las seis.
   b. en el canal 7 a las cinco.
   c. en el canal 12 a las seis.

5. Estos programas parecen ser objetivos:
   a. en el canal 12 a las cinco y media y en el canal 8 a las cinco.
   b. en el canal 9 a las cinco y en el canal 12 a las seis.
   c. en el canal 3 a las cinco y en el canal 12 a las cinco y media.

III. Writing Proficiency (20 points)

[See page T9 for suggestions for evaluating student writing.]

_____

_____

_____

_____

_____

IV. Cultural Knowledge (20 points)

Las respuestas variarán. Es probable que la televisión tenga bastante influencia en los países hispanos porque el público tiene la oportunidad de ver una gran variedad de programas hechos en diferentes países. Por ejemplo, la televisión por cable y por satélite es cada vez más popular en Chile y otros países. En Venezuela se producen comedias y telenovelas que son muy populares en otros países hispanos. En las elecciones presidenciales de 1994 en México, la televisión tuvo un papel muy importante por primera vez.

V. Speaking Proficiency (20 points)

[See pages T29–T37 for suggestions on how to administer this portion of the test.]

67

Paso a paso 3

Nombre _____

Capítulo 5

Fecha _____

Prueba **5-1**

A En tu clase de historia están analizando la película que han visto. Escoge el dibujo que corresponda a la palabra subrayada en cada oración. *(50 puntos)*

a   b   c   d   e   f

f 1. —¿Qué había en las <u>chozas</u>?

d 2. —Había unos <u>cuencos</u>.

a 3. —Me fascinan los <u>jeroglíficos</u>.

c 4. —A mí me interesan mucho las <u>vasijas</u> de los mayas.

e 5. —Me gustaría ser <u>arqueólogo</u> algún día.

B Antes de escribir un informe sobre los mayas, Mario y Juan están comentando sobre las fotografías en unos libros. Subraya la palabra o expresión que mejor complete cada oración. *(50 puntos)*

1. —Mario, mira el jade que había en esta (cultura / <u>tumba</u> / astrónoma).

2. —¡Fíjate! La (tradiciones / <u>cultura</u> / arqueóloga) de los mayas es tan fascinante.

3. —Pedro, ¿piensas que esta estatua era (escritura / <u>heredado</u> / sagrada)?

4. —No sé, pero creo que la (aceptaron / descubrieron / <u>heredaron</u>) donde los mayas tenían sus ceremonias religiosas.

5. —Creo que hemos escogido un buen libro para nuestro informe sobre (el antropólogo / el significado / <u>la civilización</u>) de los mayas, ¿no?

68   *Vocabulario para comunicarse*

Paso a paso 3 Nombre _____

CAPÍTULO 5 Fecha _____

Prueba **5-3**

Tienes que representar un informe oral sobre los mayas en tu clase de español. Escoge la letra que mejor complete la información de tu reporte. *(100 puntos)*

1. Una de las civilizaciones más impresionantes de la época __c__ es la de los mayas.
   a. desaparecida   b. significada   c. precolombina

2. La civilización maya ya __c__ unos mil años antes de Cristo.
   a. descubría   b. desaparecía   c. existía

3. Gracias a estudios de antropología y arqueología, sabemos que los mayas __b__ un sistema de escritura muy avanzado antes de la llegada de los españoles.
   a. aceptaron   b. desarrollaron   c. heredaron

4. Los arqueólogos siguen __c__ las ruinas de Copán, Honduras.
   a. enterrando   b. avanzando   c. excavando

5. Los símbolos del idioma maya representaban palabras o sólo __b__ .
   a. líderes   b. sílabas   c. sagradas

6. Siguiendo el movimiento de las __a__ , los mayas crearon un calendario tan exacto como el nuestro actual.
   a. estrellas   b. símbolos   c. sílabas

7. Los jeroglíficos mayas describen la vida de los grandes __c__ y las guerras de la época.
   a. costumbres   b. esculturas   c. líderes

8. Los mayas que viven hoy en los pueblos pequeños han heredado un rico legado de sus __b__ .
   a. descubrimientos   b. antepasados   c. desaparecidos

9. Sus ceremonias religiosas se relacionaban con la siembra y la __a__ .
   a. cosecha   b. excavación   c. contribución

10. La cultura de los mayas tuvo su __b__ hace más de 1500 años.
    a. tradición   b. esplendor   c. campo

70   *Tema para investigar*

Paso a paso 3 Nombre _____

CAPÍTULO 5 Fecha _____

Prueba **5-2**

A Hoy Armando trajo a clase unas fotografías de su viaje a Guatemala. Su compañera Lila le está haciendo preguntas. Escribe la palabra que corresponda a cada fotografía. *(40 puntos)*

1. —¿Dónde descubrieron esta ____*tumba*____ ?

2. —Al fondo de una pirámide. También encontraron joyas en estos ____*cuencos*____ .

3. —¿Y dónde sacaste esta foto de una ____*escultura*____ ?

4. —La saqué enfrente de una ____*choza*____ .

B Tienes que escribir un informe para la clase de arte. Escoge de la lista la palabra que mejor complete cada espacio en blanco. *(60 puntos)*

descubrimiento   arqueólogos   arquitectos   ceremonia   dioses
construyeron   astrónomos   civilización   escritura   origen

La ___*civilización*___ de los mayas es fascinante. Sabemos que eran buenos ___*arquitectos*___ por los templos y pirámides que ___*construyeron*___ , y buenos ___*astrónomos*___ por los observatorios que todavía existen. Los ___*arqueólogos*___ han investigado los jeroglíficos y la ___*escritura*___ de los mayas, pero hay mucho que todavía no sabemos de esta cultura.

Vocabulario para comunicarse   69

T65

Prueba 5-5

Nombre

CAPÍTULO 5

Fecha

Algunos de tus amigos no saben mucho de historia y tienes que darles la información correcta. Contesta sus preguntas con *hace...que* y el verbo en el tiempo presente, o con *hacía...que* y el verbo en el tiempo imperfecto. *(100 puntos)*

1. —¿Dónde vivían los mayas cuando llegaron los españoles?

   — **Hacía** más de quince siglos **que vivían** en Yucatán cuando los españoles llegaron.

2. —Los mayas no viven en México ahora, ¿verdad?

   —Sí, **hace** más de veinte siglos **que viven** en México.

3. —Los aztecas no construyeron mucho en los siglos precolombinos, ¿verdad?

   —¡Claro que no! **Hacía** más de tres siglos **que construían** ciudades, templos y pirámides.

4. —Ya no hablan el quiché, el idioma maya, en Guatemala, ¿no?

   —Sí, **hace** siglos **que hablan** quiché en Guatemala.

5. —Los mayas no sabían mucho de las matemáticas antes de llegar los españoles, ¿verdad?

   —¡Qué va! Ya **hacía** muchos años **que sabían** del número cero.

Gramática en contexto / Hace...que y hacía...que   72

Prueba 5-4

Nombre

CAPÍTULO 5

Fecha

A Agustín pasa mucho tiempo haciendo crucigramas en español para mejorar su vocabulario. Escoge de la lista la palabra que mejor complete cada definición. *(80 puntos)*

| precolombina | desaparecida | agricultura | avanzada | sagradas | sílabas |
| calendario | antepasados | escultura | estrellas | campo | rica |

1. Tiene 365 días y se le llama **calendario** .

2. La época en América antes de la llegada de los españoles es la época **precolombina** .

3. Las luces que vemos en el cielo por la noche son **estrellas** .

4. Una palabra se divide en **sílabas** .

5. La gente que vivió antes de nosotros son nuestros **antepasados** .

6. Si una persona tiene mucho dinero, se dice que la persona es **rica** .

7. La siembra y la cosecha son dos actividades típicas de la **agricultura** .

8. Cuando una civilización ya no existe pero antes existió, se dice que es una civilización **desaparecida** .

B Tu amiga Pilar no estuvo en clase ayer y ahora te llama por teléfono para saber qué información necesita para el examen. Subraya la palabra que mejor complete cada oración de la conversación. *(20 puntos)*

1. La maestra habló de los mayas y del (símbolo / **legado**) que han heredado los mayas del presente.

2. Por ejemplo, muchos se dedican a la siembra y a la (**cosecha** / escritura), como los mayas de hace siglos.

3. Los mayas del pasado se habían (**desarrollado** / descubierto) y avanzado más que otras civilizaciones de su época.

4. Los arqueólogos todavía están descubriendo sus grandes (orígenes / **contribuciones**) en el campo de las matemáticas y en la astronomía.

Tema para investigar   71

CAPÍTULO 5

A Estás hablando con los miembros del equipo de tenis sobre cómo jugaron este año y el año pasado. Cambia los verbos del presente perfecto al pluscuamperfecto para completar la conversación. Recuerda que para formar el pluscuamperfecto se necesitan dos verbos. *(60 puntos)*

1. —Este mes he jugado muy bien, pero antes no __*había jugado*__ muy bien.

2. —¡Cómo nosotros! Rocío y yo hemos ganado muchos partidos este año, pero antes de este campeonato no __*habíamos ganado*__ ninguno.

3. —¿Qué ha hecho Eduardo en el equipo este año? Antes de agosto del año pasado no __*había hecho*__ casi nada.

4. —Sigue ganando. Y tú, Mateo, has puesto a la escuela en la primera posición de la liga, y antes del otoño no __*habías puesto*__ ni una pelota sobre la red.

5. —De acuerdo. Pero Soledad y Cecilia nos han abierto las puertas de este campeonato. Recuerdo que el año pasado ellas ni __*habían abierto*__ todavía las puertas de su guardarropa para sacar sus raquetas.

6. —Nuestro entrenador ha dicho que nos va a dar una fiesta con pizza si ganamos y antes del mes pasado nunca __*había dicho*__ nada de fiestas.

B Tu clase de sociología está estudiando las civilizaciones antiguas. Uno de los proyectos es hacer un cartel de lo que han aprendido. Escribe los verbos en el tiempo pluscuamperfecto. *(40 puntos)*

1. Cuando los españoles llegaron al valle de México en 1519, los aztecas ya __*habían desarrollado*__ una civilización muy avanzada. (desarrollar)

2. Antes de ese año, la civilización maya ya __*había resuelto*__ problemas matemáticos usando el cero como número. (resolver)

3. Aquí en Estados Unidos, nosotros todavía no __*habíamos establecido*__ ni pueblos ni ciudades. (establecer)

4. En Perú, los incas ya __*habían construido*__ la ciudad de Machu Picchu, una ciudad maravillosa por su arquitectura. (construir)

CAPÍTULO 5

A Jorge y sus amigos están comentando sobre las tradiciones y costumbres de la familia de cada uno. Escribe la forma correcta del verbo *seguir* con el presente progresivo del verbo subrayado para completar las oraciones. *(50 puntos)*

1. Mi familia y yo siempre celebramos el cumpleaños de todos y todavía lo __*seguimos celebrando*__ .

2. De niño les enviaba tarjetas graciosas a mis amigos y se las __*sigo enviando*__ ahora.

3. Mis hermanos siempre han <u>respetado</u> el legado de la familia y todavía lo __*siguen respetando*__ .

4. Julia, tú siempre <u>abrazabas</u> a tus amigos en las fiestas. ¿Todavía los __*sigues abrazando*__ ?

5. Mi tía siempre <u>incluía</u> una sorpresa en cada regalo y todavía las __*sigue incluyendo*__ .

B Hacía mucho tiempo que no veías a estos amigos, por eso quieres saber qué están haciendo ahora. Escribe la forma correcta del verbo *seguir* en el presente y el presente progresivo del verbo entre paréntesis. *(50 puntos)*

1. —¿Qué tal, Manuel? Hacía mucho tiempo que no te veía. ¿Cómo está todo?
—Pues, __*sigo jugando*__ fútbol y perdiendo en los partidos. (jugar)

2. —¿Y ustedes, Francisco y Alberto? ¿Cómo están?
—Bien. __*Seguimos haciendo*__ muchas cosas: los partidos de béisbol cada semana y la banda de música. Somos muy buenos guitarristas ahora. (hacer)

3. —No he visto a Paulina. ¿Cómo está ella?
—Creo que __*sigue escribiendo*__ sus poemas. Escribe muy bien. (escribir)

4. —Y tú, José Emilio, ¿ __*sigues leyendo*__ tus novelas de ciencia ficción? (leer)

5. —Sí, __*sigo leyendo*__ como siempre. Aquí tengo una. ¡Te la presto! (leer)

Right sheet (page 80)

CAPÍTULO 5

I. Listening Comprehension *(20 points)*

A. *(12 points)*

a   b   c   d   e   f

1. _e_   2. _c_   3. _a_   4. _f_   5. _d_   6. _b_

B. *(8 points)*

		Sí	No
1.	La civilización de Uxmal existía cuando los españoles llegaron.	(Sí)	No
2.	Uxmal es impresionante por su arquitectura.	Sí	No
3.	La serpiente no parece tener significado religioso.	(Sí)	No
4.	La civilización de Uxmal tiene influencia maya.	(Sí)	No
5.	No hay evidencia de una cultura artística en Uxmal.	Sí	(No)
6.	Nadie vivió en Uxmal porque era un lugar sagrado.	Sí	(No)
7.	La Casa de la Tortuga es el edificio más importante en Uxmal.	Sí	(No)
8.	La época clásica en Uxmal fue del 300 al 1000 d.C.	(Sí)	No

II. Reading Comprehension *(20 points)*

1. El significado del nombre Teotihuacán es   (c.) lugar de los dioses.
   a. ciudad de los muertos.
   b. lugar de las pirámides.

Left sheet (page 77)

CAPÍTULO 5

A *(20 puntos)*

1. *escultura* _____
2. *tumba* _____
3. *choza* _____
4. *vasijas / cuencos* _____

B *(20 puntos)*

Religión: dioses / objetos sagrados _____

Arquitectura: pirámides / ruinas de ciudades _____

Ciencias: estudio de las estrellas / astrónomos _____

Agricultura: siembra / cosecha _____

Comunicación: jeroglíficos / desarrollo de la escritura _____

C *(28 puntos)*

1. *hacía / cultivaban* _____
2. *habían* _____
3. *hacía / vivían* _____
4. *Hace / existe* _____

D *(20 puntos)*

1. *había visto* _____
2. *habíamos estudiado* _____
3. *habían oído / había descubierto / había hecho* _____

E *(12 puntos)*

1. *legado* _____
2. *Gracias a* _____
3. *antepasados* _____
4. *heredado* _____
5. *rica* _____
6. *precolombina* _____

T68

CAPÍTULO 6

Fecha

Prueba **6-1**

A Leticia está ayudando a su hermanita Meche a escribir una carta porque nunca lo ha hecho antes. Subraya la palabra o expresión que mejor complete su conversación. *(60 puntos)*

1. —Leticia, ¿me puedes ayudar a escribir en (este sobre / este formulario), por favor?

—Claro, Meche. Primero debes escribir (el remitente / el destinatario), que es el nombre y la dirección de la persona que recibe la carta.

2. —¿Qué significa (remitente / destinatario)?

—Es el nombre y la dirección o (el formulario / el apartado postal) de quien manda la carta. Lo escribes aquí, a la izquierda.

3. —¿Tengo que escribir el nombre de (la fecha / la cartera) también?

—No, nunca. Ahora, vamos a preparar (la cartera / el paquete) para abuelita y mandarlo con tu carta.

B Estás en Barcelona y quieres llamar a una amiga que vive en Madrid. Tienes que pedirle ayuda a alguien porque parece que el teléfono no funciona. Escoge de la lista las palabras o expresiones que mejor completen la conversación. Escribe la letra correspondiente en el espacio en blanco apropiado. *(40 puntos)*

a. tono   c. operadora   e. hacer una llamada
b. marqué   d. ficha   f. equivocarme

1. —¿Me podrías ayudar a ___e___ ? No oigo el ___a___ y creo que ___b___ el número correcto.

2. —¡Claro! ¿Qué hiciste primero? ¿Pusiste una ___d___ ? Hay que tener dos o tres si piensas hablar más de tres minutos.

3. —¡Ay, no! Puse una moneda. ¿Qué debo hacer si quiero hablar con la ___c___ ?

4. —Marca el cero.

82   *Vocabulario para comunicarse*

CAPÍTULO 5

Fecha

**Hoja para respuestas 2
Examen de habilidades**

2. Cuando llegaron los españoles a México, Teotihuacán
   a. ya se había desarrollado.
   b. se estaba desarrollando.
   c. había desaparecido.

3. Los arquitectos de Teotihuacán
   a. sólo construyeron pirámides.
   b. construyeron varios edificios diferentes.
   c. sólo construyeron edificios religiosos.

4. Sabemos que los dioses eran importantes para la agricultura porque uno de ellos
   a. se llamaba el dios de la lluvia.
   b. se llamaba el dios de las mariposas.
   c. se llamaba el dios de las estrellas.

5. En Teotihuacán pueden visitar
   a. lugares de siembra y cosecha.
   b. lugares sagrados.
   c. lugares enterrados.

III. Writing Proficiency *(20 points)*

[See page T9 for suggestions for evaluating student writing.]

IV. Cultural Knowledge *(20 points)*

Las respuestas variarán. Gracias al Popol Vuh, se sabe mucho de la cultura y literatura de los mayas y su pasado. Desde jóvenes los mayas actuales aprenden sus tradiciones. Aprenden a sembrar y cosechar maíz, frijoles y otros productos y a hacer obras de artesanía. Otra evidencia del rico legado que dejaron los mayas son las magníficas ciudades que construyeron. Todavía es posible ver las ruinas de esas ciudades en Palenque, México y en Copán y Tikal, Honduras.

V. Speaking Proficiency *(20 points)*

[See pages T29–T37 for suggestions on how to administer this portion of the test.]

81

CAPÍTULO 6

Paso a paso 3   Nombre

Fecha

Prueba **6-2**

A Fuiste al correo a mandar unos paquetes y viste a tu amigo Luis allí. Ahora estás conversando con él. Escribe la palabra que corresponda a cada dibujo. *(40 puntos)*

1. —Yo no sabía que primero hay que __*llenar un formulario*__ antes de enviar este regalo a mi prima, que vive en México.

2. —Pues, sí, ¡Ay! Se me olvidó llamar a mis padres. ¿Me permites usar __*el teléfono celular*__ que siempre llevas contigo?

3. —Bueno, pero primero tienes que ayudarme con este __*paquete*__ .

¡Es tan grande! ¿Por qué tienes que llamar a tus padres?

4. —Porque mi padre quiere que yo recoja sus cartas del __*apartado postal*__ , pero no recuerdo la combinación para abrirlo.

B Gabriela quiere hablar por teléfono con su amiga Ana Rosa. Escoge de la lista la palabra o expresión que mejor complete la conversación y escríbela en el espacio en blanco apropiado. *(60 puntos)*

de parte de quién	equivocado	en voz alta	mandar a	colgada	hola
un destinatario	en voz baja	un recado	volver a	querida	aló

1. —¡ __*Aló*__ ! ¿Está Ana Rosa, por favor?

—¿Podrías hablar __*en voz alta*__ ? Tenemos una mala conexión.

2. —¡Ana Rosa! ¿Está en casa Ana Rosa?

—¿ __*De parte de quién*__ ?

3. —Soy Gabriela. ¿Debo __*volver a*__ llamar más tarde o está en casa?

—Un momento, por favor. ¡Ana Luisa! ¡Ana Luisa! No, me parece que no está ahora.

¿Quieres dejar __*un recado*__ ?

4. —¿Ana Luisa? Yo quería hablar con Ana Rosa. Creo que marqué el número __*equivocado*__ . Perdone, adiós.

CAPÍTULO 6

Paso a paso 3   Nombre

Fecha

Prueba **6-3**

A Gerardo está escribiendo un informe para su clase de sociología. Subraya la palabra o expresión que mejor complete las oraciones de su informe. *(70 puntos)*

1. Hace doscientos años, teníamos muy pocos (remitentes / __medios de comunicación__ / destinatarios).

2. Por eso, nuestra vida era más (descolgada / envuelta / __privada__).

3. Con (el invento / el evento / __interactivo__) del teléfono inalámbrico y, recientemente, (del correo electrónico / de la guía telefónica / __del telegrama__) hemos visto cambios dramáticos, por un lado positivos y por otro lado negativos.

4. Nuestra civilización avanza (aproximadamente / cualquiera / __cada vez más__) gracias a los que siguen (__creando__ / marcando / colgando) más y más posibilidades.

5. Con la nueva tecnología será más fácil comunicarnos con (privado / cualquiera / creando) en mucho menos tiempo, pero será menos posible escaparnos de las presiones que nos trae esa misma tecnología.

B Tú y tus amigos están muy interesados en la nueva tecnología. Escoge de la lista las palabras o expresiones que completen la conversación. Escribe la letra correspondiente en el espacio en blanco apropiado. *(30 puntos)*

a. invento	**e.** aproximadamente
b. correo electrónico	**f.** fabricar
c. conferencia por video	
d. cada vez más	

1. En unos años vamos a poder hablar por teléfono y ver a la otra persona, gracias a la __c__ .

2. El año pasado mi hermano y yo decidimos empezar nuestro propio negocio construyendo juguetes de madera para niños. Gracias al fax, ahora podemos __f__ el doble de antes.

3. Hace diez años, una máquina de fax costaba más de 200 dólares. En el año 2000, una máquina de fax costará __e__ 100 dólares.

CAPÍTULO 6

Javier está ayudando a su hermanito a escribir un informe sobre la tecnología. Escoge de la lista las palabras o expresiones que mejor completen su informe. *(100 puntos)*

medios de comunicación	comunicarse	cualquiera	privado
conferencia por vídeo	cada vez más	privada	rapidez
correo electrónico	interactivas	fabricar	crear

Hace muchos años había muy pocos __medios de comunicación__ . La gente podía __comunicarse__ por teléfono, pero no había la tecnología que tenemos ahora.

En su oficina, por ejemplo, mi papá usa un fax en vez de mandar cartas. Ese tipo de __correo electrónico__ es mejor que el servicio de correos porque él puede enviar y recibir información con más __rapidez__ . Por eso su trabajo es __cada vez más__ fácil y él puede vender más. En casa, si tengo que escribir un informe para mi clase de historia, puedo conseguir la información directamente de nuestra biblioteca porque tenemos computadoras __interactivas__ .

Yo sé qué con la tecnología de hoy nuestra vida es menos __privada__ .

Cuando se tiene fax, teléfono inalámbrico en casa y teléfono celular en el coche, es difícil escaparse cuando nos llaman o escriben. Sin embargo, para mí es importante la tecnología porque nos permite hablar con las personas que están lejos. El otro día en nuestra clase, hablamos con una clase de español en Japón, gracias a una __conferencia por vídeo__ .

Hoy en día, __cualquiera__ tiene fax y computadora. Yo sé que la tecnología no es para todos, pero me encantaría __crear__ un nuevo invento algún día y revolucionar la tecnología que ahora tenemos.

CAPÍTULO 6

A Tus amigos están conversando sobre algunas cosas que deben hacer en el futuro. Cambia el verbo subrayado al futuro y escríbelo en el espacio en blanco. *(50 puntos)*

1. —Mis amigos me han dicho que no recibieron las cartas que les mandé y yo no lo sabía.
   —Es porque nunca las mando con el remitente. Creo que en el futuro siempre las __mandaré__ con el remitente en el sobre.

2. —Mi hermana nunca escribe la fecha en sus composiciones. El otro día el maestro le dijo que tenía que hacerlo. Creo que ella la __escribirá__ en el futuro.

3. —Mi hermana y yo nunca envolvemos los paquetes que mandamos. Mi madre siempre lo hace. Pero el otro día nos dijo que ya no lo iba a hacer más. En el futuro los __envolveremos__ nosotras.

4. —Cristina, tú siempre te equivocas de número cuando me llamas. El otro día marcaste el número de tu ex-novio. Creo que en el futuro ya no __te equivocarás__ de número, ¿verdad?

5. —Es verdad, pero Gabi y Trini nunca buscan en la guía telefónica el número correcto y siempre me lo piden a mí. El otro día les di el número de la estación de policía. Creo que en el futuro ellas __buscarán__ el número en la guía.

B Estás conversando con unos amigos sobre el futuro y lo que piensan ser. Cambia la expresión subrayada a la forma correcta del futuro del segundo verbo. *(50 puntos)*

1. —Este año voy a estudiar más sobre tecnología. Después, en la universidad, __estudiaré__ ciencias y tecnología. ¿Y tú, Demetrio?

2. —No sé todavía. Mi hermano mayor va a grabar un disco con su banda este verano. En el futuro __grabará__ muchos más porque toca bien la guitarra. Él y yo vamos a cantar el domingo. ¡Eso es! En el futuro él y yo __cantaremos__ en una banda famosa.

3. —Tengo unos amigos que dicen que ellos van a resolver los misterios de la Tierra. Dicen que en unos años ellos __resolverán__ enigmas importantes sobre el universo.

4. —Y tú, Ester, vas a pintar el cuadro más famoso del siglo, ¿verdad? Lo __pintarás__ en tu casa grande de Italia.

Capítulo 6

Estás conversando con los otros empleados en la oficina donde trabajas los sábados. Encierra en un círculo la respuesta correcta para cada pregunta. *(100 puntos)*

1. —¿Cuándo nos van a enviar los nuevos formularios?
   a. Nos van a enviar esta semana. *(circled)*
   b. Me los vas a enviar esta semana.
   c. Te las voy a enviar esta semana.

2. ¿Quién quiere mandarle este paquete a la señora Gutiérrez ?
   a. Pepe quiere mandártela.
   b. Pepe quiere mandármelos.
   c. Pepe quiere mandárselo *(circled)*

3. Jacinto, ¿puedes prepararle el café al director?
   a. ¡Claro que me lo puedo preparar!
   b. ¡Claro que se lo puedo preparar! *(circled)*
   c. ¡Claro que nos lo puede preparar!

4. Rosario, ¿me podrías colgar este teléfono? Voy a hablar en el otro.
   a. Sí, te lo cuelgo. *(circled)*
   b. Sí, me lo cuelgas.
   c. Sí, se lo cuelgo.

5. ¿Quién nos va a fabricar los nuevos juguetes?
   a. Los hermanos Carrillo te lo van a fabricar.
   b. Los hermanos Carrillo nos los van a fabricar. *(circled)*
   c. Los hermanos Carrillo se la van a fabricar.

6. ¿Cuándo van a mandar el fax al señor Díaz?
   a. Se los vamos a mandar ahora.
   b. Te lo vamos a mandar ahora.
   c. Se lo vamos a mandar ahora. *(circled)*

7. ¿Le van a comunicar las noticias al señor Quintero esta tarde?
   a. No, nos la vamos a comunicar por la mañana.
   b. No, se los vamos a comunicar por la mañana.
   c. No, se las vamos a comunicar por la mañana. *(circled)*

8. Milagros, ¿cuándo me vas a prestar tu computadora?
   a. Te la presto esta noche si quieres. *(circled)*
   b. Me la presto esta noche si quieres.
   c. Te las presto esta noche si quieres.

9. ¿Por qué no me está grabando mis recados esta máquina contestadora?
   a. No me los está grabando porque nadie te llamó.
   b. No te los está grabando porque nadie te llamó. *(circled)*
   c. No se los está grabando porque nadie me llamó.

10. Serafina, ¿me podrías buscar un número en la guía telefónica?
    a. ¡Claro que te lo busco! *(circled)*
    b. ¡Claro que me lo buscas!
    c. ¡Claro que nos lo buscas!

Capítulo 6

¿Qué planes tienen tus amigos para el futuro? ¿Lo sabrás si escuchas las diferentes conversaciones que siguen. Cambia el verbo entre paréntesis al futuro. *(100 puntos)*

1. —Si vas a vivir en la ciudad en tu propio apartamento, ¿ _tendrás_ un teléfono inalámbrico en cada cuarto? (tener)
   —Claro que sí. Y también _tendré_ un teléfono celular en mi coche. (tener)

2. —¿Qué piensan estudiar en el futuro, Andrea y Leti? ¿ _Harán_ algo relacionado a la tecnología o a la medicina? (hacer)
   —Pues, somos hermanas, pero creo que _haremos_ estudios totalmente diferentes. (hacer)

3. —A mis padres les encantan los animales, pero no pueden tenerlos donde viven ahora. Después de graduarme de la universidad, ellos _vendrán_ a vivir conmigo en el campo y _podrán_ tener muchos animales, como gatos y perros. Y tú, Gustavo, ¿qué planes tienes para el futuro? (venir / poder)
   —Todo depende de mi hermano. Queremos comprar una casa para los dos. Él _dirá_ dónde la compramos porque a mí no me importa mucho. Lo que yo sí _querré_ es vivir en una casa lo bastante grande como para tener mi propio cuarto privado. (decir / querer)

4. —Cuando yo tenga mi propia casa, _habrá_ de todo. ¿Y en la tuya, Yolanda? (haber)
   —Bueno, no lo he pensado mucho, pero quisiera tener un jardín bonito y un garaje grande, porque allí es donde _pondré_ mi coche de lujo. (poner)

T72

CAPÍTULO 6

A (24 puntos)

1. *el contestador automático*   4. *apartado (postal)*
2. *paquete*   5. *el teléfono inalámbrico*
3. *el cartero*   6. *el (teléfono) celular*

B (36 puntos)

1. *descolgar*   7. *volver a*
2. *tono*   8. *de parte de quién*
3. *entonces*   9. *un recado*
4. *marcar*   10. *equivocado*
5. *esperar*   11. *operadora*
6. *línea*   12. *colgar*

C (12 puntos)

1. *rapidez / comunicarse / interactivo*
2. *rapidez / comunicarse / interactivo / correo electrónico*
3. *medio de comunicación / conferencia por video / rapidez / comunicarse / correo electrónico*

D (16 puntos)

1. *dártelo*   3. *fabricárselos*
2. *traérnoslo*   4. *contestándotelas*

E (12 puntos)

1. *escribiré*   3. *harás*
2. *tendremos*   4. *querrán*

CAPÍTULO 6

A Tres días a la semana trabajas en una oficina de secretario(a). Completa lo que dicen los empleados. Escribe el complemento directo y el indirecto en su posición correcta con relación al infinitivo del verbo. Las palabras que tienes que cambiar están subrayadas. ¡Ojo con los acentos! (40 puntos)

1. El director quiere mandarnos un fax. Creo que quiere **mandárnoslo** a las dos.

2. Tenemos que enviarle al señor Hernández esta carta por correo urgente. Y hay que **enviársela** esta mañana.

3. Aída, ¿le podrías dar a Marisa estos diez sellos? Puedes **dárselos** en este sobre. Gracias.

4. Ruperto, ¿me podrías llenar este formulario? Puedes **llenármelo** con este bolígrafo. Gracias.

B Los padres de Graciela y Fausto no estuvieron en casa el fin de semana pasado. Cuando regresaron tenían muchas preguntas. Escribe el complemento directo y el complemento indirecto en lugar de las palabras subrayadas en las respuestas de Graciela o Fausto. ¡Ojo! Tienes que escribir los complementos en su posición correcta. (60 puntos)

1. —Graciela, ¿quién te mandó el paquete?
—Tía Rosario **me** **lo** mandó.

2. —Fausto, ¿quién nos trajo las flores tan bonitas?
—Los vecinos **se** **las** trajeron a ustedes.

3. —Graciela y Fausto, ¿por qué no nos contestaron nuestra llamada por teléfono anoche?
—No **se** **la** contestamos porque nunca sonó el teléfono. Hemos tenido problemas con el teléfono este fin de semana.

4. —Graciela, no me diste las llaves de la casa. ¿Dónde están?
—No **te** **las** di porque Fausto las perdió.

5. —¿Les preparó Silvia el desayuno esta mañana?
—Sí, **nos** **lo** preparó pero no nos gustó mucho. Preferimos lo que tú nos preparas, mamá.

6. —¡Ay, qué niños tan imposibles! ¿Y dónde está el control remoto del televisor? Es hora de ver mi programa favorito.
—Pues, **se** **lo** dimos al vecino, papá. Él perdió el suyo.

CAPÍTULO 6

I. Listening Comprehension *(20 points)*

A. *(10 points)*

a. la computadora interactiva

b. el correo electrónico

c. la conferencia por video

d.

e.

f.

1. __d__   2. __c__   3. __b__   4. __b__   5. __e__

B. *(10 points)*

a. Es necesario envolver mejor el paquete antes de mandarlo.
b. No se puede comunicar porque la línea está ocupada.
c. Puso monedas en el teléfono en vez de fichas.
d. Hay tono, pero no es el tono de marcar.
e. El paquete tiene destinatario, pero no tiene el remitente todavía.

1. __c / d__   2. __a / e__

II. Reading Comprehension *(20 points)*

1. La nueva tarjeta de uso múltiple se usa
   a. con computadoras para mandar correo electrónico.
   b. para mandar tarjetas por correo.
   c. para enviar correo por vía aérea.

2. La ventaja de comprar el MINI-RATÓN es que
   a. cuesta más dinero que otros.
   b. no tiene cables y por eso es más fácil moverlo.
   c. se parece mucho a los modelos de esfera rodante.

3. El MINI-RATÓN comunica
   a. con su buzón privado.
   b. con la pantalla.
   c. con el sensor infrarrojo.

CAPÍTULO 6

4. La tarjeta COMUNICACIONES MODERNAS funciona
   a. como un contestador automático.
   b. como un fax.
   c. como un modem, un fax y un contestador automático.

5. Para usar el MINI-RATÓN, hay que tener
   a. conferencia por vídeo.
   b. correo electrónico.
   c. computadora.

III. Writing Proficiency *(20 points)*

[See page T9 for suggestions for evaluating student writing.]

IV. Cultural Knowledge *(20 points)*

Las respuestas variarán. Hay inventos nuevos que nos ayudan a comunicarnos mejor y con más rapidez con las personas. Por ejemplo, los beepers o "buscapersonas" son fáciles de llevar a todas partes porque son pequeños y permiten recibir varios mensajes a la vez. El teléfono celular también nos ofrece la ventaja de ponernos en contacto con otras personas desde cualquier lugar. Y hoy en día ya mucha gente puede hacer compras por computadoras sin salir de sus casas.

V. Speaking Proficiency *(20 points)*

[See pages T29–T37 for suggestions on how to administer this portion of the test.]

CAPÍTULO 7

Prueba **7-1**

A Estás hablando con tus padres sobre cómo ayudar a otras personas en tu comunidad. Escoge la letra del dibujo que corresponda a las palabras o expresiones subrayadas en cada oración. *(50 puntos)*

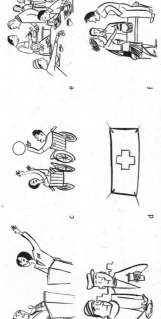

b 1. —¿Te gustaría trabajar ayudando a la gente sin hogar?

e 2. —Creo que sí. También puedo ayudar los sábados en un comedor de beneficencia.

d 3. —Mamá, ¿crees que la Cruz Roja necesita voluntarios?

a 4. —¡Claro que sí! También podrías trabajar en la campaña de algún candidato este año.

c 5. —Me parece buena idea ayudar a los incapacitados. Les podría enseñar a jugar básquetbol.

B Milagros ha ido a la oficina de consejeros a buscar información sobre los trabajos voluntarios que puede hacer para su comunidad. Subraya la palabra o expresión que mejor complete la información que ella encuentra. *(50 puntos)*

1. "Personas mayores necesitan lecciones sobre la historia de Estados Unidos para prepararse para hacerse (responsabilidad / refugio / ciudadanos)."

2. "Organización (sin fines de lucro / obligatoria / ciudadano) busca estudiantes para juntar fondos para su centro recreativo."

3. "Las olimpiadas de minusválidos (benefician / exigen / votan) a miles de jóvenes cada año. ¿Nos podrías ayudar?"

4. "Se necesitan jóvenes para ayudar con la (gobierno / servicio social / campaña electoral) en junio."

5. "La organización de derechos estudiantiles busca voluntarios para (prometer / protestar / colaborar) que no cierren el centro recreativo."

CAPÍTULO 7

Prueba **7-2**

A Tú le estás diciendo a tu hermana que tus amigos participan en una variedad de actividades en la escuela o en la comunidad. Escribe la palabra que corresponda a cada actividad según los dibujos. *(40 puntos)*

1. Ruth y Marta ayudan los sábados en un ___*comedor de beneficencia*___ .

2. Sebastián es uno de los ___*candidatos*___ para presidente del consejo estudiantil este año.

3. Elena y Gonzalo quieren ___*juntar fondos*___ para la Cruz Roja el sábado.

4. Octavio y Aurelio ayudan a los incapacitados en el ___*centro de rehabilitación*___ los viernes por la tarde.

B Estás leyendo el periódico de la escuela y ves que una organización de tu comunidad puso un anuncio en el periódico esta semana. Escoge de la lista las palabras o expresiones que mejor completen los espacios en blanco del anuncio. *(60 puntos)*

la gente sin hogar   ciudadanos   prometer   ancianos
sin fines de lucro   colaborar   beneficiar   donar

Les invitamos a participar en el nuevo centro de la comunidad, CASA CÉSAR CHÁVEZ. Porque somos una organización ___*sin fines de lucro*___ , dependemos del dinero y del trabajo voluntario de nuestra generosa comunidad. Necesitamos varios tipos de ayuda. Los fines de semana servimos una comida completa a ___*la gente sin hogar*___ . Podrían ___*donar*___ su tiempo en la cocina o contribuir comida, si prefieren. Los jueves por la tarde ofrecemos clases para los jóvenes y los ___*ancianos*___ que están preparándose para hacerse ___*ciudadanos*___ de Estados Unidos. Necesitamos libros en inglés o en español. Si les gusta enseñar, también nos podrían ayudar dando clases de inglés. Su tiempo de dos o tres horas por semana podría ___*beneficiar*___ a mucha gente. Vengan a visitarnos. Nuestras puertas están abiertas a todos.

T75

CAPÍTULO 7

Prueba 7-3

A En la clase de historia, los estudiantes están participando en un debate. Cada grupo defiende sus ideas sobre el trabajo voluntario. Escoge la oración del Grupo A que afirme una oración del Grupo B. *(50 puntos)*

Grupo A

a. No debe ser obligatorio trabajar como voluntario(a) si el (la) estudiante no quiere hacerlo.

b. Vamos a mostrar a toda la gente que no estamos de acuerdo con los candidatos.

c. Sacar buenas notas debe ser el único requisito para graduarse.

d. Tenemos leyes justas que nos garantizan a todos los mismos derechos.

e. Esta experiencia no preparará a los estudiantes para ser parte de la sociedad.

f. Los negocios no pueden garantizar trabajos a los jóvenes.

Grupo B

_e_ 1. No es necesario que los jóvenes trabajen en la comunidad para saber cómo llevarse bien con la gente.

_a_ 2. Algunos estudiantes no tienen tiempo de trabajar como voluntarios porque prefieren estudiar y practicar deportes. Es injusto que tengan que hacer algo que no les gusta.

_c_ 3. Si un(a) estudiante quiere juntar fondos para alguna organización como voluntario(a), es su derecho, pero su graduación de la escuela secundaria sólo debe depender de las notas que reciba en sus materias.

_b_ 4. Hemos preparado una manifestación para protestar en contra de los estudiantes que esperan ganar la elección esta semana.

_f_ 5. Las compañías pueden prometer trabajos ahora, pero ninguna sabe cuál será su situación financiera en el futuro. Por eso es mejor no depender de lo que nos prometan ahora.

B Estás escribiendo unos apuntes para expresar tu opinión en clase sobre las responsabilidades que deben tener los estudiantes mayores de dieciocho años. Subraya la palabra que mejor complete tus apuntes. *(50 puntos)*

1. Nosotros los jóvenes, al cumplir los dieciocho años, podemos (esperar / prometer / completar) algunos derechos personales.

2. Pero, al mismo tiempo, hay que pensar en lo que significa ser buen ciudadano si queremos beneficiarnos de las (causas / ciudadanías / leyes) que nos protegen.

3. Una sociedad democrática como la nuestra no (colabora / beneficia / exige) que votemos.

4. Sin embargo, es importante que lo hagamos para (gobernarnos / presentarnos / garantizarnos) los derechos de los que tanto disfrutamos, no sólo hoy en día (actualmente / sino / por) también para las generaciones futuras de ciudadanos que vivirán en nuestro país.

CAPÍTULO 7

Prueba 7-4

Mercedes encontró el diario viejo de su bisabuelo mientras estaba limpiando un guardarropa en su casa. Escoge de la lista la palabra o expresión que complete las partes del diario que no se pueden leer claramente. *(100 puntos)*

nos presentamos	actualmente	ciudadanía	prometer	ejército
manifestación	esperamos	realmente	en contra	injusta
colaboramos	a favor de	ciudadano	obtener	sino

Teníamos veintitrés años cuando llegamos en 1898. Queríamos **obtener** nuestra **ciudadanía** aunque no sabíamos leer ni escribir muy bien en inglés. Era muy importante para nosotros porque en el país de donde veníamos no era posible votar y nadie tenía el derecho de protestar **en contra** del gobierno. Cuando yo tenía unos catorce años, los trabajadores de mi pueblo organizaron una **manifestación** porque no estaban **a favor de** las malas condiciones en las que tenían que trabajar.

El **ejército** llegó con rifles. Nunca vi más a los padres de mis amigos Paquito y Simón.

En este país todo **ciudadano** tiene derechos y la vida no es tan **injusta** para la gente que quiere defender una causa personal. Ya hace muchos años que llegué, pero ahora estoy escribiendo en este diario porque quiero que mis hijos recuerden el pasado. **Actualmente** sigo estudiando de noche y he aprendido a leer y escribir bien en inglés. Mi querida Lilia y yo **esperamos** que nuestros hijos y nietos tengan un futuro mejor.

Prueba 7-6

CAPÍTULO 7   Fecha

Prueba 7-6

Estos estudiantes se han reunido para conversar sobre sus trabajos como voluntarios en diferentes centros. En sus conversaciones, cambia el verbo a la forma correcta del indicativo o del subjuntivo. (100 puntos)

1. —Trabajo con ancianos. Es importante que yo les **ayude** con su inglés porque quieren obtener su ciudadanía este año. Y tú, Alex, ¿qué estás haciendo? (ayudar)

—Yo también trabajo con ancianos. Los estoy ayudando a protestar las malas condiciones del edificio donde viven. Algunos creen que es mejor que ellos **estén** en un asilo para ancianos, pero ellos prefieren **vivir** en su propio apartamento privado. (estar / vivir)

2. —¡Amanda, ya veo que **tienes** interés en la campaña electoral! ¿Qué te interesa de esta elección? (tener)

—Pues, creo que es necesario que nosotros **elijamos** a un candidato responsable. ¿Y tú, Raquel? (elegir)

—No me interesa mucho la política y creo que se **debe** escribir menos leyes. (deber)

3. —Felipa, el otro día te vi entrar al centro de rehabilitación. ¿Qué hacías allí?

—Creo que es importante que los jóvenes **conozcan** mejor a los minusválidos. Flor, tú me podrías ayudar a enseñarles que todo está al alcance de la mano porque siempre eres muy optimista. Te recomiendo que **vengas** conmigo el sábado. ¿Qué te parece, Flor? (conocer / venir).

—Me parece una idea excelente.

4. —David, ¿qué sugieres que yo **haga** por la gente sin hogar? Me gustaría **cambiar** su situación injusta, pero no sé cómo. (hacer / cambiar)

—Podrías ayudar en el refugio de la comunidad. Te gusta cocinar, ¿verdad? Te recomiendo que **contribuyas** tu tiempo en el comedor de beneficiencia. (contribuir)

CAPÍTULO 7   Fecha

Prueba 7-5

Unos amigos tuyos trabajan los fines de semana como voluntarios en un centro de la comunidad. Completa su conversación con la forma correcta del verbo en el subjuntivo o en el indicativo. (100 puntos)

1. —Queremos que los nuevos ciudadanos **voten** en la sala pequeña porque vamos a prepararles una comida especial en la sala grande. (votar)

—De acuerdo, yo arreglaré las mesas.

2. —Chelo, el director nos pide que **donemos** nuestra ropa vieja y los libros que ya no leemos. (donar)

—Voy a buscar cajas para ponerlos.

3. —Kati, espero que Manolo **practique** más la guitarra antes de tocar para los ancianos el sábado. (practicar)

—Pues, yo sé que Manolo y su hermano nunca **practican**. (practicar)

4. —El director quiere que yo **encuentre** a alguien para ayudarnos con las elecciones. Dan, ¿crees que tu hermano nos puede ayudar? (encontrar)

—No sé, tengo que preguntárselo primero.

5. —Los incapacitados insisten en que las olimpiadas **empiecen** en marzo y no en junio. Están practicando ahora en el gimnasio. (empezar)

—Así podrán ganar muchas medallas.

6. —Eric, unas personas sin hogar llegaron hace una hora. Sugiero que tú les **expliques** cómo buscar trabajo esta semana. (explicar)

—Sí, pero primero debo explicarles cómo es nuestro centro.

7. —Roberto, recomiendo que tú y yo **lleguemos** más temprano mañana al centro. Hay mucho que hacer para la fiesta del sábado. (llegar)

—Bueno. ¿A qué hora debo llegar?

8. —Una organización quiere **usar** el centro el domingo para una celebración. (usar)

—Está bien, pero el director dice que él prefiere que ellos **paguen** antes y no después de unirse al centro. (pagar)

T77

CAPÍTULO 7

Nombre _____

Fecha _____

Hoja para respuestas
Prueba cumulativa

A (16 puntos)

1. *la gente sin hogar*
2. *los incapacitados (minusválidos)*
3. *las olimpiadas de minusválidos*
4. *el comedor de beneficiencia*

B (40 puntos)

1. *haga*
2. *obligatorio*
3. *exigir*
4. *a favor de*
5. *en contra de*
6. *protestemos*
7. *sino*
8. *derecho*
9. *manifestación*
10. *injusta*

C (28 puntos)

1. *busquen*
2. *pienses*
3. *contribuya*
4. *vengamos*
5. *enseñen*
6. *considerar*
7. *emplecen*

D (16 puntos)

1. *Fue donada*
2. *fue organizada*
3. *Fueron traídos*
4. *fue oído*

CAPÍTULO 7

Nombre _____

Fecha _____

Prueba **7-7**

A Eres uno de los guías en un museo de arqueología. Contesta las preguntas que los estudiantes que están visitando el museo te hacen. En tus respuestas, cambia los verbos entre paréntesis a la voz pasiva. *(60 puntos)*

1. —¿Quiénes estudiaron estos jeroglíficos para interpretarlos?
—Los jeroglíficos ___ **fueron estudiados** ___ por antropólogos mexicanos. (ser / estudiar)

2. —¿Quiénes construyeron los observatorios en esta fotografía?
—Esos observatorios ___ **fueron construidos** ___ por los arquitectos mayas. (ser / construir)

3. —¿Quién hizo esta escultura? ¡Es fascinante!
—Creemos que ___ **fue hecha** ___ por un artista precolombino. (ser / hacer)

4. —¿Quién descubrió esas ruinas?
—Son las ruinas más impresionantes y ___ **fueron descubiertas** ___ por unos obreros en el campo. (ser / descubrir)

5. —¿Quién abrió esta tumba maya por primera vez?
—Esa tumba ___ **fue abierta** ___ por un científico que excavaba en las ruinas. (ser / abrir)

6. —¿Cuándo pusieron este cuenco de jade en la tumba?
—Creemos que ___ **fue puesto** ___ en la tumba por los mayas hace más de ocho siglos. (ser / poner)

B Es el primer día de trabajo voluntario para estos muchachos y muchachas en un centro de la comunidad. Completa las respuestas que la directora del centro les da a los voluntarios usando el se impersonal y la forma correcta del verbo subrayado en las preguntas. *(40 puntos)*

1. —¿Esperan a más voluntarios hoy?
—Sí, ___ **se espera** ___ a más de cinco.

2. —¿Necesitan más ropa y comida?
—¡Claro! Siempre ___ **se necesita** ___ más.

3. —¿Qué sirven hoy en el comedor de beneficencia?
—___ **Se sirven** ___ pavo, papas, ensalada y tarta de calabaza.

4. —¿Dónde ponemos las latas y botellas después de la comida?
—___ **Se ponen** ___ con el cartón y lo llevamos al centro de reciclaje mañana.

Gramática en contexto / La voz pasiva: Ser + participio pasado 103

CAPÍTULO 7

I. Listening Comprehension (20 points)

A. (8 points)

a. "Organización sin fines de lucro busca voluntarios para juntar fondos."

b. "Se necesitan voluntarios para entretener a los ancianos de un asilo."

c. "Buscamos jóvenes para que trabajen con la gente sin hogar."

d. "Ayuden en la campaña electoral para el gobierno de la ciudad."

e. "Pónganse en contacto con nuestra oficina si les interesan las leyes injustas."

f. "Trabajarás con incapacitados si tienes entusiasmo y talento para los deportes."

1. _f_   2. _e_   3. _c_   4. _a_

B. (12 points)

1. Vicente
   a. trabaja como voluntario actualmente y no le pagan.
   (b) trabajaba como voluntario antes, pero actualmente le pagan.
   c. trabajó antes como voluntario, pero ahora sólo estudia en la universidad.

2. Vicente escogió el trabajo como voluntario porque
   a. no era tímido y quería ayudar a todos.
   b. tenía mucho interés en ayudar a la gente mayor que él.
   (c) le influyó un amigo suyo.

3. Según Vicente, una de las ventajas de este trabajo ha sido
   a. la responsabilidad que tiene para solicitar dinero.
   b. la oportunidad de servir en el ejército.
   (c) aprender de la experiencia de los ancianos.

4. Parte del trabajo que hace Vicente consiste en
   a. protestar contra el centro de la comunidad.
   b. ser entrenador de deportes para jóvenes pobres.
   (c) enseñar inglés.

5. Según Vicente
   (a) su vida fue influida por las personas del centro.
   b. la vida militar será una opción buena para él.
   c. no es importante que tengamos miedo de trabajar con los ancianos.

6. Vicente está hablando hoy
   a. a unos jóvenes que fueron a visitar el centro de la comunidad.
   (b) en la escuela donde estudió hace dos años.
   c. a un grupo de ancianos.

CAPÍTULO 7

II. Reading Comprehension (20 points)

1. Este centro está preparado para recibir a la gente sin hogar. — **B**
2. Si te interesa ayudar a ancianos con su alimentación, podrías trabajar aquí. — **A**
3. Este centro te podría servir si eres incapacitado(a) y quieres obtener ayuda. — **C**
4. Hay espacio para la gente que quiere reunirse y organizar una protesta. — **B**
5. Para este centro es importante que la gente les ayude a juntar fondos. — **A / B**
6. En este centro podrías ayudar a la gente a estudiar para hacerse ciudadanos. — **A**
7. Si tienes que declarar lo que ganas al gobierno, aquí te ayudarán. — **A**
8. Aquí se da información sobre una enfermedad que afecta la salud. — **C**
9. Es mejor que vayas a este centro si quieres practicar un deporte. — **C**
10. Este centro no exige que se pague mucho si se necesita atención médica. — **A**

III. Writing Proficiency (20 points)

[See page T9 for suggestions for evaluating student writing.]

IV. Cultural Knowledge (20 points)

Las respuestas variarán. Muchos hispanos, jóvenes y mayores trabajan como voluntarios en organizaciones que construyen casas para las personas que no tienen mucho dinero. También ayudan en situaciones de emergencia y crisis. En los países hispanos, la familia y los amigos se encargan de ayudar a los minusválidos.

V. Speaking Proficiency (20 points)

[See pages T29–T37 for suggestions on how to administer this portion of the test.]

A Manuela y Ana están grabando un video de dibujos animados para la clase de comunicaciones. Escribe la palabra que corresponda a cada dibujo para completar la conversación entre las dos amigas. *(60 puntos)*

1. —Creo que nuestra **nave espacial** _____ debería ser _____ **ovalada** _____ .

2. —Prefiero que sea redonda como una _____ **rueda** _____ . También quiero dibujar un _____ **desierto** _____ .

3. —Vamos a poner unas _____ **huellas** _____ cerca de estas _____ **piedras** _____ para crear la impresión de que aterrizaron unos extraterrestres. ¡Nuestros dibujos animados de ciencia ficción serán geniales!

B A Horacio y Benito les encanta leer sobre las cosas inexplicables del mundo. Ahora los dos están leyendo una revista para jóvenes. Escoge de la lista las palabras o expresiones que mejor completen su conversación. *(40 puntos)*

mide nueve pies de alto	estar seguros	aparece	duda
mida nueve pies de ancho	prueba	peso	traza
para qué sirve	extraño	pesa	Yeti

1. —Benito, ¡no lo puedo creer! Según esta revista, unos esquiadores vieron al _____ **Yeti** _____ sentado debajo de un árbol.

2. —¡Increíble! A ver... Dice que _____ **mide nueve pies de alto** _____ y que _____ **pesa** _____ unas trescientas libras.

3. —¡Qué _____ **extraño** _____ ! ¡También dice que otros lo han visto antes y que siempre _____ **aparece** _____ a la misma hora del día.

4. —Pues, yo dudo que haya tal persona en las montañas. ¿Dónde está la _____ **prueba** _____ ? ¿Cómo pueden ellos _____ **estar seguros** _____ ? ¿Tienen fotos?

5. —No, pero ¿ _____ **para qué sirve** _____ una foto? Cualquiera podría sacarle una foto a alguien con un disfraz.

A Tus amigos están conversando sobre un artículo que leyeron en una revista de ciencia-ficción. Subraya la palabra o expresión que corresponda a cada dibujo para completar su conversación. *(50 puntos)*

1. —Felipe, ¿leíste el artículo sobre (la rueda / __la nave espacial__) que unos científicos vieron?

2. —Sí, lo leí. La vieron en (la huella / __el desierto__) hace unos meses.

3. —Los geólogos (__calcularon__ / trazaron) que media quince pies de altura.

4. —Dudo que sea posible. El artículo la describe de forma (redonda / __ovalada__).

5. —Parece increíble. El artículo decía que no tenía (largo / __ruedas__ / ancho).

B En la clase de arte, tú y una compañera están terminando sus trabajos para dárselos al profesor. Escoge de la lista la letra de las palabras o expresiones que mejor completen la conversación. *(50 puntos)*

a. pesemos	d. diseños	g. trazar
b. movamos	e. medirlo de largo	h. midamos
c. medirlo de ancho	f. pesar	i. diámetro

1. —Sólo tenemos una hora más para terminar nuestros __d__ .

2. —El profesor recomienda que __h__ el pájaro antes de empezar.

3. —Sí, es necesario que el pájaro sea totalmente realista. Por eso hay que __c / e__ y también __e / c__ para saber sus dimensiones exactas.

4. —De acuerdo. ¿Tienes un lápiz negro para __g__ el cuerpo del pájaro? ¡Nuestro pájaro será mejor que cualquier otro en la clase!

T80

CAPÍTULO 8
Fecha

Prueba **8-4**

Rosa María tiene que preparar sus apuntes para el informe que dará en su clase de sociología. Escoge las palabras o expresiones de la lista que mejor completen lo que ella ha escrito hasta ahora. *(100 puntos)*

extraordinarios	fenómenos	a pesar de	afirmar	suppone	el Yeti
la afirmación	pertenecer	fenómeno	suponer	mono	datos
desconocidas	desconocido	habitantes	misterio	teoría	mitos
ha resuelto	inexplicables	creadores	evidencia	dudas	suponen

Hay **fenómenos** que nos llaman la atención porque son un **misterio** .

Algunas personas antes **desconocidas** se han hecho famosas porque dicen que pueden hacer flotar objetos o doblar una cuchara con poderes **inexplicables** de la mente.

También se han escrito miles de artículos sobre monstruos y animales **extraordinarios** . En 1915, los **habitantes** de una colonia inglesa en Kenia fueron atacados por un enorme **mono** que media dos metros de alto. En 1983, un biólogo reportó que había visto un animal **desconocido** que parecia **pertenecer** a la familia de los dinosaurios. Los cuentos del abominable hombre de las nieves, o **el Yeti** , siguen fascinando a la gente. Los científicos quisieran tener más **datos** y pruebas que sirvan de **evidencia** para **afirmar** que nuestros antepasados eran animales. Mientras haya **dudas** , esa idea es solo una **teoria** .

Otro **fenómeno** que no se **ha resuelto** es el de los O.V.N.I., los objetos voladores no identificados. En 1971, alguien sacó fotos de uno, pero **a pesar de** que es la única prueba, la mayoría de la gente **supone** que es la foto de una nave espacial. Todos estos misterios extraños seguirán siendo **mitos** hasta el día que se puedan explicar de una manera lógica.

CAPÍTULO 8
Fecha

Prueba **8-3**

Después de ver una película sobre fenómenos extraños en la clase de sociología, tú y algunos amigos siguen conversando de ese tema en la cafetería. Subraya la palabra o expresión que mejor complete lo que cada uno dice. *(100 puntos)*

TÚ El año pasado mi familia y yo visitamos la isla de La Venta, donde vimos las enormes cabezas de piedra olmecas.

GABRIEL Lo extraño es que no había piedras tan grandes en esa región y, (se supone que / **a pesar de que**) conocían la rueda, no la usaban.

LYDIA ¿Cómo era posible mover piedras tan (toneladas / **pesadas**)?

NANCY Hace poco leí en una revista sobre las líneas de Nazca, en Perú. En el desierto se ven diseños (**misteriosos** / desconocidos) de diferentes figuras, como los de un (mito / **mono**) entre otros.

TÚ Para mí, lo curioso es que los diseños son tan grandes. Se supone que los creadores (aparecian / **pertenecían**) a una antigua civilización.

GABRIEL Yo he leído libros en los que (haya resuelto / **se ha afirmado**) que las líneas de Nazca fueron trazadas por extraterrestres.

LYDIA Sí, pero la (**evidencia** / afirmación) que ofrecen en esos libros está basada en el (**mito** / dato) de que los indígenas creían que sus dioses llegaban a la Tierra desde el cielo.

NANCY No sé nada de cabezas grandes ni de líneas trazadas en el desierto, pero lo que a mí me interesa es saber cuáles son (las leyendas / **los datos**) que tienen los autores de esos libros como prueba para sus (**teorías** / desconocidos).

TÚ Yo estoy de acuerdo. Se necesitan más pruebas y no tantas leyendas.

T82

Prueba 8-5

Paso a paso 3   Nombre

CAPÍTULO 8   Fecha   Prueba **8-5**

Después de ver una película sobre fenómenos inexplicables, estos jóvenes expresan sus opiniones sobre el tema. Completa la conversación con la forma correcta de cada verbo en el subjuntivo o en el indicativo. *(100 puntos)*

CARLOS La película dice que hay O.V.N.I.s, pero dudo mucho que _existan_ . (existir)

ISABEL ¡Pues claro! Es imposible que _estén_ volando por el espacio naves espaciales con extraterrestres. (estar)

JULIO ¿Qué piensas, Leticia? ¿Crees que _se encuentren_ objetos voladores no identificados volando por el cielo? (encontrarse)

LETICIA ¡No soy idiota, Julio! Estoy segura de que no _hay_ seres de otros planetas volando por la Tierra. (haber)

JULIO ¿Y cómo puedes explicar las fotos tan realistas que vimos en la película? Es probable que sólo algunas personas _tengan_ la oportunidad de estar presentes cuando los O.V.N.I. aterrizan. (tener)

CARLOS También es posible que _vivan_ seres en otros planetas, pero como vivimos a tanta distancia es imposible que los _veamos_ . (vivir / ver)

JULIO Por otro lado, nosotros no _somos_ científicos. Debemos recordar que antes del viaje de Cristóbal Colón a las Américas, mucha gente tenía teorías muy falsas sobre la forma de la Tierra. No creo que _sea_ posible saberlo por muchos siglos, pero creo que algún día será posible que los científicos _aprendan_ sobre otras formas de vida en otros planetas. (ser / ser / aprender)

Prueba 8-6

Paso a paso 3   Nombre

CAPÍTULO 8   Fecha   Prueba **8-6**

La profesora de biología está conversando con algunos estudiantes mientras ellos trabajan en sus proyectos. Completa lo que dicen con la forma correcta de cada verbo en el subjuntivo. *(100 puntos)*

1. —Toña, recomiendo que tú y Paulina _midan_ las piedras antes de continuar con el experimento de los insectos. Después, les sugiero que _sigan_ su investigación y consulten los documentos en esos libros científicos. (medir / seguir)

2. —Profesora Anaya, ¿es necesario que Virgilio y yo le _demos_ más datos sobre nuestro experimento? (dar)

   —¡Claro que sí! Hay que tener bastante evidencia siempre. Hay científicos que presentan sus teorías sin suficiente evidencia y por eso es probable que _mientan_ sobre sus conclusiones, porque no tienen los datos necesarios. (mentir)

3. —Angelina y Alfredo, me parece que su proyecto con los monos va bien, pero creo que es mejor que el dibujo del animal _sea_ más grande y más detallado. Es posible que en esta enciclopedia de primates _haya_ fotos detalladas que podrían consultar. (ser / haber)

4. —Profesora Anaya, ¿nos permite que _vayamos_ a la biblioteca para buscar más información sobre mamíferos? (ir)

   —Sí, y quiero que ustedes le _pidan_ al señor Molino los nuevos libros que él compró para nuestra clase de biología. (pedir)

5. —Sofía, ¡no has hecho nada hoy para completar tu proyecto! Te recomiendo que _duermas_ más horas esta noche. (dormir)

   —Sí, profesora Anaya. También será mejor que yo _me despida_ de mis amigas más temprano. (despedirse)

Paso a paso 3   Nombre

CAPÍTULO 8   Fecha   Prueba **8-7**

A Hoy es el primer día que tus amigos trabajan en el centro de la comunidad y están un poco nerviosos. Completa su conversación con la forma correcta de los verbos en el presente perfecto del subjuntivo o en el presente perfecto del indicativo. Recuerda que necesitas otro verbo para formar el presente perfecto. *(60 puntos)*

1. —Irene, ¿crees que yo _____ *haya pedido* _____ bastantes pavos para el comedor de beneficencia? (pedir)

—Creo que sí, pero no creo que tú _____ *hayas puesto* _____ bastantes platos en las mesas. (poner)

2. —Ricardo, espero que tú y Leti _____ *hayan anunciado* _____ que las olimpiadas de minusválidos serán el sábado. (anunciar)

—Sí, pero es posible que no _____ *hayamos escrito* _____ la hora correcta en la invitación. (escribir)

3. —Dudo que Silvita _____ *haya abierto* _____ las puertas del centro todavía. (abrir)

—No sé, pero sí sé que todavía no _____ *he visto* _____ a Marina y a Serafina. Las dos se pasaron la mañana juntando fondos para el baile. (ver)

B Eres un(a) guía en un museo de arqueología y estás mostrándoles las exposiciones a unos jóvenes de escuela primaria. Contesta sus preguntas cambiando los verbos subrayados a la forma correcta del presente perfecto del subjuntivo o del indicativo. Recuerda que necesitas otro verbo para formar el presente perfecto. *(40 puntos)*

1. —¿Llegaron al desierto de otros planetas?

—Pues, yo dudo que _____ *hayan llegado* _____ de otros planetas.

2. —¿Les sirven esos dibujos a los extraterrestres como un mensaje?

—No creo que los dibujos les _____ *hayan servido* _____ de mensaje a los extraterrestres.

3. —¿Resolvieron los científicos el misterio?

—Dudo que ellos lo _____ *hayan resuelto* _____ todavía.

4. —¿Dibujaron la araña en las piedras o en el desierto?

—Yo creo que _____ *han dibujado* _____ arañas en el desierto y en las piedras.

Gramática en contexto / El presente perfecto del subjuntivo   117

Paso a paso 3   Nombre

CAPÍTULO 8   Fecha

A *(30 puntos)*

1. *el diámetro*

2. *pesar / medir*

3. *alto*

4. *ancho*

B *(28 puntos)*

1. *hayan construido*

2. *sepa*

3. *sea*

4. *hayan trazado*

5. *vayamos*

6. *mienta*

7. *haya existido*

C *(42 puntos)*

1. *extraño*

2. *misteriosos*

3. *pertenecen*

4. *está segura de*

5. *fantasmas*

6. *pesan*

7. *evidencia*

8. *haya resuelto*

9. *geométricas*

10. *trazadas*

11. *A pesar de*

12. *teorías*

13. *datos*

14. *afirmarlos*

120

Paso a paso 3   Nombre

Fecha

Hoja para respuestas 2
Examen de habilidades

II. Reading Comprehension (20 points)

1. Según unos documentos irlandeses,
   a. encontraron una pirámide azteca cerca de Cashel, Tipperary.
   b. se encontró una piedra extraña que cayó a la Tierra sin explicación. *(b circled)*

2. En un bosque siberiano
   a. los árboles fueron destruidos por un fenómeno inexplicable. *(a circled)*
   b. un científico duda que la causa del fuego haya sido un meteorito.

3. Un fenómeno extraño ocurrió cuando
   a. aparecieron unas líneas trazadas en el cielo sobre los Alpes suizos.
   b. unas líneas de origen desconocido aparecieron en algunas fotos. *(b circled)*

4. Según la gente que tiene interés en incidentes extraordinarios,
   a. hay ocurrencias relacionadas a formas electromagnéticas. *(a circled)*
   b. hay fuerzas electromagnéticas que sólo se producen cuando hay luna llena.

III. Writing Proficiency (20 points)

[See page T9 for suggestions for evaluating student writing.]

IV. Cultural Knowledge (20 points)

Las respuestas variarán. En Tula, México, existe la leyenda de que las columnas gigantes que representan guerreros sobre una pirámide caminan por la noche. En las ruinas de Monte Albán hay unas figuras deformes de piedra que nadie ha podido explicar qué son. Tampoco se sabe por qué sus habitantes la abandonaron. Los españoles fueron a Colombia en busca de El Dorado, el lago donde los indígenas ofrecían objetos de oro a sus dioses.

V. Speaking Proficiency (20 points)

[See pages T29–T37 for suggestions on how to administer this portion of the test.]

Paso a paso 3   Nombre

Fecha

Hoja para respuestas 1
Examen de habilidades

I. Listening Comprehension (20 points)

A. (12 points)

1. __c / e__   2. __b / d__   3. __f / a__

B. (8 points)

PRIMERO

1. En Puerto Rico se ha visto la forma de un triángulo cerca de la isla. Sí *(circled)* No
2. Hay un fenómeno extraño que ocurre en el océano Atlántico entre las islas Bermudas, Puerto Rico y el estado de Florida. Sí *(circled)* No
3. Según el libro *The Bermuda Triangle*, un número extraordinario de aviones y barcos ha desaparecido en el agua. Sí *(circled)* No
4. Algunos científicos creen que este fenómeno existe, pero el misterio es nada más que la fabricación de la gente. Sí *(circled)* No

SEGUNDO

5. Según el piloto que filmaba en un lugar de California, su cámara siempre se apagaba cuando volaba sobre una roca. Sí *(circled)* No
6. La explicación de este fenómeno se debe a una leyenda popular en esa región. Sí No *(circled)*
7. Este extraño incidente ha sido resuelto desde que ocurrió en 1980. Sí No *(circled)*
8. Primero el piloto y la tripulación pensaron que el fenómeno fue causado por la velocidad y aceleración del helicóptero. Sí *(circled)* No

T84

A Tú y unos(as) amigos(as) están considerando trabajos para el verano mientras leen los anuncios del periódico. Escoge el dibujo que corresponda a la palabra subrayada en cada oración. (50 puntos)

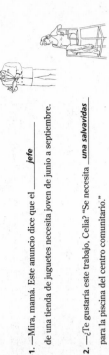

_a_　1. —Quiero conseguir un trabajo como salvavidas. ¿Y tú, Silvia?

_d_　2. —A mí me gustaría trabajar de intérprete.

_f_　3. —¿Se necesita mucha experiencia para ser gerente en un hotel?

_b_　4. —¡Claro! Ése no es un trabajo de verano. Esta tienda busca repartidores.

_c_　5. —¡Mira! También necesitan recepcionistas. ¡Voy a llamar en seguida!

B Tu consejera te está hablando sobre trabajos que podrías solicitar este verano. Completa la conversación subrayando la palabra o expresión correcta. (50 puntos)

1. —Si quieres trabajar sólo por la mañana, aquí dice que buscan jóvenes para ayudar en una oficina de negocios (tiempo incompleto / tiempo imparcial / <u>tiempo parcial</u>). Prefieren personas que sean (<u>maduras</u> / administradas / encargadas) porque hay bastante responsabilidad.

2. —Me interesa. Ya tengo experiencia trabajando en una oficina de médico, donde tuve que (<u>cumplir con</u> / convenir / tratar bien) muchas responsabilidades. ¿Qué (<u>sueldo</u> / cita / recomendación) ofrecen?

3. —Dice que depende de (los modales / <u>la habilidad</u> / el requisito) de la persona. Mientras más experiencia tengas, más te pagarán.

A Celia y su mamá están leyendo la sección de anuncios del periódico porque Celia está buscando un trabajo para las vacaciones de verano. Escribe la palabra que corresponda al trabajo en cada dibujo. (40 puntos)

1. —Mira, mamá. Este anuncio dice que el ___jefe___ de una tienda de juguetes necesita joven de junio a septiembre.

2. —¿Te gustaría este trabajo, Celia? "Se necesita ___una salvavidas___ para la piscina del centro comunitario."

3. —No sé, mamá. A ver…, una zapatería busca jóvenes para atender a ___las clientas___, pero sólo los sábados.

4. —¿Qué se necesita para ser ___intérprete___? Tú puedes escribir y hablar muy bien el español, Celia. Aquí dice que no se necesita experiencia.

B Los consejeros de tu escuela recibieron un fax que anuncia un trabajo. El problema es que algunas palabras no se copiaron muy bien. Escoge de la lista las palabras que mejor completen el fax. (60 puntos)

entrenamiento	solicitud	habilidad	maduros	puntual	citas
recepcionista	respetuosa	requisito	modales	sueldo	capaz

Oficina de médico busca ___recepcionista___ que tenga buenos ___modales___ y que sea siempre ___puntual___ y nunca llegue tarde. No hay que tener experiencia ni ___entrenamiento___ porque lo recibirán de la persona que deja el puesto este mes. También es ___requisito___ que la persona sea ___respetuosa___ con los pacientes. Debe ser ___capaz___ de escribir en computadora y es necesario que haga las ___citas___ para todos los médicos. Ofrecemos un buen ___sueldo___ de ocho dólares por hora. Se puede conseguir una ___solicitud___ en nuestra oficina entre las ocho de la mañana y las cinco y media de la tarde.

CAPÍTULO 9
Fecha

A Trabajas en una agencia de empleos que ofrece varios trabajos este mes. Lee las descripciones de los trabajos de la lista y luego emparéjalas con lo que algunas personas que buscaban trabajo escribieron. *(60 puntos)*

a. Necesitamos técnico(a) que sepa programar modem o fax.

b. Queremos jefe que pueda distribuir tareas a otros empleados, tiempo parcial.

c. Se busca gerente, cuarenta horas a la semana con posibilidades de ascenso.

d. Persona para archivar en una oficina después de horas laborales, con experiencia en computadora.

e. Buscamos repartidor o repartidora para distribuir anuncios clasificados.

f. Se ofrece empleo entre junio y agosto a joven maduro(a) que sepa manejar computadora, máquina de fotocopias y fax.

g. Horario fijo de lunes a viernes para persona interesada en administrar tres oficinas. Aumento de sueldo cada seis meses.

h. Requisitos: debe ser bilingüe (inglés-español) y tener conocimientos de computadora.

_d_ 1. Prefiero no tener mucha responsabilidad y me gusta trabajar sola. Sé mantener archivos.

_c_ 2. Soy cortés y me encanta trabajar con el público. Busco empleo de tiempo completo con metas administrativas.

_a_ 3. No sólo soy experto en computadoras sino también en todo tipo de aparatos electrónicos.

_b_ 4. Tengo experiencia administrativa. Sólo puedo trabajar pocas horas al día.

_f_ 5. Joven honesta y puntual podrá trabajar después de graduarse en junio. Sin experiencia, pero ambiciosa y capaz de aprender cualquier tipo de trabajo.

_h_ 6. He realizado muchos trabajos de oficina. No me interesa el trabajo administrativo. También he sido intérprete para una compañía que distribuye productos en México.

B Guillermina le está describiendo a la agencia de empleos lo que ella puede ofrecer en un trabajo. Escribe la palabra que tenga un significado similar al de las palabras subrayadas. *(40 puntos)*

1. Tengo buenos modales. Soy muy _cortés_ con toda la gente.

2. Nunca llego tarde porque yo sé que la _puntualidad_ es muy importante en un trabajo.

3. Tengo mucha _paciencia_ porque siempre tengo tiempo para escuchar a los otros.

4. Después de trabajar por algún tiempo, si creo que merezco más sueldo, yo sé que tengo que esperar el momento adecuado, apropiado y _oportuno_ para hablar con el jefe.

CAPÍTULO 9
Fecha

A Enrique le escribió una carta a su hermano Pablo, que estudia en la universidad. En la carta le pide a su hermano consejos para encontrar trabajo. Subraya las palabras o expresiones que mejor completen la carta. *(80 puntos)*

¡Hola, Pablo!

¿Cómo estás? Yo estoy bien. Busco un trabajo que (no sólo / cualquier) me pague bien, (sino también / desde que) me dé la oportunidad de adquirir más (oportunas / destrezas) para el futuro. Como ya sabes, el año pasado trabajé manteniendo (las solicitudes / los archivos) en la oficina de un dentista. Este año ese trabajo no es mi (meta / ascenso) personal.

Me gustaría tener más responsabilidades (administrativas / distribuidas) que me ofrezcan entrenamiento mientras trabajo tiempo completo. Creo que puedo ser buen gerente de una oficina porque soy una persona muy organizada. Siempre soy (realizado / cortés) y muy capaz de encargarme de (cualquier / ahora mismo) responsabilidad seria. ¿Qué me aconsejas? ¿Qué me recomiendas que busque con la poca experiencia que tengo?

Escríbeme cuando tengas oportunidad.

Saludos,
Enrique

B Lee este anuncio clasificado que apareció en el periódico de tu escuela. Luego, escoge de la lista la letra de la palabra que mejor complete cada espacio en blanco. *(20 puntos)*

a. ascenso   c. destreza   e. meta

b. aumento   d. fijo   f. merezca

Diplomático busca intérprete para trabajo de tiempo parcial sin horario _d_ . Se le pagará el sueldo que _f_ según la experiencia de la persona y cuál sea su _c_ como intérprete. Además de hablarlo, será necesario escribir bien el español. Habrá un _b_ de sueldo cada seis meses. Llame al 54-88-09.

CAPÍTULO 9

Estás conversando con unos amigos sobre los trabajos que están considerando para el verano. Para completar la conversación, escribe la forma correcta del verbo entre paréntesis en el indicativo o en el subjuntivo. (*100 puntos*)

1. —Según estos anuncios clasificados, hay dos o tres lugares que ofrecen trabajo a jóvenes que **tengan** experiencia con computadoras. (tener)

2. —Pues, yo tengo un amigo que no **tiene** ningún conocimiento sobre computadoras, pero le dieron empleo en ese lugar. (tener)

3. —Yo voy a buscar un trabajo en un restaurante elegante. Quisiera trabajar con un cocinero que **sepa** preparar comidas exóticas. ¡Me encantaría ser un cocinero famoso! (saber)

4. —Quisiera ser salvavidas este verano, pero no hay ninguna piscina por aquí que **necesite** salvavidas. (necesitar)

5. —Espero encontrar un trabajo que me **pague** bien, pero hasta ahora no he podido encontrar ninguno. (pagar)

6. —¡Mira! Aquí dice que se necesita alguien que **pueda** hablar dos idiomas para trabajar con diplomáticos chilenos. ¡Yo hablo español y portugués! (poder)

7. —En estos anuncios no hay ninguno que **pida** experiencia. ¿Es posible? (pedir)

8. —¿Crees que le darán un puesto a alguien que no **tenga** un poco de experiencia? ¡Lo dudo mucho! (tener)

9. —En este dicen que tienen personas que **pueden** entrenar a los futuros empleados. Sólo hay que tener buenos modales, ser productivo y respetuoso. (poder)

10. —Creo que voy a solicitar trabajo en una agencia de empleo. No hay nada en este periódico que me **convenga** . (convenir)

CAPÍTULO 9

A Quieres ayudar a tu amiga Marisa, que nunca ha trabajado, a conseguir un empleo que requiere mucha responsabilidad. Completa la conversación con el mandato afirmativo o negativo con *tú* del verbo subrayado. En algunos casos debes incluir también pronombres reflexivos, directos o indirectos. (*60 puntos*)

1. —¿Debo llenar la solicitud con bolígrafo?
   —Sí, **llénala** con bolígrafo y con cuidado, por favor.

2. —¿Qué debo incluir?
   —**Incluye** la recomendación que te dio la profesora.

3. —¿Debo pedirle al jefe más sueldo?
   —Pues, no **se lo pidas** en la entrevista!

4. —Y si no me contestan en dos o tres días, ¿debo ser paciente y esperar una semana?
   —No **seas** impaciente, pero tampoco debes esperar mucho. Podrías llamarle si no te contesta.

5. —¿Qué hago si el jefe no está en su oficina cuando llegue? ¿Debo irme y regresar?
   —No, no **te vayas** si tienes una cita con él. Será necesario que hagas otra cita con la secretaria.

6. —¿Te llamo mañana después de la entrevista?
   —¡Claro! Y **llámame** después de las siete. Yo también tengo una entrevista con el gerente de una compañía de computadoras.

B La hermanita de Aurora es muy traviesa y está haciendo lo que no debe hacer. Completa lo que Aurora le dice a su hermanita, Toñita. Escribe el mandato afirmativo o negativo con *tú* del verbo entre paréntesis. (*40 puntos*)

1. ¡Toñita, **no juegues** con la guitarra! ¡No sabes tocar! (jugar)

2. ¡Toñita, **no molestes** al cartero con tantas preguntas! Él tiene que trabajar. (molestar)

3. Toñita, **no te pongas** los zapatos de tacón alto de mamá. (ponerse)

4. Por favor, Toñita, **vístete** . **Ponte** el suéter y los jeans ahora mismo. Tenemos que ir al supermercado. (vestirse / ponerse)

T87

CAPÍTULO 9

Fecha — Prueba **9-7**

Serafín tiene unos amigos que siempre prefieren dejar para mañana lo que deberían hacer hoy. Completa su conversación con el verbo entre paréntesis en el indicativo o el subjuntivo. (100 puntos)

1. —Marcia, ¿cuándo vas a empezar a buscar un trabajo?

   —No sé. Creo que voy a empezar cuando **haga** mejor tiempo. ¿Y tú? (hacer)

2. —Cuando mis clases **terminen** voy a empezar. Gustavo, ¿por qué no consigues más información sobre el puesto que ofrecen en el centro de la comunidad? (terminar)

3. —Pues, no quiero hacerlo todavía. Pienso hacerlo cuando **sepa** cuánto van a pagar. (saber)

4. —Leti, ¿cuándo vas a hacer una cita con el jefe para empezar el entrenamiento para el puesto de gerente?

   —¡Ah, sí! La voy a hacer cuando **haya** un momento más oportuno. Todos los días cuando lo **veo**, él siempre está ocupado. (haber / ver)

5. —Demetrio, he oído que no quieres hablar con tu jefe sobre un aumento de sueldo.

   —Ummm. No me parece buena idea. Cuando él **está** de buen humor es cuando más miedo **tengo** de pedírselo. (estar / tener)

6. —Ada, ¿quieres leer los anuncios clasificados conmigo?

   —Pues, los leeré cuando **consiga** mis anteojos. (conseguir)

7. —Osvaldo, ¿por qué no quieres darme el número de teléfono de la nueva salvavidas que trabaja en el gimnasio?

   —Te lo daré cuando ella me lo **dé** a mí. (dar)

8. —Recuerda que yo te ayudo siempre a atender a los clientes en la zapatería cuando tú no **puedes**. (poder)

   —Es verdad. ¿Y cuándo me vas a presentar a la nueva recepcionista en la oficina donde trabajas?

CAPÍTULO 9

Fecha

Hoja para respuestas
Prueba cumulativa

A (30 puntos)

1. **repartidora / jefa**
2. **recepcionista / el gerente**
3. **intérprete / diplomática**

B (30 puntos)

1. _e_
2. _b_
3. _d_
4. _f_
5. _c_
6. _a_

C (40 puntos)

1. **ve**
2. **llena**
3. **solicitud**
4. **trae**
5. **hayas**
6. **tengas**
7. **maduro**
8. **cortés**
9. **Cumple**
10. **encárgate**
11. **cualquier**
12. **merezca**
13. **realizar**
14. **den**
15. **habilidad**
16. **sepa**
17. **llegues**
18. **incluye**
19. **esperes**
20. **hables**

T88

Paso a paso 3   Nombre

CAPÍTULO 9   Fecha

II. Reading Comprehension *(20 points)*

1. Consuelo ya tiene experiencia como recepcionista y sabe manejar la computadora.

①   2   3   4

2. Carlos y Pepe son jóvenes que no tienen ninguna experiencia de trabajo.

1   2   ③   4

3. Este anuncio clasificado sólo busca personas que tengan talentos administrativos.

1   2   3   ④

4. Gonzalo tiene un primo que habla más de un idioma y está buscando trabajo y un lugar dónde vivir.

1   ②   3   4

5. Andrea ya tiene experiencia y entrenamiento cuidando niños, un trabajo que le encanta.

1   2   ③   4

III. Writing Proficiency *(20 points)*

[See page T9 for suggestions for evaluating student writing.]

_____

_____

_____

_____

IV. Cultural Knowledge *(20 points)*

Las respuestas variarán. En Estados Unidos la mayoría de las mujeres trabaja fuera de casa y por eso algunos maridos eligen quedarse en casa y cuidar a sus hijos. En España se espera que para el año 2000 el 70 por ciento de las mujeres trabajen fuera de casa. Poco a poco estos cambios afectarán la vida en los países hispanos.

V. Speaking Proficiency *(20 points)*

[See pages T29–T37 for suggestions on how to administer this portion of the test.]

138

Paso a paso 3   Nombre

CAPÍTULO 9   Fecha

I. Listening Comprehension *(20 points)*

A. *(15 points)*

TRABAJO	DESCRIPCIÓN	REQUISITOS
a. asistentes de oficina	a. hacer citas y ser bilingüe	a. experiencia
b. gerente	b. entregar productos a negocios	b. sin metas
c. diplomático(a)	c. saber sobre medicina	c. saber usar un fax
d. repartidor(a)	d. dar clases	d. buenos modales
e. salvavidas	e. trabajar con los archivos	e. ser puntual
f. enfermero(a)	f. entrenamiento administrativo	f. ambición
g. recepcionista	g. saber programar computadoras	g. habilidad física, deportista

TRABAJO	DESCRIPCIÓN	REQUISITOS
1. *d*	*b*	*f*
2. *e*	*d*	*g*
3. *a*	*e*	*c*
4. *b*	*f*	*a*
5. *g*	*a*	*d*

B. *(5 points)*

1. Cachita decidió consultar a la agencia de empleos porque
   ⓐ no pudo encontrar trabajo en los anuncios clasificados.
   b. ya sabe que la agencia tiene un trabajo para ella.

2. Cachita quiere
   a. trabajar y luego volver a estudiar español en una escuela.
   ⓑ encontrar un empleo que la entrene.

3. La agente le dice a Cachita que hay un trabajo
   a. de repartidora de periódicos.
   ⓑ en el periódico de la ciudad.

4. Cachita entró en la agencia
   ⓐ sin metas específicas para su futuro.
   b. sin deseo de solicitar cualquier trabajo.

5. Una habilidad importante que posee Cachita es que
   a. ha aprendido a comunicarse en otros idiomas.
   ⓑ ha realizado varias tareas que requieren destreza administrativa.

137

T89

CAPÍTULO 10

Paso a paso 3 Nombre _____

Fecha _____ Prueba **10-2**

A Estás haciendo apuntes sobre los dibujos que vas a usar en un video para tu clase de cine y tecnología. Escribe la palabra que corresponda a cada dibujo que piensas usar en tu video. (50 puntos)

1. Cada __asesino__ va a tener una pistola en la mano.

2. Cuando __la guardia__ oiga el sonido de __la alarma__, va a correr hacia el banco.

3. Los dos ladrones van a tomar __un rehén__ antes de escaparse, pero al final de la película a los dos los van a meter en __la cárcel__.

B Lilia y Hernando están hablando en su clase de sociología sobre un informe que tendrán que entregar la semana próxima. Escoge de la lista las palabras o expresiones que mejor completen su conversación. (50 puntos)

tienen la culpa	narcotráfico	delincuentes	testigos
tienen miedo	te preocupa	sorprenden	asombra

1. —Lilia, ¿qué problema __te preocupa__ más, el __narcotráfico__ o el terrorismo?

2. —Los dos, pero creo que para nuestro informe deberíamos escribir sobre las drogas y cómo afectan a los jóvenes __delincuentes__ de la comunidad. Necesitan ayuda porque muchos jóvenes sin hogar me __tienen miedo__ de cambiar su vida. El número de __asombra__ también. Creo que será interesante escribir sobre ellos en nuestro informe.

CAPÍTULO 10

Paso a paso 3 Nombre _____

Fecha _____ Prueba **10-1**

A Estás leyendo en el periódico sobre un crimen que ocurrió ayer. Subraya la palabra o palabras que correspondan a cada "fotografía" que aparece en el periódico. (50 puntos)

1. Aunque ayer arrestaron al sospechoso y lo metieron en (el hecho / la cárcel), todavía no han encontrado el arma.

2. El (guardia / ladrón) se encontró con él cerca de la puerta, con la maleta llena de dinero.

3. Después de (secuestrar / luchar) unos minutos, el sospechoso sacó la pistola, hiriendo a su víctima en el brazo.

4. El (testigo / acusado) insiste en que es inocente.

5. En dos meses (el jurado / la autodefensa) tendrá que decidir.

B La profesora de español les dio a los estudiantes crucigramas para que practiquen su vocabulario. Escoge de la lista las letras de las palabras que mejor completen las pistas del crucigrama que te dio la profesora. (50 puntos)

a. castigarlo	d. medidas	g. secuestro
b. rehenes	e. asombrarlo	h. culpable
c. asesinato	f. penas	i. tiroteo

1. El concepto de matar a otra persona se llama __c__.
2. Cuando alguien participa en un crimen, es necesario __a__.
3. El ladrón y la policía peleaban con pistolas. El ruido del __i__ se oía por todas partes de la ciudad.
4. El terrorista tomó dos __b__ para protegerse mientras corría de la policía.
5. Lo opuesto de inocente es __h__.

Prueba 10-3

CAPÍTULO 10   Fecha

A Éstos son los breves de noticias que aparecieron en el periódico de hoy. Léelos y luego subraya la palabra o expresión que mejor complete cada frase. *(60 puntos)*

1. "Dos rehenes (arriesgaron / recurrieron) la vida hoy al escaparse de los terroristas que los habían capturado, pidiendo por ellos (un rescate / una seguridad) de cincuenta mil dólares."

2. "El gobierno hoy (contrató / puso en libertad) a unos prisioneros políticos. El gobierno decidió no (imponerles / acabar con) la sentencia de muerte, como había considerado antes. Nadie explicó por qué."

3. "Hoy a las cuatro de la tarde hubo un (atentado / vigilado) en el Banco Nacional. Sólo (afirmaron / hirieron) a un empleado, que una hora después del incidente salió del hospital."

B Estás mirando un programa de entrevistas en el que la locutora habla con un policía. Escoge la mejor respuesta que la locutora le hace al policía y escribe la letra correspondiente en el espacio en blanco. *(40 puntos)*

a. Se necesitan campañas de seguridad pública para que la gente aprenda a protegerse contra los atentados en la calle.

b. Hay que luchar contra las drogas.

c. Para algunos, recurrir a un tiroteo es la única solución.

d. La mayoría de ellos resultaron de ataques a mano armada en una situación doméstica.

e. Nadie debe imponer la censura ni prohibir lo que vemos. Sin embargo, la familia debe imponer disciplina a sus hijos cuando sea necesario.

f. Hay que enseñarle a la gente a resolver los conflictos en una relación de una manera positiva.

_d_ 1. Nos sorprende el número de asesinatos en la ciudad este año. ¿A qué se atribuyen tantos?

_f_ 2. En su opinión, ¿cuál sería una posible solución para evitar la violencia doméstica?

_e_ 3. Muchos afirman que la causa de todo esto es que hay demasiada violencia en los videojuegos y en la televisión. ¿Qué deberíamos hacer para controlar esa influencia?

_a_ 4. ¿Cómo se puede evitar que la gente sienta tanta inseguridad y que no se viva con el temor de ser atacado al salir de casa?

Tema para investigar   141

Prueba 10-4

CAPÍTULO 10   Fecha

A Estás leyendo un artículo en el periódico del día. Subraya la palabra o expresión que mejor complete cada oración. *(40 puntos)*

Un acto de (terrorismo / autodefensa) sorprendió a los habitantes de la ciudad de Argüello hoy. A las 22:00 horas hubo una (pena / explosión) fuerte en el metro y en la confusión secuestraron a tres personas. Es posible que los terroristas pidan un (secuestro / rescate) al gobierno por los tres rehenes. También se cree que insistirán en que (a mano armada / pongan en libertad) a los miembros de su organización que estén en la cárcel.

B Patricio tiene que escribir un informe basado en sus reacciones después de ver un video en la clase de inglés. No tiene todas las palabras o expresiones que necesita todavía. Escoge las palabras o expresiones de la lista que mejor completen lo que Patricio ha escrito hasta ahora. *(60 puntos)*

| inseguridad | arriesgan | contratar | castigos | severas | evitar |
| acabar con | penas | atentado | ataques | imponer | temor |

En los dieciséis años que he vivido, no he conocido nunca la _inseguridad_ que otros jóvenes han sentido sólo porque viven en un ambiente donde el _temor_ es normal. Yo sé que en algunas comunidades demasiados jóvenes _arriesgan_ su vida desde el momento que salen de sus casas y caminan por ciertas calles, donde pueden ser víctimas de _ataques_ o un _atentado_.

Vivimos en un mundo donde la violencia es una realidad diaria, lo que me preocupa mucho. Entre las soluciones que algunos líderes comunitarios ofrecen están: _contratar_ más policías o guardias para las escuelas, _imponer_ leyes y _penas_ más _severas_ y _castigos_ mucho más fuertes para los culpables. En el video que vimos hoy me asombró el número de jóvenes sin hogar. ¿Cómo podremos _acabar con_ la violencia doméstica y _evitar_ que esos jóvenes sean víctimas de la violencia que hay en las calles? Quisiera ayudar, pero todavía no sé cómo.

142   *Tema para investigar*

T91

Trabajas tiempo parcial en un centro de la comunidad y te pidieron un favor. El centro quiere publicar un folleto en español para las familias hispanas de la comunidad. Completa el folleto con la forma correcta del mandato afirmativo o negativo con *Ud.* o *Uds.* de los verbos entre paréntesis. *(100 puntos)*

Sugerencias para los padres

1. **Recuerden** _____ Uds. que es normal que los adolescentes se rebelen y discutan con sus padres a veces. Están buscando su identidad. (recordar)

2. Madre, no **obedezca** _____ todas las demandas de su adolescente. Él o ella debe aprender que todo lo que exige no puede ser suyo. (obedecer)

3. Padre, **entienda** _____ que a veces su adolescente se siente confuso e inquieto. (entender)

4. **Hagan** _____ Uds. saber a su adolescente que ustedes comprenden sus preocupaciones. (hacer)

5. Padre, no **(le) prohiba** _____ todo lo que le pida su adolescente. A menudo necesita su libertad. (prohibir)

6. No **(le) digan** _____ Uds. siempre cosas negativas. El adolescente necesita oír palabras cariñosas de sus padres a menudo. (decir)

7. Madre, **reconozca** _____ las cosas buenas y positivas que haga su adolescente. (reconocer)

8. **Sean** _____ Uds. justos al imponer la disciplina. Los jóvenes reconocen la justicia. (ser)

9. **Expliquen** _____ Uds. sin gritar las cosas que les enojen. (explicar)

10. **Protejan** _____ Uds. a su adolescente de los peligros siendo siempre honestos con él o ella. (proteger)

Pablo y el director de la escuela están hablando sobre los problemas de los adolescentes en la sociedad. Completa su conversación con la forma correcta del mandato afirmativo o negativo con *tú, Ud.* o *Uds.* de los verbos entre paréntesis. En algunos casos tendrás que añadir pronombres. *(100 puntos)*

1. —Señor director, _____ **dígame** _____ su opinión sobre los problemas de los adolescentes de hoy, por favor. (decir / a mí)

2. —Bueno, Pablo. **Considera** _____ esta situación. Todos tus amigos y amigas siempre quieren hacer lo que quieran, sin respetar las leyes. ¿Crees que es buena idea? (considerar)

3. —No entiendo bien. **Explíquemelo** _____ otra vez. (explicarlo / a mí)

4. —Uds. los adolescentes nunca hacen caso a los adultos. **Hagan** _____ más caso y verán cómo se resuelven muchos problemas. (hacer)

5. —Pero, señor director, no todos los adolescentes son así. **No incluya** _____ a todos en la misma categoría. (no incluir)

6. —Y tú, **no defiendas** _____ a los que sí son culpables. **Respeten** _____ todos Uds. las leyes y las decisiones de los mayores. Es la única manera de tener orden en la sociedad. (no defender / respetar)

7. —Yo creo que los mayores a veces se olvidan de los problemas que había cuando ellos eran jóvenes. **No tengan miedo** _____ Uds. de los adolescentes y _____ **sean** _____ más comprensivos. Ésa es mi opinión. (no tener miedo / ser)

8. —Y yo digo que _____ **no (les) teman** _____ Uds. a las leyes los mayores porque son el producto de la experiencia. (no temerles)

T92

Prueba cumulativa — Hoja para respuestas

CAPÍTULO 10

Fecha

A (24 puntos)

1. *La guardia / la alarma*
2. *hiere (hirió) / rehén*
3. *acusados / la cárcel*

B (30 puntos)

1. *a mano armada*
2. *teníamos miedo*
3. *herir*
4. *secuestró*
5. *tiroteo*
6. *sorprendió*
7. *pusieron en libertad*
8. *haya*
9. *hirieron*
10. *castiguen*

C (30 puntos)

1. *autodefensa*
2. *permitan*
3. *vigilen*
4. *eviten*
5. *arma*
6. *griten*
7. *no sean*
8. *muestren*
9. *luchen*
10. *arriésguense*

D (16 puntos)

1. *vivimos*
2. *inseguridad*
3. *protejan*
4. *haya*
5. *contratar*
6. *imponer*
7. *castiguemos*
8. *asesinos*

148

CAPÍTULO 10

Fecha   Prueba **10-7**

Estabas presente hace un rato cuando ocurrió un incidente enfrente del banco de la ciudad. Completa la conversación de las otras personas que también estuvieron presentes. Escribe los verbos en la forma correcta del presente del subjuntivo o del indicativo, o en el infinitivo, según sea necesario. *(100 puntos)*

1. —Oímos la alarma y tememos que alguien ____ *esté* ____ robando el banco. ¿Verdad, Jacinto? Me parece que antes de ____ *entrar* ____ en el banco sonó la alarma. (estar / entrar)

2. —Pues sí, pero no es cierto que ____ *haya* ____ un crimen en proceso. Es posible que ____ *sea* ____ una alarma falsa. (haber / ser)

3. —Yo también estaba en el banco cuando sonó la alarma. Hay un hombre y una mujer muy sospechosos en la ventanilla. Tengo miedo de que ____ *quieran* ____ robar el banco y que ____ *maten* ____ a alguien inocente. (querer / matar)

4. —Yo los vi también. Me preocupa que la policía no ____ *llegue* ____ para arrestarlos. Es una lástima que nadie ____ *tenga* ____ una cámara para sacarles fotos a los sospechosos. (llegar / tener)

5. —Como ustedes vieron a los sospechosos, me preocupa que ellos los ____ *reconozcan* ____. ¿No temen que ellos ____ *vengan* ____ a buscarlos porque son testigos? (reconocer / venir)

6. —¡Ay! Antes no lo había pensado, pero ahora creo que mi esposo y yo ____ *estamos* ____ en peligro. Es importante que nos ____ *protejamos* ____ de esos delincuentes. (estar / proteger)

7. —Es evidente que ustedes no ____ *saben* ____ nada de la ley. No pueden irse ahora. Ustedes son testigos y tienen que ____ *hablar* ____ con la policía. (saber / hablar)

8. —¡La policía! ¿Dónde está cuando ____ *es* ____ necesario? ¿No le molesta que nuestros impuestos ____ *paguen* ____ por la protección que nunca tenemos? (ser / pagar)

9. —¡Miren! ¿No es ese hombre que ____ *viene* ____ hacia nosotros el sospechoso de la ventanilla? Temo que él los ____ *haya* ____ reconocido a Uds. (venir / haber)

10. —Señores, disculpen ustedes la inconveniencia. Los trabajadores estaban instalando una nueva alarma en el banco y tuvieron unos problemas. Me alegro de que no se ____ *hayan* ____ alarmado. Los invito a ____ *tomar* ____ un cafecito en la cafetería del banco. (haber / tomar)

Gramática en contexto / El subjuntivo con expresiones de emoción   145

T93

Paso a paso 3   Nombre

CAPÍTULO 10

Fecha

I. Listening Comprehension *(20 points)*

A. *(10 points)*

1. La gente de la comunidad teme que pongan en libertad a un asesino en dos años. Sí (No)

2. Un grupo de quince personas va a tomar medidas para prohibir que el asesino regrese a su comunidad. Sí No

3. El asesinato ocurrió hace veintidós años. (Sí) No

4. El guardia de un banco oyó una alarma mientras leía una novela. (Sí) No

5. Alguien atacó al guardia a las tres de la mañana. Sí (No)

6. El ladrón salió con las manos arriba. Sí (No)

7. El sospechoso que corrió del lugar de los hechos era un gato. (Sí) No

8. Una explosión mató a unas veinte personas en una fábrica. (Sí) No

9. Unos terroristas secuestraron a tres rehenes durante la explosión. Sí No

10. Los terroristas pidieron como rescate la libertad de otros terroristas. Sí (No)

B. *(10 points)*

1. Según el primer estudiante,
   (a.) los accidentes de coche son la mayor causa de muerte entre los jóvenes.
   b. los asesinatos son la mayor causa de muerte entre los jóvenes.

2. El primer estudiante
   (a.) está a favor de imponer la censura para evitar tanta violencia.
   b. no se preocupa de los videojuegos como causa de la violencia.

3. El segundo estudiante
   a. no cree que el número de asesinatos sea tan grande.
   (b.) no cree que los programas de la televisión sean la causa del problema.

4. Al segundo estudiante le molesta que
   (a.) impongan censura.
   b. pongan tanto énfasis en las causas de la violencia.

5. Los dos estudiantes están de acuerdo en que el número de asesinatos
   (a.) es alarmante.
   b. es muy bajo.

II. Reading Comprehension *(20 points)*

1. Una manera de reducir el problema de la violencia en las escuelas es
   (a.) entrenar a los estudiantes para que sepan resolver sus propias situaciones de conflicto.
   b. no permitir que los estudiantes hablen con otros cuando tengan un conflicto.
   c. no darles a los jóvenes la responsabilidad de resolver sus propios conflictos.

Paso a paso 3   Nombre

CAPÍTULO 10

Fecha

2. Según este folleto,
   a. se puede acabar con la violencia si se eliminan las armas.
   (b.) es posible que los jóvenes tengan confianza en otros jóvenes para explicarles sus problemas y tratar de resolverlos sin violencia.
   c. es mejor que la escuela recurra a la presencia de guardias y detectores de metal para acabar con la violencia.

3. La escuela del folleto
   a. es la primera en organizar este tipo de programa para reducir los conflictos entre estudiantes.
   (b.) es una entre otras escuelas que está tratando de resolver el problema de la violencia.
   c. teme que el programa no tenga éxito.

4. Este programa tiene éxito porque depende mayormente de
   (a.) jóvenes de la misma escuela que se entrenan para ser mediadores.
   b. psicólogos entrenados en el mundo de la violencia.
   c. policías expertos en resolver conflictos entre jóvenes.

III. Writing Proficiency *(20 points)*

[See page 79 for suggestions for evaluating student writing.]

IV. Cultural Knowledge *(20 points)*

Las respuestas variarán. El uso de murales para expresar ideas se ha extendido en muchos lugares gracias a la influencia de artistas como Rivera y Orozco. En Argentina, las Madres de la Plaza de Mayo se reúnen todas las semanas y hacen una manifestación pacífica para protestar contra los secuestros de jóvenes que ocurrieron entre 1976 y 1982. En España, el Fondo de Ayuda contra la Drogadicción usa anuncios para animar a los jóvenes a decir no a las drogas.

V. Speaking Proficiency *(20 points)*

[See page T29–T37 for suggestions on how to administer this portion of the test.]

Prueba 11-2

Paso a paso 3
Nombre

CAPÍTULO 11
Fecha

A Tu mamá te dio un folleto con fotografías de los lugares de interés que ella visitó cuando fue a España hace unos años. Tú quieres hacer una lista de lo que quieres ver en ese país este verano. Escribe la palabra que corresponda a cada "fotografía." *(50 puntos)*

1. Me gustaría visitar __un alcázar__ .

2. ¡Qué genial será comer en un restaurante con una __fuente__ en el patio y __rejas__ en las ventanas!

3. Es necesario que visite __la mezquita__ en Córdoba.

4. También tendré que sacar fotos de la catedral en Granada, la favorita de __los reyes__ Fernando e Isabel.

B Unos amigos tuyos te pidieron que los ayudes a estudiar para el examen de historia de España. Escribe la palabra que mejor complete cada espacio en blanco en sus apuntes. *(50 puntos)*

continente	reconquistarla	cristianos	fundaron	rasgos	región
musulmanes	conquistarla	influencia	mezquita	alcázares	judíos

Los __musulmanes__ vinieron del __continente__ que está al sur de Europa. Después de __conquistarla__ , vivieron en la península ibérica casi ochocientos años y __fundaron__ muchas ciudades y pueblos. Actualmente en España quedan muchos __rasgos__ de la __influencia__ de su cultura. Fueron muy tolerantes, pues permitieron que los __cristianos__ practicaran su religión en sus iglesias y que los __judíos__ practicaran la suya en sus sinagogas. La __mezquita__ de Córdoba, donde ellos practicaban su religión, es un ejemplo de arquitectura maravillosa. Otros ejemplos son los __alcázares__ , donde se protegían de sus enemigos.

154   *Vocabulario para comunicarse*

Prueba 11-1

Paso a paso 3
Nombre

CAPÍTULO 11
Fecha

A Una amiga te está mostrando unas fotografías que sacó cuando estuvo de vacaciones en España. Subraya las palabras que correspondan a las "fotografías." *(60 puntos)*

1. Los (reinos / <u>reyes</u>) vivían en (esta mezquita / <u>este castillo</u>).

2. Me gustó mucho (este techo / <u>esta torre</u>) con su (balcón / rasgos) con <u>rejas</u>.

3. Descansábamos cerca de (<u>este puente</u> / esta fuente), que está enfrente de (<u>una sinagoga</u> / unos azulejos).

B Estás leyendo un folleto sobre España porque quieres saber más de su historia antes de visitarla este verano. Escoge la letra de las palabras que mejor completen la información en el folleto y escríbela en el espacio en blanco correspondiente. *(40 puntos)*

a. judíos   e. influencia   i. batallas
b. diversidad   f. musulmanes   j. cristianos
c. fundarla   g. mezquitas
d. conquistarla   h. la región

1. En el año 711 los __f__ llegaron a España con la intención de __d__ .

2. Su __e__ se ve principalmente en __h__ del sur de España.

3. En el siglo XII los __a__ construyeron sinagogas, que hoy vemos al lado de las __g__ y las iglesias.

4. En 1492 los __j__ reconquistaron el país después de casi ochocientos años de __i__ contra su enemigo.

Vocabulario para comunicarse   153

Right page

Tienes la oportunidad de hacerle una entrevista imaginaria a Hernán Cortés. Escoge de la lista las palabras o expresiones que mejor completen sus respuestas a tus preguntas. Recuerda que las respuestas deben reflejar el punto de vista de Cortés, no el tuyo. (100 puntos)

la fusión de tres continentes	establecer colonias	la papa y el maíz
un encuentro de culturas	la lengua española	la raza mestiza
proteger a los indígenas	fundar ciudades	propusimos
el chocolate y la rumba	el oro y la plata	esclavizar

1. —Señor Cortés, de todos los aspectos culturales que Uds. trajeron a las Américas, ¿cuál tuvo mayor importancia?
—Yo digo que la difusión de _la lengua española_ fue lo más importante.

2. —¿Cuál fue el resultado de la combinación de las dos culturas?
—Pues, sin duda alguna, nació _la raza mestiza_ .

3. —¿No cree que fue una injusticia traer esclavos africanos al nuevo mundo?
—Es posible que vosotros lo veáis así. Nosotros sólo queríamos _proteger a los indígenas_ .

4. —Pero, señor Cortés, los españoles se impusieron sobre los indígenas a través de otra injusticia, ¿no está de acuerdo?
—¡Claro que no! Joven, permítame recordarle que en aquella época era aceptable _esclavizar_ al lado que perdía la guerra. Nosotros _propusimos_ una alternativa a la extinción del indígena.

5. —¿Qué productos americanos contribuyeron más al mundo como resultado de la presencia española en el nuevo mundo?
—A ver... hubo tantos. ¡Ah, claro! _La papa y el maíz_ .

6. —¿Qué querían los reyes españoles que hicieran los conquistadores en América?
—Nuestra meta era _fundar ciudades_ y _establecer colonias_ .

7. —En su opinión, ¿qué es América?
—América es _la fusión de tres continentes_ en uno, el resultado de _un encuentro de culturas_ .

Left page

A. Antes de empezar a escribir un informe para su clase de español, Ana María está leyendo sobre la historia del Nuevo Mundo. Subraya las palabras que mejor completen la información que ella lee. (80 puntos)

1. Hernán Cortés y otros (encuentros / conquistadores) (mezclaron / trajeron) a México su cultura en 1519.

2. (El resultado / La mayoría) de ese evento histórico fue la (extensión / creación) de una cultura nueva.

3. (A través de / El encuentro) los españoles, su religión y su (lengua / mezcla) se impusieron en el Nuevo Mundo.

4. También (propusieron / establecieron) (productos / colonias) en muchas partes del continente americano.

B. En la biblioteca pública encontraste el diario de un escritor español que vivió en México durante el siglo XVI. Escoge de la lista la palabra o palabras que correspondan a cada descripción en el diario y escribe la letra correspondiente en el espacio en blanco. En algunos casos puedes escoger más de una palabra. (20 puntos)

a. fusión
b. mestizo
c. injusticia

d. productos indígenas
e. morir
f. esclavos

g. rebelarse
h. proponer

_d_ 1. De las muchas cosas que descubrimos cuando llegamos, la papa y el maíz han influido mucho en la comida de los europeos.

_b_ 2. A través de los años nacen más y más hijos de padres indígenas y españoles. Una nueva raza se está formando.

_f/c_ 3. Recientemente han traído africanos para trabajar en los campos y me parece que pasarán muchos años antes de que los pongan en libertad.

_a_ 4. Algo está ocurriendo en estos últimos años. Algunos aspectos de la cultura nuestra se han combinado con la suya con respecto a la religión, la música y el arte.

_c/f_ 5. Me sorprende que los indígenas no se quejen del maltrato y quieran escapar.

CAPÍTULO 11

A Estás hablando con unos amigos de su vida cuando eran pequeños. Subraya el tiempo verbal que mejor complete la conversación. *(50 puntos)*

1. —Recuerdo que mis padres siempre insistían en que yo (era / fue / **fuera**) cortés con todos.

2. —Mi madre dudaba que mi hermano y yo (**dijéramos** / dijimos / decíamos) mentiras.

3. —Olivia, yo recuerdo que tu hermano siempre quería que tú (vienes / venías / **vinieras**) con nosotros a las clases de artes marciales.

4. —Sí, pero yo siempre te pedía que le (dices / **dijeras** / decías) que no. ¡No me gustaba ir!

5. —Mis padres siempre querían que mis hermanas y yo (**hiciéramos** / hacíamos / hicimos) los quehaceres en vez de mirar tanta televisión. Por eso sacábamos buenas notas.

B Leíste un libro escrito por conquistadores españoles sobre los hechos de la exploración y conquista de México. Después, hiciste apuntes porque tienes que escribir un informe para la clase de historia. Completa tus apuntes con la forma correcta del imperfecto del subjuntivo o, cuando sea apropiado, el imperfecto del indicativo de los verbos entre paréntesis. *(50 puntos)*

1. Nos parecía increíble que la capital de los aztecas ___**fuera**___ tan enorme. (ser)

2. Nos sorprendió que ellos ___**hubieran**___ construido canales para pasear en canoa. (haber)

3. Era increíble que la ciudad ___**estuviera**___ sobre un lago. (estar)

4. Nos parecía imposible que los indios ___**supieran**___ cultivar tantas variedades de plantas. (saber)

5. Era impresionante que el templo, en el centro de la ciudad, ___**tuviera**___ estatuas tan grandes. (tener)

6. Todos dudábamos que alguien ___**quisiera**___ salir de aquella ciudad sin aprender más sobre sus habitantes. (querer)

7. Era evidente que los aztecas ___**tenían**___ muchos talentos artísticos. (tener)

8. Le pedí a Hernán Cortés que nosotros les ___**trajéramos**___ regalos a los aztecas y que se los ___**diéramos**___ para ganar su confianza. (traer / dar)

9. No creíamos que ___**pudiéramos**___ comunicarnos fácilmente con los indios. (poder)

CAPÍTULO 11

Vas a escribir un informe sobre la historia de California durante el siglo XVIII. Para completar tus apuntes, escribe cada verbo entre paréntesis en la forma correcta del imperfecto del subjuntivo. *(100 puntos)*

1. Los españoles fundaron las primeras misiones en el sur de California. Querían que los indígenas ___**vivieran**___ allí para que ___**tuvieran**___ una vida mejor. (vivir / tener)

2. Para evitar las enfermedades causadas por la suciedad, los misioneros preferían que los indígenas ___**llevaran**___ sandalias y que no ___**se vistieran**___ con ropa de cuero. (llevar / vestirse)

3. Los misioneros les exigían a los indígenas que los ___**ayudaran**___ a construir las misiones y que ___**obedecieran**___ en todo. (ayudar / obedecer)

4. Los misioneros insistían en que los indígenas ___**aprendieran**___ a hablar español porque no querían que ___**hablaran**___ sus propias lenguas. (aprender / hablar)

5. Ellos esperaban que algún día los indígenas ___**volvieran**___ a sus pueblos para que ___**compartieran**___ todo lo que habían aprendido con otros indígenas y los ___**influyeran**___ a seguir las costumbres españolas. (volver / compartir / influir)

6. Los españoles no permitían que los indígenas ___**mantuvieran**___ sus propias costumbres y que no ___**aceptaran**___ las suyas. (mantener / aceptar)

7. Los misioneros también les daban clases de religión católica a los indígenas y les exigían que ___**se convirtieran**___ al cristianismo y que no ___**practicaran**___ su religión indígena. (convertirse / practicar)

8. También les sugerían que ___**cambiaran**___ sus nombres por nombres cristianos y que no ___**usaran**___ más sus nombres indígenas. (cambiar / usar)

9. Es muy posible que los indígenas del sur de California ___**prefirieran**___ seguir viviendo su vida como siempre lo habían hecho, pero la llegada de los españoles cambió todo. (preferir)

10. Los misioneros no creían que era una injusticia hacer que los indígenas ___**adoptaran**___ y ___**siguieran**___ una cultura que no era la suya. (adoptar / seguir)

T97

Tus amigos han escrito un drama para presentarlo en la clase de historia, pero están un poco desorganizados antes de la presentación. Según sea necesario, escribe la forma correcta del subjuntivo o del infinitivo de los verbos entre paréntesis. ¡Ojo! Vas a escribir los verbos en diferentes tiempos. *(100 puntos)*

1. —Marcos se parece más a Colón que Pascual. Por eso yo lo escogí, para que _**tuviéramos**_ nosotros un Cristóbal Colón más realista. (tener)

2. —Yo invité a los estudiantes de la clase de español avanzado para que _**vieran**_ nuestra producción, pero ¡todavía no estamos organizados! (ver)

3. —Tenemos que practicar más para _**impresionar**_ al profesor. Queremos que nos dé una buena nota en nuestro proyecto. (impresionar)

4. —Manuela, ¿qué haces con ese disfraz de indígena? Yo se lo di a Marta para que ella lo _**pudiera**_ arreglar. (poder)

5. —Georgina y Fela, pónganse los disfraces ahora para _**ver**_ cómo les quedan esos trajes. (ver)

6. —Joaquín y Gustavo, ¿ya se aprendieron sus líneas para _**decirlas**_ luego? (decir)

7. —¡Ay, Delia, aquí estás! Yo te esperé media hora esta mañana para que me _**trajeras**_ los instrumentos de música. (traer)

8. —Aquí está el disfraz de Cortés para que Lucho _**se vista**_ ahora. (vestirse)

9. —¡Ay, Francisco, yo te di el guión para que tú _**supieras**_ lo que está pasando y ahora me dices que lo perdiste! (saber)

10. —Creo que necesitamos un descanso de quince minutos para que yo no _**me vuelva**_ loca. (volverse)

A *(40 puntos)*

1. _Los musulmanes / alcázares / conquistaron_
2. _Los judíos / azulejos / techo_
3. _Los cristianos / reconquistaron / mezquitas_
4. _los reyes_

B *(20 puntos)*

1. _injusticia_
2. _se establecieron_
3. _poesía_
4. _combinó_
5. _cristiana_
6. _propuso_
7. _hubiera_
8. _descendencia_
9. _lengua_
10. _trajeron_

C *(40 puntos)*

1. _colonias_
2. _escribiera_
3. _indígenas_
4. _pudieran_
5. _encuentro_
6. _culturas_
7. _influencia_
8. _mundo_
9. _conquistador_
10. _ganara_
11. _batalla_
12. _mezcla_
13. _esclavizaran_
14. _mestizos_
15. _hubiera_
16. _injusticia_
17. _esclavos_
18. _se acostumbraran_
19. _se encontraran_
20. _europeos_

CAPÍTULO 11

Fecha _____

I. Listening Comprehension (20 points)

A. (10 points)

1. El(la) profesor(a) quiere que los estudiantes hablen sobre la combinación de rasgos culturales.   Sí   No

2. Los ritmos de la música puertorriqueña tienen influencia africana.   (Sí)   No

3. El joven de Nueva York está perdiendo su lengua natal.   Sí   (No)

4. Algunas comidas de España, como la tortilla de huevos, son picantes.   Sí   (No)

5. El aceite de oliva y el ajo son ingredientes comunes de los platillos mexicanos.   Sí   (No)

6. El guacamole se compone de aguacate y otros ingredientes.   (Sí)   No

7. La lengua de las Filipinas es una fusión de varios idiomas, incluso el japonés.   Sí   No

8. España estableció una colonia en las Filipinas en 1898.   Sí   (No)

9. El *rap*, la música que tocan y cantan algunos jóvenes en Japón, y la música de los *Gipsy Kings* tienen en común: todas representan la influencia de una cultura sobre otra.   (Sí)   No

10. El *francophone* es la mezcla de lenguas africanas y el francés.   (Sí)   No

B. (10 points)

1. Los indígenas
   a. fundaron las misiones en California.
   (b.) ayudaban a construir las misiones y los presidios.
   c. no podían entrar en las misiones porque no eran cristianos.

2. Los misioneros
   a. querían que los indígenas preservaran su cultura original.
   (b.) preferían que cambiaran rasgos importantes de su cultura, como su nombre.
   c. no permitían que los indígenas se vistieran con la ropa europea.

3. Los indígenas de California
   a. se rebelaban constantemente contra los misioneros.
   b. todavía mantienen su lengua y rasgos importantes de su cultura.
   (c.) adoptaron la nueva vida que les impusieron los misioneros.

4. Para los misioneros era importante que
   a. los indígenas mantuvieran sus nombres indios.
   (b.) los indígenas se convirtieran a la religión de los españoles.
   c. los indígenas vivieran como esclavos.

CAPÍTULO 11

Fecha _____

5. Los misioneros se preocupaban de que
   (a.) se enfermaran los indígenas a causa de la ropa que usaban.
   b. los indígenas no hicieran su trabajo en la misión.
   c. los indígenas no aprendieran a construir edificios.

II. Reading Comprehension (20 points)

1. Los moros
   (a.) salieron de África.
   b. pasaron al norte de Francia.
   c. regresaron a su pueblo en 718.

2. Otros países europeos de esa época
   a. no conocían las ciencias.
   (b.) aprendieron de los moros intelectuales.
   c. ayudaron a los cristianos.

3. La reconquista
   a. ocurrió entre 711 y 1769.
   (b.) ocurrió entre 718 y 1492.
   c. comenzó en 1492.

4. Los moros no permitieron
   (a.) la intolerancia entre culturas y religiones.
   b. que los cristianos vivieran.
   c. que los judíos vivieran.

5. Es posible ver rasgos de la cultura musulmana
   (a.) en el nuevo mundo a través de la fusión de culturas.
   b. sólo en Córdoba, Sevilla y Granada.
   c. sólo en el norte de España.

III. Writing Proficiency (20 points)

[See page T9 for suggestions for evaluating student writing.]

IV. Cultural Knowledge (20 points)

Las respuestas variarán. En Miami, los cubanos celebran varios festivales en la Calle Ocho. En Puerto Rico, se celebra el Día del Descubrimiento en noviembre. Los mexicanos celebran, aquí y en su país, el Día de la Independencia en septiembre. En España, celebran la fiesta del Corpus Christi. En Pasto, Colombia, celebraron el centenario de la ciudad con un desfile de carrozas.

V. Speaking Proficiency (20 points)

[See pages T29–T37 for suggestions on how to administer this portion of the test.]

CAPÍTULO 12   Fecha

A Tu consejera te está describiendo los trabajos que vio en un folleto. Escribe la palabra que corresponda a cada "fotografía" del folleto. *(50 puntos)*

1. Si te gusta leer y estudiar diferentes materias, recomiendo que seas _**bibliotecario(a)**_.

2. Aquí hay información sobre el trabajo de _**contador(a)**_. Es necesario que te guste trabajar con números.

3. Si te interesa viajar y eres bilingüe, otra posibilidad es ser _**traductor(a)**_.

4. Para ser _**redactor(a)**_ no es necesario ser bilingüe, pero sería una ventaja.

5. Ahora que hay más negocios en otros países, es posible que te interese ser _**banquero(a)**_ internacional.

B Joel está hablando con sus compañeros de clase sobre una buena experiencia que él ha tenido en el mundo del trabajo. Escoge y escribe en los espacios en blanco la palabra que mejor complete lo que Joel les está diciendo. *(50 puntos)*

el lenguaje por señas	tengo facilidad	hacen falta	dominar
hablar por señas	defenderme	errores	cometí
me confundí	sueño con	carrera	sorda

Cuando empecé a trabajar con Mercedes, _**cometí**_ muchos _**errores**_ porque no sabía _**hablar por señas**_ con ella. Después de unas semanas de clase y de practicar, finalmente lo pude _**dominar**_. Muchas personas no saben que _**el lenguaje por señas**_ se considera un segundo idioma. Ahora que _**tengo facilidad**_ para hablarlo, _**sueño con**_ ayudar a la gente _**sorda**_. Creo que _**hacen falta**_ personas que lo puedan hacer. Por eso lo estoy considerando como una _**carrera**_.

CAPÍTULO 12   Fecha

A Tus amigos han ido a la oficina de sus consejeros para hablar sobre trabajos para el futuro. Escoge la letra del dibujo que corresponda a la palabra o expresión subrayada en cada oración. *(70 puntos)*

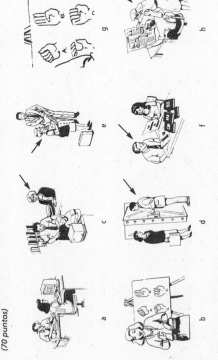

_e_ 1. —Milagros, ¿te gustaría ser <u>periodista</u>?

_h_ 2. —Sí, pero preferiría ser <u>redactora</u>.

_b_ 3. —Rogelio, para <u>hablar por señas</u> tienes que estudiar el lenguaje por señas.

_f_ 4. —Me gustaría mucho aprenderlo. También me interesaría ser <u>traductor</u>.

_a_ 5. —Cachita y Alejandro, ¿les gustaría ser <u>contadores</u>?

_c_ 6. —A mí no. Prefiero ser <u>bibliotecaria</u>.

_d_ 7. —Pues, a mí sí. Posiblemente seré <u>banquero</u>.

B Yolanda está hablando con su consejera también. Subraya la palabra o expresión que mejor complete cada oración. *(30 puntos)*

1. —Yolanda, dijiste que te gustaría (<u>seguir una carrera</u> / confundirte) ayudando a otras personas que (hacen falta / <u>tengan dificultad</u>) para (<u>defenderse</u> / cometerse) por sí mismas.

2. —Creo que sí. Me gustaría mucho ayudar a (los agentes de ventas / <u>los sordos</u>). Ya sé una (<u>lengua extranjera</u> / estudiante de intercambio) y (me confundo con / <u>sueño con</u>) usarla en un trabajo que ayude a muchas personas.

Paso a paso 3   Nombre   Fecha

CAPÍTULO 12

A Tus amigos forman un grupo de culturas diversas. Hoy están hablando de lo importante que es hablar un segundo idioma. Escoge y escribe en los espacios en blanco la palabra o expresión que sea sinónima con la parte subrayada de cada oración. (60 puntos)

el barrio multicultural   modismos   suponer
su lengua materna   aumentar   mundial
la inmigración   el contacto   sería útil

__su lengua materna__ 1. —Rosario ya tiene la ventaja de hablar español, el idioma de sus padres.

__el barrio multicultural__ 2. —Creo que la diversificación del ambiente en el cual vivo me ha ayudado a comprender mejor a otra gente y ¡claro!, a aprender más vocabulario.

__modismos__ 3. —Hay estudiantes que creen que son bilingües, pero la verdad es que no conocen muy bien las expresiones idiomáticas que forman gran parte de la lengua.

__mundial__ 4. —Como hablo japonés, quisiera seguir una carrera en el mercado global.

__aumentar__ 5. —Mucha gente sabe que un segundo idioma podría ayudarles a multiplicar las ventajas de encontrar un buen empleo.

__Sería útil__ 6. —Nos serviría continuar con nuestra clase de español el año siguiente para tener resultados más altos en el examen de S.A.T.

B Vas en tu coche a la playa y escuchas este anuncio comercial en la radio. Escoge y escribe en los espacios en blanco las palabras que mejor completen el anuncio. (40 puntos)

multicultural   beneficiarse   inmigrante   dominar   apreciaría   inmigración

¿Quisiera comunicarse mejor en una lengua extranjera? ¿Le gustaría poder _dominar_ mejor el español, el japonés o el chino? ¿Es usted _inmigrante_ reciente de otro país y le gustaría mejorar su inglés? IDIOMAS S.A. le ofrece una excelente oportunidad de aprender fácilmente con el fin de _beneficiarse_ más en el trabajo o en sus estudios académicos. Creo que Ud. _apreciaría_ nuestros precios baratos. Llámenos al 1-800-IDIOMAS.

170   Tema para investigar

Paso a paso 3   Nombre   Fecha

CAPÍTULO 12

A El profesor de sociología invitó a un agente de empleos para que le hable a tu clase sobre los trabajos del futuro. Escoge la letra de la palabra que mejor complete su informe y escríbela en el espacio en blanco. (60 puntos)

1. Como actualmente hay más contacto con otros países y culturas, lo primero que les quiero recomendar es que aprendan a _b_ bien en una lengua extranjera.
   a. convivir   b. expresarse   c. interpretarse

2. Para la mayoría de los trabajos que se anuncian en nuestra agencia, hablar bien otro idioma es muy _c_.
   a. mundial   b. oficial   c. útil

3. Muchas personas en nuestro país tienen la ventaja de hablar inglés y su _a_.
   a. lengua materna   b. lengua oficial   c. modismo natural

4. Sin embargo, a veces no es suficiente sólo hablar una lengua extranjera. Hace falta conocer bien la cultura y saber cómo _a_.
   a. apreciarla   b. dominarla   c. diversificarla

5. Se lo digo porque hay compañías que quieren que sus empleados viajen y tengan _b_ con otras culturas.
   a. mundial   b. contacto   c. inmigrante

6. Y para los que no tengan interés en viajar, deben recordar que nuestra sociedad está _c_ mucho y eso crea más y más oportunidades de empleo.
   a. confundiéndose   b. suponiéndose   c. diversificándose

B Es domingo y estás leyendo los anuncios en el periódico. Subraya la palabra que mejor complete cada anuncio. (40 puntos)

1. "Compañía de computadoras situada en la (frontera / fuente) entre Estados Unidos y México busca empleados bilingües."

2. "Clases privadas para ayudarles a (aumentar / suponer) su posibilidad de resultados más altos en los exámenes de S.A.T."

3. "Negocio a nivel (frontera / mundial) ofrece trabajo de tiempo completo. Sería (apreciado / útil) tener preparación académica y experiencia en los medios de comunicación."

169   Tema para investigar

CAPÍTULO 12   Fecha

Unos amigos tuyos están un poco nerviosos porque tienen que tomar un examen. Por eso están hablando de situaciones que en este momento no son posibles ni probables. Subraya el tiempo verbal que mejor complete su conversación. *(100 puntos)*

1. —Si (tengo / **tuviera** / tenga) mucho dinero, (voy / fuera / **iría**) a viajar por todo el mundo.

2. —Mis amigos y yo (podríamos / podemos / **podremos**) trabajar para una compañía que paga bien si (hablamos / **habláramos** / hablaríamos) japonés.

3. —Si un mayor número de los estudiantes de nuestra escuela (hablaran / **hablen** / hablarían) una lengua extranjera, (tuvieran / **tendrían** / tengan) más ventajas en el mundo del trabajo.

4. —Creo que si la gente (**quisiera** / querría / quiere) vivir en armonía, (es / **sería** / sea) posible.

5. —Mateo, ¿(eres / fueras / **serías**) corresponsal internacional si (**pudieras** / puedes / puedas)?

6. —Lo dudo mucho, pero sé que (me gustará / **me gustaría** / me guste) viajar más si (había / **hubiera** / haya) más oportunidad.

7. —Tengo deseos en este momento de tomar un café expreso. Si (**supiera** / sabría / sabía) cómo pilotar un avión, (llevaría / **llevara** / llevaré) a mis amigos a Italia.

8. —Julio está molestando a Antonio de nuevo. No sé lo que él (hiciera / **haría** / hacía) si Antonio no lo (querría / **quisiera** / quiere) ayudar con la tarea.

9. —¿Qué te parece, Ramón? Si nosotros (pongamos / pondríamos / **pusiéramos**) todo nuestro dinero en un banco, ¿crees que nos (haríamos / **hacemos** / hiciéramos) millonarios?

10. —Lo que creo es que si todos (soñaran / soñarían / **soñáramos**) menos con lo imposible y más con prepararnos para el examen, ¡(sabíamos / **supiéramos** / sabríamos) más sobre el álgebra!

CAPÍTULO 12   Fecha

Estos jóvenes van a trabajar como consejeros en un campamento durante el verano. Los directores quieren prepararlos para las diferentes situaciones o emergencias que puedan ocurrir. Completa cada respuesta escribiendo el verbo entre paréntesis en la forma correcta del condicional. *(100 puntos)*

DIRECTOR(A)   Aunque les escogimos porque ya sabemos que tienen muchas habilidades y que son muy responsables, a veces hay emergencias y es mejor que estén preparados. Quiero que ustedes me digan qué harían en cada situación que voy a describir. A ver, Antonia. Llegan al campamento y sospechan que hay osos muy cerca. ¿Qué harías?

ANTONIA   Pues, yo _colgaría_ la comida en un árbol para esconderla de los animales. (colgar)

DIRECTOR(A)   Domingo y Octavio, un joven no quiere participar en ninguna actividad y está aburrido con todo.

DOMINGO   Creo que Octavio y yo lo _pondríamos_ en la posición de líder de un grupo de jóvenes para que tuviera más responsabilidad. (poner)

DIRECTOR(A)   Aída, alguien se cae y se rompe la pierna.

AIDA   Creo que primero lo _mantendría_ en una posición inmóvil y luego, con dos palitos, _haría_ una tablilla para protegerle los huesos. (mantener / hacer)

DIRECTOR(A)   Álvaro y Lino, un joven sufre una picadura fuerte y seria.

ÁLVARO   Nosotros nunca _saldríamos_ del campamento sin el equipo de primeros auxilios. (salir)

LINO   Siempre _obtendríamos_ las medicinas necesarias antes de salir. (obtener)

DIRECTOR(A)   Juliana, hay un joven sordo en el grupo. ¿Qué harías?

JULIANA   Pues, yo sé que tú le _podrías_ hablar por señas porque yo no sé cómo hacerlo todavía. _Tendría_ que aprender de ti. (poder / tener)

DIRECTOR(A)   Edmundo, un joven siempre se pierde del resto del grupo.

EDMUNDO   Yo sé que Felipe y Conchita le _dirían_ algo simpático porque ellos son muy graciosos. (decir)

LINO   Yo _iría_ con él para enseñarle cómo usar un mapa y reconocer las señas del bosque que indican dónde está la persona. (ir)

Paso a paso 3   Nombre

CAPÍTULO 12

Fecha

A (40 puntos)
1. banquero(a) / contador(a)
2. traductor(a) / dominar
3. hablar por señas / sorda
4. bibliotecario(a) / traducir
5. periodista / corresponsal

B (30 puntos)
1. lengua extranjera
2. confundido(a)
3. seguir una carrera
4. en realidad
5. académica
6. depender de
7. útil
8. completamente
9. bilingüe
10. lengua materna
11. inmigrantes
12. tenía facilidad
13. mundiales
14. soñando con
15. aprendizaje

C (30 puntos)
1. me vestiría / diría
2. fuera / tomaría
3. harían / ofrecieran
4. aceptaría / pudiera
5. supiéramos / habríamos

Paso a paso 3   Nombre

CAPÍTULO 12

Fecha   Prueba **12-7**

Es la hora del almuerzo y algunos estudiantes están conversando en la cafetería sobre su vida personal y las cosas que les gustaría hacer si pudieran. Escribe cada verbo entre paréntesis en la forma correcta del subjuntivo o del condicional para completar la conversación. *(100 puntos)*

1. —David, ¿vives en un barrio bilingüe?
—No, pero **vivría** en uno si **pudiera** . Quiero aprender más sobre otras culturas y no sólo de los libros que leo. (vivir / poder)

2. —¿Cuántas lenguas hablas, Víctor?
—Sólo el inglés, pero si **fuera** posible, yo **sería** trilingüe. (ser / ser)

3. —Lupita y Serafina, ¿por qué no hay armonía en el mundo?
—Hay muchas razones, pero si **tuviéramos** el poder, nosotras **haríamos** algo para crear más armonía entre la gente. (tener / hacer)

4. —Jacinto, ¿sabes ya qué carrera te interesa?
—No, pero si tú lo **supieras** , ¿cuál **seguirías** tú? (saber / seguir)

5. —Lina, ¿crees que los jóvenes somos demasiado idealistas?
—Ser realista es importante, pero nosotros nunca **podríamos** cambiar la sociedad si no **hubiera** idealismo entre los jóvenes. (poder / haber)

Gramática en contexto / El subjuntivo en frases con si

T103

CAPÍTULO 12

Fecha

Hoja para respuestas 1
Examen de habilidades

I. Listening Comprehension *(20 points)*

A. *(10 points)*

1. Alejandro no sabe comunicarse en otra lengua. — Sí / **No**
2. Alejandro trabajaría con sordos, entre otros clientes. — **Sí** / No
3. A Alejandro le hace falta experiencia en este tipo de trabajo. — **Sí** / No
4. Para el trabajo en el periódico hace falta dominar una lengua extranjera. — **Sí** / No
5. Alejandro quisiera trabajar más de cuarenta horas. — Sí / **No**
6. Alejandro no domina el lenguaje de computadoras. — Sí / **No**
7. Verónica no tiene ninguna experiencia de redacción. — Sí / **No**
8. Verónica no debería trabajar en el periódico porque no podrá seguir una carrera hasta después de sus estudios en la universidad. — Sí / **No**
9. Para los dos trabajos que ofrece esta agencia, la experiencia era un requisito. — Sí / **No**
10. El trabajo que le ofrecen a Verónica tiene como requisito comprender tres lenguas extranjeras. — **Sí** / No

B. *(10 points)*

1. Armando y Marcela están conversando sobre
   a. el examen de historia que tomó Armando.
   b. un examen que los dos tomaron.
2. Según el examen para analizar habilidades,
   a. sería mejor si Marcela fuera abogada.
   b. Armando tendría éxito si siguiera la carrera de técnico.
3. Según Armando y Marcela, los dos
   a. quisieran seguir la carrera que sus padres les escogieron.
   b. preferirían carreras en el extranjero.
4. Los resultados del examen muestran que
   a. los dos podrían seguir carreras que normalmente no escogerían.
   b. a Marcela le gusta trabajar con las manos.
5. Según esta conversación,
   a. Armando es bilingüe.
   b. Armando sabe más de dos lenguas.

179

CAPÍTULO 12

Fecha

Hoja para respuestas 2
Examen de habilidades

II. Reading Comprehension *(20 points)*

1. En el año 2000 sería beneficioso saber otra lengua porque
   a. no habrá un aumento en la inmigración a este país.
   b. se crearán más y más fuentes de trabajos para los bilingües.
   c. habrá menos diversificación en nuestra población.
2. El aprendizaje de otro idioma
   a. sólo les importa a las compañías con negocios en la frontera.
   b. tiene poca importancia para las compañías extranjeras.
   c. podría aumentar los beneficios económicos de cualquier negocio.
3. Las fronteras mundiales están desapareciendo
   a. gracias a los inmigrantes.
   b. gracias a la rapidez de los medios de comunicación.
   c. políticamente.
4. Si más gente hablara otra lengua y comprendiera la cultura de su gente,
   a. habría menos armonía a causa de la diversificación.
   b. haría falta más tecnología para que no se confundieran comunicándose.
   c. la sociedad se beneficiaría económica y socialmente.

III. Writing Proficiency *(20 points)*

[See page T9 for suggestions for evaluating student writing.]

_____ :

_____

_____

IV. Cultural Knowledge *(20 points)*

Las respuestas variarán. En el mundo del trabajo, hay más oportunidades y mejores sueldos para las personas que saben un segundo idioma. Para apreciar bien otra cultura, es necesario entender su lengua y sus expresiones. También es una gran ventaja ver una película o una obra de teatro en el idioma original porque siempre se pierde algo en la traducción.

V. Speaking Proficiency *(20 points)*

[See pages T29–T37 for suggestions on how to administer this portion of the test.]

180

T104

CAPÍTULOS 1-6

Paso a paso 3   Nombre

Fecha

Hoja para respuestas 1
Banco de ideas

I. Listening Comprehension *(10 points each)*

A. Personas famosas

a. Karla Rey   b. José Ramón   c. Sergio   d. Fernando José

_b_ 1. Esta persona famosa es popular porque respeta a los demás.

_d_ 2. Vivió entre gente incomprensiva cuando era joven.

_a_ 3. Es una persona vanidosa.

_c_ 4. Va de la ciudad al campo frecuentemente.

_b_ 5. Sus admiradores le respetan por lo que hace por otros.

_a_ 6. No sabe llevarse bien con otra gente.

_d_ 7. No le apoyaron mucho en el orfanato.

_a_ 8. Parece que esta persona no le hace caso a sus admiradores.

_b_ 9. Contribuye a lugares como orfanatos o asilos.

_c_ 10. Muchas veces prefiere la tranquilidad del campo.

B. Doctor Claudio

DIÁLOGO 1

1. El doctor Claudio
   a. le sugiere a Amelia que le dé clases particulares de esgrima a su novio.
   b. no puede darle consejos a Amelia.
   c.(recomienda que Amelia aprenda la esgrima.

2. El novio de Amelia
   a. no se lleva muy bien con ella.
   b.(no le está haciendo mucho caso.
   c. la invitó a inscribirse en una clase de esgrima.

3. Según Amelia,
   a.(Andrés y ella compartían mucho antes.
   b. Andrés es el mejor jugador del equipo de básquetbol.
   c. Andrés no es aficionado al tenis.

4. El doctor Claudio
   a. piensa que es mejor que los novios no tengan tanto en común.
   b. recomienda que Amelia se queje más de lo que está haciendo su novio.
   c.(quiere que Amelia se dedique a sus propios intereses también.

5. Según los consejos que le da el doctor Claudio a Amelia,
   a.(los novios pueden cultivar más la amistad si tienen intereses en común.
   b. los novios no deben practicar el mismo deporte.
   c. los novios tienen que discutir más.

191

CAPÍTULOS 1-6

Paso a paso 3   Nombre

Fecha

Hoja para respuestas 2
Banco de ideas

DIÁLOGO 2

1. Según Ricardo, su hermana
   a. es mayor que él.
   b.(se comporta muy mal con él.
   c. se queja de todo.

2. Beatriz
   a. tiene buen sentido del humor.
   b. se muda con la familia a la universidad.
   c.(debe tener unos diez u once años.

3. La hermana de Ricardo
   a. le deja muchos recados por teléfono.
   b.(nunca le da los recados que su hermano ha recibido por teléfono.
   c. siempre contesta el teléfono diciendo que Ricardo no está.

4. La verdad es que
   a.(Beatriz no quiere que su hermano se vaya, pero no sabe decírselo.
   b. Ricardo es vanidoso y nunca piensa en los demás.
   c. los dos hermanos son incomprensivos y no quieren una amistad.

5. Según el doctor Claudio,
   a.(Ricardo podrá resolver el problema haciéndole más caso a su hermana.
   b. no le dará consejos porque Ricardo es demasiado incomprensivo.
   c. Ricardo debería enojarse con Beatriz para convencerla de que ella es muy traviesa.

C. Museo

a

b

c

d

e

f

g

h

1. _c_   2. _h_   3. _a_   4. _e_   5. _b_

192

CAPÍTULOS 1-6

II. Reading Comprehension *(10 points each)*

A. Encuesta

_c_ 1. Soy Elena y me encanta que todos los vecinos de nuestra calle nos conozcamos. También me gusta la ventaja de vivir media hora del centro de la ciudad. La vida de la granja me hace bostezar.

_j_ 2. Me llamo Isabel. Aunque soy una persona muy tranquila, me encanta un ambiente animado porque todo aspecto de la vida urbana me fascina. Hay tanto que ver y contemplar. Este ambiente me ayuda a cultivar mi imaginación. La semana pasada escribí tres poemas sobre personas que vi mientras estaba en el parque.

_a_ 3. Soy Beto y prefiero vivir entre rascacielos. No me molestan ni los atascos ni el ruido del centro porque siempre puedo regresar a la soledad de nuestro apartamento, donde vivo muy tranquilo. Me encanta dibujar y quisiera cultivar más mi talento.

_f_ 4. Me llamo María Luisa y cada día después de las clases voy con mis amigos a un café en el centro de la ciudad para charlar. Nos encanta darnos consejos los unos a los otros. Frecuentemente mi familia tiene una reunión en el campo. Me encanta mi familia y también los animales del campo.

_i_ 5. Soy Aurora y no soy el tipo de persona que le gusta vivir bajo mucha presión. Gracias a mis amigos, mi familia y mis actividades escolares, puedo encontrar momentos tranquilos. Por otro lado, sé que mi vida urbana me ofrece abundantes oportunidades. Creo que en el futuro seré más positiva sobre la idea de vivir en la ciudad y de ir a la escuela en el autobús.

_d_ 6. Mis amigos me llaman Timo. Tengo tres gatos, una vaca y un caballo. Paso los fines de semana ayudando a mi padre con la siembra o con la cosecha.

_h_ 7. Soy Quique y me llevo bien con todos. Mis amigos me dicen que les hago reír siempre. Vivo en un lugar bello sin los problemas de la ciudad. Cada día los recojo en mi coche para llevarlos a la escuela conmigo.

_b_ 8. Hola, soy Marisol. Necesito practicar mi guitarra pero no se puede en el apartamento donde vivo. Por eso practico en la sala de música de la escuela o en el estudio de música donde me dan clases particulares. En esas clases también estoy aprendiendo a usar la computadora para componer música.

_e_ 9. Me llamo Antonio. Practico la esgrima y también doy clases particulares a jóvenes menores que yo. Mantengo un horario completo entre la escuela y el papel que hago en una obra teatral este mes.

_g_ 10. Soy Raquel. Algunos piensan que soy demasiado comprensiva. Me enoja que no estemos ayudando a los menores que sólo se entretienen enfrente del televisor noche y día. Por eso me inscribí para ayudar en un orfanato los sábados. No es gran cosa, pero quiero ser más responsable.

CAPÍTULOS 1-6

D. Lugares de infancia

   a. Diana   b. David   c. José Emilio   d. Virginia

_d_ 1. Cuando era joven a veces vivía lejos de su casa.

_b_ 2. Tiene malos recuerdos del lugar donde vivió primero.

_a_ 3. Vivió en un ambiente tranquilo y rural mientras era joven.

_c_ 4. Su familia dejó la ciudad pero mantuvo contacto con ella gracias al transporte moderno.

_a_ 5. Desde el lugar donde vivía se veía un bello paisaje.

_b_ 6. Recuerda las presiones de una vida llena de ruido, coches y peatones.

_d_ 7. Vivió en lugares muy interesantes y fascinantes.

_d_ 8. Su vida de joven no tiene mucho en común con la de los otros tres jóvenes.

_c_ 9. Disfrutaba de las ventajas de la ciudad aunque vivía en una casa que quedaba lejos de las desventajas de la ciudad.

_a_ 10. Cultivaba verduras en su jardín.

E. Problemas telefónicos

Dolores

1. Con esta llamada Dolores usó todas las fichas que tenía.   (Sí)   No

2. Dolores no recuerda el número de la casa de sus padres.   Sí   (No)

3. El operador colgó y Dolores no pudo completar su llamada.   Sí   (No)

4. Dolores tendrá que buscar en la guía telefónica el número de la casa de su tía.   (Sí)   No

5. El operador esperará a Dolores medio minuto, pero ni un segundo más.   (Sí)   No

Francisco

6. Francisco llamó a Carolina para invitarla a cenar.   Sí   (No)

7. Francisco está en Barcelona ahora sin mucho dinero.   (Sí)   No

8. El hotel le enviará a Francisco una carta por correo urgente.   Sí   (No)

9. Carolina hará el favor que Francisco le pidió.   (Sí)   No

10. El hotel no podrá enviarle a Francisco los cheques de viajero.   (Sí)   No

CAPÍTULOS 1-6

Fecha _____

La piedra Rosetta

1. La piedra Rosetta fue nombrada por
   a. un soldado francés que tenía el mismo nombre.
   (b.) la ciudad donde se redescubrió.
   c. el barco que la llevó al Museo Británico.

2. Lo más importante de la piedra Rosetta es
   (a.) que puede ayudarnos a interpretar un idioma desaparecido.
   b. el significado de su mensaje.
   c. su valor artístico.

3. La escritura de la piedra Rosetta es importante porque
   a. comunica información sobre la posición de las estrellas en la época de los egipcios.
   (b.) contiene información en tres idiomas, incluso uno conocido, el griego.
   c. es sagrada.

4. La piedra Rosetta está en Europa
   a. gracias al rey Ptolomeo V.
   (b.) gracias a la victoria de un país sobre otro.
   c. gracias a los egipcios.

5. Los jeroglíficos
   a. son dibujos que sólo sirven para expresar ideas religiosas.
   b. son estatuas que podrían revelarnos mucho sobre la cultura.
   (c.) son la escritura y el idioma de los egipcios antiguos.

D. Revista electrónica

1. Quisieras grabar información sobre un terremoto en Japón. Para hacerlo
   a. será posible si arreglas las luces de tu videocasetera.
   b. tendrás que comprar un disco compacto por satélite.
   (c.) hay que ponerse en contacto con ESCALA.

2. Muchas personas compran aparatos de comunicación y luego no los usan porque
   a. no son operadores.
   b. se sienten cómodos.
   (c.) les dan miedo.

3. Para disfrutar de los servicios de ESCALA hay que
   a. tener correo electrónico.
   b. comprar un fax.
   (c.) tener un televisor y una antena parabólica.

4. Según uno de estos artículos
   a. hay más o menos 1,900 personas a quienes les dan miedo los aparatos electrónicos.
   (b.) se puede saber lo que está pasando diariamente en 30 países del mundo.
   c. hay más o menos 1,400 personas que nunca querrán programar su videocasetera.

CAPÍTULOS 1-6

Fecha _____

B. Guernica

1. El cuadro de *Guernica* critica a los responsables de la destrucción que causan las guerras.   **(Sí)**   No

2. Picasso pintó su obra unos años después de la Guerra Civil.   Sí   **(No)**

3. Este cuadro incluye solamente colores vivos.   Sí   **(No)**

4. El tema del cuadro es el toro como víctima inocente.   Sí   **(No)**

5. El estilo artístico de *Guernica* es el realismo.   Sí   **(No)**

6. El caballo simboliza a las víctimas inocentes.   **(Sí)**   No

7. Este cuadro sólo representa una etapa en la vida de Picasso.   **(Sí)**   No

8. Picasso es más conocido por sus cuadros al estilo cubista y al abstracto, pero se ha expresado en otros estilos también.   **(Sí)**   No

9. La Guerra Civil en España duró tres años.   **(Sí)**   No

10. El cuadro tiene figuras de mujeres y animales, pero no hay ningún hombre.   **(Sí)**   No

C. Arqueología

Altamira

1. El nombre de Altamira se refiere a
   (a.) un lugar donde descubrieron pinturas de animales prehistóricos.
   b. un tipo de animal que encontraron en la cueva.
   c. la niña que descubrió las figuras.

2. El cazador
   a. entró en la cueva y descubrió una tumba con vasijas y cuencos.
   (b.) perdió a su perro en la entrada de la cueva, pero nunca entró en ella.
   c. nunca encontró a su perro porque desapareció en la cueva.

3. El arqueólogo
   (a.) encontró huesos prehistóricos mientras excavaba en su propia tierra.
   b. le gritó a su hija que había visto figuras de bisontes y caballos.
   c. no le permitió a su hija entrar en la cueva.

4. La cueva de Altamira
   a. se descubrió en el primer siglo de nuestra época.
   b. se descubrió en este siglo.
   (c.) se descubrió al fines del siglo XIX.

5. Las figuras en la cueva de Altamira
   a. fueron dibujadas por bisontes.
   (b.) no son de colores apagados.
   c. fueron vistos por un cazador y su perro.

T107

Paso a paso 3

CAPÍTULOS 1-6

Nombre

Fecha

Hoja para respuestas 7
Banco de ideas

5. Eres tecnófobo. Prefieres

a. programar sin ayuda la videocasetera para tus programas favoritos.
b. hacer funcionar cualquier invento tecnológico sin ayuda.
c. llamar por teléfono en vez de comunicarte por correo electrónico.

E. Señor Romero

1. _i_   3. _b_   5. _c_   7. _i_   9. _h_
2. _f_   4. _a_   6. _g_   8. _e_   10. _d_

III. Writing Proficiency (20 points each)

[See page T9 for suggestions on how to evaluate student writing.]

A. _____:

197

Paso a paso 3

CAPÍTULOS 1-6

Nombre

Fecha

Hoja para respuestas 8
Banco de ideas

B.

C.

D.

E.

198

B. *Las respuestas variarán. La vida en una ciudad como Buenos Aires, Argentina, es muy*
animada porque hay muchas diversiones y actividades culturales. Esa ciudad ofrece una
gran variedad de restaurantes, cines y deportes profesionales. Hay más oportunidades de
trabajo y escuelas especiales que en el campo. Por ejemplo, en el altiplano de Bolivia la
gente trabaja cultivando la papa o haciendo ropa y artesanía. Para las personas a quienes
les gustan los deportes, se puede escalar montañas muy altas. En lugares rurales las
personas siempre están en contacto con la naturaleza y la vida comunitaria es muy sana.

C. *Las respuestas variarán. Pueden incluir: Joaquín Torres-García es un artista uruguayo que*
mezcla los símbolos de las culturas precolombinas y africanas con la armonía y las
proporciones del arte griego. Suele usar imágenes universales y una variedad de colores.
Wilfredo Lam es un artista cubano. En sus pinturas vemos una diversidad de razas que
muestra la influencia de su vida personal. Su padre era chino y su madre afrocubana.
La influencia del arte africano es muy fuerte en sus pinturas. Las pinturas de la artista
mexicana María Izquierdo son en su mayoría naturalezas muertas, donde los objetos están
colocados para producir un efecto de simetría.

D. *Las respuestas variarán. Hoy en día, la televisión por cable y por satélite es muy popular*
en Hispanoamérica porque permite que el público vea programas de otros países. Los
programas de televisión hechos en Venezuela son muy populares en otros países hispanos.
En los estudios de televisión de Caracas se producen comedias, telenovelas y otros
programas para públicos de todo el continente.

E. *Las respuestas variarán. Es posible que la abuela le diga a su nieto que gracias a algunas*
personas que se han dedicado a estudiar el Popul Vuh, sabemos mucho sobre la cultura de
los mayas. Se establecieron en Yucatán, Guatemala y Honduras alrededor del año 200 a.C.

F. _____

_____

_____

G. _____

_____

H. _____

_____

_____

IV. Cultural Knowledge *(10 points each)*

A. *Las respuestas variarán. La familia y los amigos son muy importantes para los jóvenes*
hispanos. Después de las clases, los adolescentes hispanos suelen reunirse en algún café para
hablar de sus actividades extracurriculares, películas, música o deportes. Además de pasar
tiempo con los amigos, muchos adolescentes consideran que la familia es donde se encuentra
la verdadera amistad y comprensión.

T109

CAPÍTULO 7   Fecha

I. Listening Comprehension *(10 points each)*

A. Toño

a. Hay dos o tres organizaciones que pueden ayudarlos a adquirir los derechos que buscan. Ellos se ponen en contacto con los representantes del gobierno para influirlos a votar a favor de leyes que ayuden a los ancianos como ustedes. No hay que pagar nada porque son organizaciones sin fines de lucro. Lo único que piden es que los ayuden trabajando como voluntarios unas horas cada semana.

b. Recomiendo que protesten la injusticia contra los huérfanos y que organicen una manifestación pronto. ¡Es injusto! Si cierran el orfanato, ¿qué harán esos pobrecitos? Además de protestar, sugiero que escriban al periódico de la ciudad, exigiendo a los ciudadanos que muestren más interés en esta situación.

c. Es una lástima que nadie les haga caso. Les voy a dar el número de teléfono de un servicio social que se organizó hace poco para ayudar a toda la gente sin hogar. Además de colaborar con ustedes en esta situación, les ofrecerá su comedor de beneficencia que está abierto los siete días de la semana.

d. Aunque no tienen el derecho de participar en las elecciones todavía, ustedes si pueden influir muchísimo a los candidatos. Ellos saben que los padres de ustedes si pueden decidir sobre su futuro político. Por eso, tienen que organizarse: escribirles muchas cartas a los candidatos y también protestar en la radio, la televisión y el periódico de la ciudad. Recomiendo que digan cosas positivas, por ejemplo, las ventajas de que los jóvenes tengan un gimnasio y una piscina al alcance de la mano, además de las actividades positivas en las que participan gracias a ese lugar.

e. Obtenerla no es fácil, pero si ustedes dedican media hora cada noche a estudiar, verán su progreso. Les voy a dar el número de teléfono de una biblioteca donde varios voluntarios dan clases cada semana. No cuesta nada porque es un servicio organizado por la ciudad. Dicen que todos los que se presentaron el año pasado se beneficiaron porque obtuvieron la ciudadanía.

f. Hay un centro de la comunidad que siempre necesita jóvenes. Es un trabajo fácil para los que tengan paciencia con los mayores de edad o con los jóvenes que no sepan escribir ni leer. Hay que presentarse en persona en el centro para obtener más información. Sólo buscan personas que sean responsables y comprensivas.

g. Insisto en que ustedes llamen al número de teléfono que les voy a dar en un momento. Este servicio social existe para juntar fondos para luego ayudar a personas como ustedes. El año pasado presentaron cuatro olimpiadas de minusválidos y, con el dinero que juntaron, construyeron un nuevo gimnasio en el centro de rehabilitación. Es importante que se pongan en contacto con ellos esta semana porque creo que necesitan más participantes.

1. _c_   2. _g_   3. _a_   4. _f_   5. _d_

CAPÍTULOS 1-6   Fecha

Cultivaban maíz y frijoles y enseñaban a sus descendientes a sembrar y cosechar ésos

y otros productos agrícolas que todavía son muy importantes. La tradición de hacer y pintar

artículos de artesanía ha pasado de los padres mayas a sus hijos por varias generaciones.

Todavía se puede admirar su magnífica arquitectura en las ruinas de las ciudades que

construyeron, como Tikal y El Mirador en Guatemala, Palenque y Bonampak en México,

y Chichén Itzá y Uxmal en Yucatán.

F. *Las respuestas variarán. Pueden incluir: Abuelo, sé que te gusta caminar por el parque y no*

te gusta tanto hacer los quehaceres de la casa. En el futuro habrá aparatos electrónicos

inteligentes como robots que harán toda clase de trabajos en la casa. La nueva tecnología

hace más fácil las comunicaciones. Entre los nuevos aparatos que se han inventado para

que nos comuniquemos mejor están los beepers o "buscapersonas." Al principio los usaban

sólo los médicos, pero hoy en día muchos los tienen para su uso personal. El teléfono

celular también es muy popular. Una de sus ventajas es que nos permite ponernos en

contacto con otros desde cualquier lugar. Aunque mucha gente hace sus compras

mandando una carta por correo, ahora es posible hacerlas por computadora sin salir de

nuestra casa, usando el correo electrónico.

V. Speaking Proficiency *(10 points each)*

[See pages T29–T37 for suggestions on how to administer this portion of the test.]

T110

CAPÍTULO 7

Paso a paso 3   Nombre _____   Fecha _____

B. Debate

1. Según Laura
a. (a) el trabajo voluntario debe ser obligatorio para graduarse.
b. sólo el estudiante con experiencia en la comunidad debe explorar el campo de las leyes.
c. es importante que todos trabajen en el campo de la medicina.

2. Laura dice que
a. para ser un buen estudiante hay que trabajar en la comunidad.
b. sólo los estudiantes con experiencia en la comunidad serán aceptados en la universidad.
c. (c) el estudiante que haya sido voluntario en la comunidad tiene ventaja cuando sea hora de recibir ayuda financiera en la universidad.

3. Según Enrique
a. es justo exigir que los estudiantes hagan trabajo voluntario.
b. (b) el estudiante debe tener el derecho de escoger si quiere o no ser voluntario.
c. las universidades sólo buscan estudiantes que tengan buenas calificaciones.

4. Enrique cree que
a. sólo la participación en algún deporte puede garantizarle al estudiante una posición en la universidad.
b. la gente sin hogar o con SIDA no deberían trabajar con voluntarios.
c. (c) es injusto exigir que todos participen en el servicio social.

5. En este debate
a. Laura dice que todo ciudadano debe trabajar como voluntario en algún campo profesional.
b. Enrique piensa que sólo los adultos deberían trabajar como voluntarios.
c. (c) ninguno de los dos está en contra del trabajo voluntario en general.

II. Reading Comprehension (10 points each)

A. Oficina de consejeros
a. Me encantan las causas para mejorar la sociedad. Creo que es necesario que hagamos algo por ayudar a los demás. Quisiera unirme a algún grupo de activistas.
b. Quisiera aprender sobre cómo una organización consigue apoyo financiero. No me gusta tanto ayudar a la gente con problemas físicos sino aprender cómo funciona una organización que beneficia a la sociedad.
c. Espero que pueda ayudar a los jóvenes o a los mayores con problemas físicos. No me interesa mucho el aspecto financiero de un negocio, pero si me gustaría mucho trabajar en el campo de la terapia física después de graduarme.
d. Este año me hice ciudadano y quisiera aprender más del proceso electoral de la ciudad. ¿Podría trabajar como voluntario inscribiendo a otros o en algún lugar de votación?
e. Me encanta la historia de Estados Unidos y quisiera ayudar a unos jóvenes de escuela primaria. También me gustaría ayudar a los adultos que estén estudiando para hacerse ciudadanos.

CAPÍTULO 7

Paso a paso 3   Nombre _____   Fecha _____

f. Quisiera inscribirme en el ejército. No tengo interés en ser voluntario después de graduarme ni interés en buscar algún trabajo porque todavía no sé qué quisiera hacer con mi vida. Sólo sé que en el ejército podría aprender mucho y también viajar.

g. ¡Qué lástima que haya tantos jóvenes sin padres! Me gustaría mucho ayudarlos.

h. El otro día vi a una familia de pobres que pasaron la noche en la calle. No tenían mucho para protegerse del frío de la noche. ¿Cómo podría ayudar a la gente pobre que no tiene dónde quedarse ni qué ponerse?

i. Me gusta trabajar con la gente mayor. Creo que tengo la habilidad de entenderla. Me da mucha satisfacción poder hacer algo por ellos. Podría llevarlos al centro comercial o a otros lugares para ayudarlos a resolver sus asuntos personales.

j. Me gustaría ser abogada porque me interesa mucho la política. Creo que es importante que tenga contacto con la gente de diferentes partidos políticos. Además, me encanta caminar y trabajar al aire libre.

k. Ya he decidido ser cocinero porque me encanta preparar todo tipo de comida, sea para una fiesta pequeña o para un grupo grande. Creo que tengo buenas ideas de cómo se puede alimentar bien a la gente pobre sin tener mucho dinero.

1. c	3. i	5. h	7. b	9. a
2. e	4. k	6. j	8. g	10. d

B. Escuela para adultos

1. Diana tiene información para ayudar a sus estudiantes a
a. prepararse para ser candidatos de su partido político.
b. (b) prepararse para el examen de ciudadanía y para votar cuando sean ciudadanos.
c. prepararse para conseguir un pasaporte.

2. Según este folleto,
a. se puede votar en diferentes lugares, como en el correo.
b. sólo puedes votar si has declarado cuál es tu partido político.
c. (c) uno se puede negar a declarar su partido político.

3. El buen ciudadano
a. sólo tiene derechos si vota en las elecciones.
b. (b) respeta la democracia.
c. debe protestar en contra de la herencia social de la nación.

4. Según el folleto, es obligatorio en este país
a. votar en todas las elecciones.
b. (b) pagar impuestos.
c. colaborar con varios partidos políticos.

Paso a paso 3

CAPÍTULO 7

Nombre _____

Fecha _____

Hoja para respuestas 4
Banco de ideas

5. Todo buen ciudadano debe
   a. participar en manifestaciones a favor del gobierno.
   b. donar ayuda financiera a su partido político favorito.
   c. tener conocimiento de los derechos de otros ciudadanos.

III. Writing Proficiency (10 points each)

[See page T9 for suggestions on how to evaluate student writing.]

A. _____

_____

_____

_____

B. _____ :

_____

_____

_____

IV. Cultural Knowledge (10 points each)

A. *Las respuestas variarán. En mi comunidad hay muchas oportunidades para ayudar a la gente hispana. Muchos no hablan inglés todavía. Podría darles clases particulares en su casa o en el centro de la comunidad. Algunas personas necesitan ayuda porque quieren hacerse ciudadanos. Es posible darles clases de historia de Estados Unidos y explicarles el proceso de votación en las elecciones. También hay gente incapacitada, gente sin hogar o ancianos que necesitan nuestra ayuda. Me gustaría ayudar a una organización como la Cruz Roja a solicitar o juntar fondos para ayudar a la gente. Mis amigos y yo somos buenos deportistas. También podríamos ayudar a los minusválidos que practican para las olimpiadas. Hay*

Paso a paso 3

CAPÍTULO 7

Nombre _____

Fecha _____

Hoja para respuestas 5
Banco de ideas

muchos trabajos voluntarios que mis amigos y yo podríamos hacer por la comunidad hispana.

_____

_____

_____

B. *Las respuestas variarán. Es necesario que hagamos algo por los hispanos de la comunidad. No tenemos un centro donde ellos puedan recibir ayuda o información importante. Hay ancianos que necesitan ayuda con el inglés, otros necesitan servicios médicos y hay gente que necesita aprender más sobre las leyes de este país. Mis amigos y yo queremos ayudar como voluntarios este verano pero necesitamos el apoyo del gobierno de la comunidad. Podríamos servir comida en un comedor de beneficencia, ayudar a los ancianos en un centro de rehabilitación o colectar ropa para los huérfanos y gente sin hogar. Hablamos el español bastante bien y podremos comunicarnos con las personas hispanas. Además de beneficiarlas a ellas, nosotros también nos beneficiaremos porque practicaremos nuestro español mientras aprendamos más sobre su cultura.*

_____

_____

_____

_____

V. Speaking Proficiency (20 points each)

[See pages T29–T37 for suggestions on how to administer this portion of the test.]

CAPÍTULO 8

I. Listening Comprehension *(10 points each)*

A. Museo

a. fenómenos inexplicables en el mar

b. ruinas precolombinas

c. tumba antigua egipcia

d. escritura mitológica

e. esculturas que protegían una tumba sagrada

f. arqueología acuática

g. vasijas y cuencos chinos

h. pirámides misteriosas

i. nave espacial

1. _c_   2. _i_   3. _b_   4. _e_   5. _f_

B. Biblioteca

1. Los dos compañeros de clase están hablando sobre unas piedras enormes que se encuentran en la isla de Pascua. — (Sí) No

2. Ninguno de los dos sabe por qué los escultores hicieron estas cabezas. — (Sí) No

3. Hay unas 50 cabezas en la isla de Pascua. — Sí (No)

4. La isla de Pascua está a unas pocas millas de la costa de Chile. — Sí (No)

5. La mayoría de las esculturas tienen más o menos la misma altura de un edificio de tres pisos. — (Sí) No

6. Es posible que las cabezas tengan algún significado religioso. — (Sí) No

7. Los antiguos habitantes de la isla de Pascua no tenían ningún conocimiento sobre ingeniería ni astronomía. — Sí (No)

8. El tío de Hernando es antropólogo. Por eso sabe tanto de la isla de Pascua. — Sí (No)

9. Jaime quisiera impresionar a Hernando porque éste sabe mucho sobre Estados Unidos. — (Sí) No

10. Hernando sabe muy poco sobre la isla de Pascua. — Sí (No)

CAPÍTULO 8

II. Reading Comprehension *(10 points each)*

A. Revista

1. En California hay una casa
   a. encantada donde los fantasmas entretienen a los turistas.
   b. que fue construida por una persona que creía en fenómenos inexplicables.
   c. donde encontraron evidencia para explicar los fenómenos extraños.

2. La señora Winchester
   a. consultó a su esposo antes de diseñar su casa de 160 cuartos.
   b. fue la esposa del creador de un rifle famoso.
   c. murió a los 85 años después de ver un fantasma en la torre de su casa.

3. Hay un fenómeno extraño que ocurre en los desiertos de África,
   a. en el que algunos habitantes creen que caminan sobre el agua.
   b. en el que se ven barcos que vuelan en el aire.
   c. en el que la gente ve reflexiones extrañas.

4. La *fatamorgana*
   a. pertenece a una leyenda antigua de África.
   b. es un fenómeno que tiene explicación científica.
   c. es un fenómeno que sólo ocurre en Europa.

5. Se supone que las imágenes de figuras de personas o islas flotando en el aire
   a. ocurren debido a un fenómeno natural que produce el efecto de espejos sobre la tierra o el agua.
   b. se ven sólo en el mar.
   c. son fantasmas creados por la imaginación de los habitantes de desiertos africanos.

B. Virgen de Guadalupe

1. Lo inexplicable de lo que ocurrió en 1531 es que hay una explicación científica. — Sí (No)

2. Juan Diego llevó maíz al obispo como evidencia de lo que había visto. — Sí (No)

3. Se ha podido probar que la imagen fue pintada sobre la capa. — Sí (No)

4. La Virgen de Guadalupe es el nombre que le dieron a la mujer que Juan Diego vio en el campo. — (Sí) No

5. Juan Diego y Juan de Zumárraga eran dos misioneros españoles. — Sí (No)

III. Writing Proficiency *(10 points each)*

[See page T9 for suggestions on how to evaluate student writing.]

A. _____

Paso a paso 3

CAPÍTULO 8

Nombre

Fecha

Hoja para respuestas 4
Banco de ideas

B. *Las respuestas variarán. En la isla de Pascua hay más de 500 esculturas enormes que pesan*

hasta 90 toneladas y miden 10 metros de alto. Existen muchas teorías sobre su origen. Los

científicos dudan que los escultores hayan tenido poderes sobrenaturales, pero es posible

que las estatuas representen algún tipo de construcción religiosa.

_____

_____

_____

V. Speaking Proficiency *(10 points each)*

[See pages T29–T37 for suggestions on how to administer this portion of the test.]

Paso a paso 3

CAPÍTULO 8

Nombre

Fecha

Hoja para respuestas 3
Banco de ideas

_____

_____

_____

B. _____

_____

IV. Cultural Knowledge *(10 points each)*

A. *Las respuestas variarán.*

• *Tula fue la capital de la civilización tolteca entre los años 950 a 1150 d.C. Construyeron*

sobre la pirámide principal unas columnas que representan guerreros. La luz del atardecer

los hace parecer vivos y ha dado lugar a la leyenda de que caminan por las noches.

• *Cuando los españoles llegaron a Suramérica, escucharon la leyenda del jefe de una tribu*

indígena muy rica. Según la leyenda, el jefe se cubría con polvo de oro y de una balsa

echaba objetos de oro al fondo del lago. Los españoles lo llamaron El Dorado.

_____

I. Listening Comprehension (10 points each)

A. Empleos

1. _b_   2. _a_   3. _e_   4. _d_   5. _c_

B. Un crimen

1. La señora Montoya
   a. llamó al policía desde el lugar de los hechos.
   b. llamó al policía porque alguien había asesinado a su gato.
   (c.) llamó al policía porque sospecha que alguien haya sido víctima de un crimen.

2. El policía quiere saber si
   (a.) la señora Montoya vio a los culpables del atentado.
   b. la señora Montoya se arriesgó y se autodefendió.
   c. la señora Montoya se presentó en el lugar de los hechos.

3. Según la señora Montoya,
   a. ella vio a uno de los sospechosos con un cuchillo.
   b. nunca vio a la mujer, sólo la oyó.
   (c.) ella tenía miedo de que hirieran a la mujer.

4. El policía
   a. llamó a Hernández para decirle lo que estaba ocurriendo.
   (b.) supo del rescate de la mujer por una llamada telefónica.
   c. se puso en contacto con el guardia del apartamento.

5. La señora Montoya seguramente
   (a.) tendrá que hablar enfrente de un jurado sobre lo que vio.
   b. soñó lo que había pasado.
   c. resultó herida en el brazo.

C. Lugares de interés

1. _c_   3. _i_   5. _h_   7. _j_   9. _d_

2. _a_   4. _k_   6. _f_   8. _b_   10. _e_

D. Agencia de empleos

1. _b_   2. _c_   3. _e_   4. _a_   5. _d_

Paso a paso 3   Nombre
CAPÍTULOS 9-12   Fecha
Hoja para respuestas 3
Banco de ideas

II. Reading Comprehension (10 points each)

A. Anuncios

a. EQUIPO DE EJERCICIOS, S.A.   b. CEE   c. $$$DINERO EXTRA$$$

c   1. Para los jóvenes que tengan carro y no tengan experiencia en ventas, se recomienda que lean este anuncio.

b   2. Este anuncio clasificado busca a personas que posean talentos administrativos.

b   3. José Luis es bilingüe y nació en El Salvador. Él quisiera entrenarse en alguna profesión asociada con la medicina.

a   4. Mariana quiere encontrar un empleo que le pague un buen sueldo y la prepare para el futuro. Ella tiene interés en vender o en ser repartidora de productos.

b   5. Julio tiene interés en una carrera en la que pueda usar sus talentos artísticos, pero no tiene ningún entrenamiento.

c   6. Rocío no puede trabajar todo el día y no tiene experiencia todavía.

b   7. Después de graduarse de la escuela secundaria, a Manolo le encantaría entrenarse en algún trabajo asociado con las computadoras.

a   8. Mateo es buen deportista y su meta es convencer a los demás de lo importante que es hacer ejercicio y comer bien.

a   9. A Soledad le encantan las matemáticas. Le interesa seguir una carrera relacionada con ese campo.

b   10. María Luisa ha estudiado arte en la universidad por tres años, pero no sabe qué carrera seguir todavía.

B. Violencia en la sociedad

ARTÍCULO 1

1. El aumento en el porcentaje de homicidios entre los jóvenes
   a. se debe al hecho de que más jóvenes no tienen miedo.
   (b) se debe al hecho de que más jóvenes llevan armas actualmente.
   c. se debe al hecho de que más jóvenes practican la autodefensa.

2. Muchos jóvenes hoy en día
   a. tienen miedo de que alguien les venda armas.
   (b) temen que no puedan protegerse sin armas.
   c. sienten que no saben cómo usar armas.

3. Según el artículo, muchos jóvenes
   (a) quisieran evitar la violencia, pero tienen que recurrir a las armas para protegerse.
   b. no pueden conseguir armas.
   c. ganan dinero vendiendo armas.

225

Paso a paso 3   Nombre
CAPÍTULOS 9-12   Fecha
Hoja para respuestas 4
Banco de ideas

ARTÍCULO 2

4. Este artículo fue escrito para las personas que
   a. no tengan preocupaciones sobre la violencia.
   (b) quisieran acabar con la violencia en su vida, pero no saben cómo.
   c. trabajan ayudando a gente con tendencias violentas.

5. Conoces a alguien que este artículo describe. Podrías
   a. explicarle que a veces la violencia es la única manera de resolver un problema.
   b. castigarle con sentencias más severas.
   (c) explicarle que hay maneras de comunicarse sin recurrir a la violencia.

6. Según este artículo, las personas con tendencias violentas
   a. no tienen ningún problema.
   (b) necesitan reconocer que hay maneras de evitar el problema.
   c. cambiarán con el tiempo.

ARTÍCULO 3

7. Según este artículo, tenemos que
   a. reconocer que no existe la violencia en la sociedad.
   b. votar por funcionarios que hayan sido víctimas de la violencia.
   (c) crear programas que apoyen a las personas con problemas.

8. Este artículo probablemente les habla directamente a
   a. las personas que no sepan evitar la violencia en su vida.
   (b) la gente que quisiera acabar con la violencia en la sociedad.
   c. los psicólogos que trabajen con las personas violentas.

9. Según este artículo
   a. se debe animar más a la gente a tener reacciones violentas.
   b. se puede contribuir más a la violencia.
   (c) se debe apoyar un programa que tenga como meta evitar la violencia.

10. En general, según los tres artículos,
    (a) hay más jóvenes víctimas de las armas.
    b. siempre hay seguridad contra la violencia en el hogar.
    c. dónde haya enojo e ira, siempre habrá violencia y es imposible evitarla.

C. El Día de los Muertos

1. Los indígenas de México temían los sueños sobre la muerte.   Sí   **(No)**

2. El Día de los Muertos es el resultado de la integración de culturas diferentes.   **(Sí)**   No

3. Esta fiesta no comparte ningún rasgo indígena o europeo a través de los siglos.   Sí   **(No)**

4. Todos los países sudamericanos celebran el dos de noviembre de la misma manera.   Sí   **(No)**

226

CAPÍTULOS 9-12

B. _____ :

_____

_____

_____

_____

_____

C.

_____

_____

_____

_____

D.

_____

_____

_____

_____

IV. Cultural Knowledge (10 points each)

A. *Las respuestas variarán. Según un artículo publicado en un periódico mexicano, hay oportunidades de empleo para representantes de ventas, bibliotecarios, auxiliares*

228

CAPÍTULOS 9-12

5. Un ejemplo de una fusión cultural es la obra teatral que se presenta en noviembre. (Sí)   No

6. Según la gente indígena, los espíritus de los difuntos invaden la Tierra para estar con sus familias. (Sí)   No

7. Todas las tradiciones y costumbres asociadas con el Día de los Muertos son serias y nadie se debe reír. Sí   (No)

8. Una de las metas de la celebración de este día es que los niños tengan miedo de la muerte. Sí   (No)

9. Los españoles trataron de eliminar el Día de los Muertos porque no coincidía con el Día de Todos los Santos. Sí   (No)

10. Hacerle una ofrenda es la manera principal de conmemorar al muerto y mostrarle respeto durante este día de fiesta. (Sí)   No

D. Profesiones

a. periodista bilingüe   c. contador(a)   e. traductor(a)
b. redactor(a)   d. banquero(a) internacional   f. bibliotecario(a)

1. _d_   2. _c_   3. _a_   4. _b_   5. _e_

III. Writing Proficiency (10 points each)

[See page T9 for suggestions on how to evaluate student writing.]

A. _____ :

_____

_____

_____

_____

_____

_____

227

Paso a paso 3

CAPÍTULOS 9-12

Nombre _____

Fecha _____

Hoja para respuestas 7
Banco de ideas

administrativos, secretarios ejecutivos que sean bilingües, médicos y dentistas, entre otros.

_____

B. *Las respuestas variarán. Tanto en España como en Austin, Texas, la gente organiza marchas*
y prepara anuncios en contra del uso de drogas. En Buenos Aires, las madres protestan
en contra de crímenes cometidos por el anterior gobierno de la dictadura militar. Aunque en
Estados Unidos nunca ha habido un gobierno militar, la gente protesta en contra de las
leyes injustas con manifestaciones y a través del derecho al voto.

_____

C. *Las respuestas variarán. Diferentes grupos hispanos en Estados Unidos mantienen sus*
tradiciones y celebran fiestas de origen hispano. Los mexicanos celebran el Día de la
Independencia de su país el 16 de septiembre con música, desfiles y comida. Los cubanos
celebran festivales en la Calle Ocho en Miami.

_____

D. *Las respuestas variarán. Gracias al transporte y los medios de comunicación, el contacto*
entre diferentes países es cada vez más fácil. Es importante que aprendamos otros idiomas
para apreciar mejor otras culturas. En los países hispanos se le da mucha importancia al
aprendizaje de idiomas extranjeros porque se reconoce la ventaja que tiene en el mundo
del trabajo. Con los adelantos de la tecnología, como casetes, videos, discos compactos
y de ROM, se puede practicar la pronunciación y mejorar la comprensión del idioma.

_____

V. Speaking Proficiency *(10 points each)*

[See pages T29–T37 for suggestions on how to administer this portion of the test.]

229

Tests
Pupil Answer Sheets

PASODOBLE

¡FELIZ CUMPLEAÑOS, *PASODOBLE!*

Dedicamos este número, con el que celebramos 50 años de publicación, a ustedes, nuestros queridos lectores. Vamos a visitar su pasado, saber lo que están haciendo ahora y explorar su futuro. Gracias a la correspondencia que recibimos de todas partes, sabemos que nuestros amigos disfrutarán de 50 años más de *Pasodoble*.

• ¿QUIÉNES SON NUESTROS LECTORES? *(12 puntos)*

Éstas son cartas y fotos de lectores que quisieran mantener correspondencia con jóvenes de otras partes del mundo. Léelas y luego escoge la letra de la carta que corresponda a la oración.

A

Elisa y sus amigos

¡Hola! Me llamo Elisa y tengo 15 años. En nuestra escuela se les prohibe a las chicas llevar pantalones o ponerse lápiz de labios y esmalte de uñas. Ningún chico puede llevar gorro o arete. A nadie le molestan esas reglas porque es una escuela muy buena. Después de las clases mis amigos y yo siempre nos reunimos en un café o una heladería. Los fines de semana vamos a fiestas, al cine o al campo, donde hacemos una paella, una comida típica de España. Me gustaría conocer a alguien para practicar mi inglés. Escríbeme si quieres practicar más tu español.

B

Chuck

Ryan

Somos Chuck y Ryan, compañeros de clase y jugadores del equipo de fútbol americano. Tenemos 17 años. Con nuestro horario escolar, además de practicar todas las tardes, tenemos muy poco tiempo para las actividades extracurriculares. En el verano trabajamos como consejeros y entrenadores en un club de la comunidad. Nuestra escuela aquí en Nebraska nos prepara bien para la universidad y nos permite usar ropa diferente. Nos encantan las jóvenes intelectuales y serias, pero con buen sentido del humor. Pueden escribirnos si les interesa practicar el inglés.

C

Ellen

¡Hola! Me llamo Ellen. Soy de Nueva York y me gustaría mucho escribirles a otros jóvenes con intereses similares a los míos. Soy miembro del club literario y después de las clases escribo para el periódico de la escuela. Este año me dedico mucho al anuario porque quisiera ganarme la vida algún día como escritora. También participo en el consejo estudiantil y en el club de ajedrez. Si tienes algo en común conmigo, escríbeme a la revista.

PASODOBLE

- **¿CÓMO SON NUESTROS LECTORES?** *(8 puntos)*

  Nuestra encuesta sobre cómo son ustedes tuvo mucho éxito. Les preguntamos sobre su rutina diaria y éstas son sus respuestas. Completa la palabra o expresión según cada descripción.

  1. Los sábados por la noche mi familia y yo __ __o__ __

  __ __c__ __ __s__ __ __ __a__ __m__ __ __ __ tarde.

  2. A mi hermana le encanta reírse. Por eso, __s__ __ __ __ __ __e__ __ __i__ __ __ __ __a

  a los dientes tres veces al día.

  3. Llego a mis clases a tiempo porque siempre __ __m__ __

  __ __ __e__ __ __s__ __ __ __i__ __ __r__ __t__ __ __ temprano.

  4. Mi hermano siempre toma media hora para __ __ __e__ __i__ __ __ __ __a__ __ __ __s__ __ .

  Y después de tanto trabajo, lleva una gorra todo el día.

- **EL RAP A RITMO DE PASODOBLE** *(10 puntos)*

  Varios de ustedes participaron en nuestro concurso en busca de nuevos raperos y raperas. Escogimos a Sarasonora y creemos que pronto ustedes la conocerán también. Lee la entrevista que le hicimos. Después, indica con *Sí* las oraciones correctas y con *No* las oraciones incorrectas.

  —¿Te sorprendió ganar el concurso de raperos, Sarasonora?

  —¡Claro que sí! Tendré que darles las gracias a mis amigos porque yo no sabía nada del concurso. Siempre leo su revista, pero no sé por qué no vi el anuncio.

  —¿Cuándo empezaste a escribir canciones y a cantar?

  —Empecé a escribir a los catorce años porque estaba aburrida. Hace un año unos amigos que tienen una banda de rock me invitaron a cantar con ellos. Les gustó mi primera canción y decidí escribrir más.

  —Dinos algo de tu vida de pequeña. ¿Cómo eras?

  —De niña cantaba todo el tiempo, en las reuniones de familia, en la escuela o mientras jugaba. La verdad es que era muy traviesa. Cuando alguien venía a visitarnos, les quitaba sus posesiones personales y las escondía. Nunca podían encontrar sus llaves, sus anteojos.

  —¿Dónde vivías cuando eras niña?

  —Vivíamos en Puerto Rico con mis abuelos. Me llevaban al parque siempre, donde había de todo: carrusel, tobogán, sube y baja, columpios. Mi abuelo también cantaba muy bien.

  —¿Y cuáles son tus planes para el futuro? ¿Serás rapera profesional?

  —La idea me fascina, pero creo que llevaré una vida más sencilla. Sé que iré a la universidad porque la educación es muy importante. Creo que me dedicaré a algo interesante. Seré arquitecta o, ¿quién sabe?, abogada.

PASODOBLE

- ## CRUCIGRAMA: DÍAS DE FIESTA FAVORITOS *(20 puntos)*

    En sus cartas a *Pasodoble* ustedes nos escribieron sobre los días de fiesta que recuerdan mucho. Completa el crucigrama en tu hoja para respuestas con la palabra que corresponda a cada pista.

- ## CONSEJOS PARA LOS LECTORES QUE VAN DE VACACIONES *(10 puntos)*

    Aquí les damos "recetas perfectas" para ayudar a los lectores que van de vacaciones. Lee cada una y luego indica cuál es (cuáles son) la(s) letra(s) correcta(s).

    ### A. Si vas al campamento de verano

    Los "ingredientes": medicinas, cosas prácticas, aparatos para protegerse, ropa apropiada

    Las instrucciones: Ten cuidado con los mosquitos y las abejas si eres alérgico(a). Protégete del sol. Escucha los consejos del guía. No camines solo(a) en el bosque y tampoco salgas solo(a) de noche. Lleva botas, suéteres y una chaqueta para protegerte del frío.

    ### B. Si viajas a otro país

    Los "ingredientes": posesiones personales, documentos, ropa apropiada, poco equipaje, medicinas en caso de emergencia

    Las instrucciones: No traigas demasiado equipaje. No pongas en la maleta posesiones de valor como el tocacintas y tus discos compactos. Disfruta del ambiente del país y no esperes que siempre te hablen en inglés. Lleva ropa apropiada si te invitan a un lugar formal. Haz una lista de personas a las que se puede llamar en caso de emergencia. Pasa por la aduana y cambia tu dinero al del país.

    ### C. Si viajas por avión

    Los "ingredientes": documentos de identidad, una maleta pequeña con las posesiones personales, reservaciones, paciencia

    Las instrucciones: Haz las maletas mucho tiempo antes del viaje. Factúralas al llegar al aeropuerto, pero siempre lleva a mano una pequeña con tus posesiones más importantes. Consigue tu tarjeta de embarque antes de abordar. Abróchate el cinturón siempre al despegar y aterrizar. No molestes a los otros pasajeros si no quieren conversar.

- ## MI CASA TENDRÁ... *(10 puntos)*

    Cuando les preguntamos qué aparatos tendrá la casa del futuro, sus respuestas nos indicaron que la mayoría está de acuerdo sobre diez aparatos en particular. Empareja cada palabra con la definición correspondiente.

PASODOBLE

- **LO QUE VIMOS ESTE MES** *(10 puntos)*

Nuestros jóvenes reporteros, Iñaki y Leti, fueron al cine y al teatro este mes para ofrecerles sus recomendaciones a nuestros lectores. Léelas y luego empareja los títulos con una descripción.

A. SÓLO TÚ ☆☆☆ Me gustó mucho esta película y creo que a ustedes también les gustará. Me llamó la atención la descripción que leí en el periódico: "Esperó toda su vida por el hombre que el destino le prometió y cuando ya no lo esperaba, él apareció, pero muerto." La dirección y actuación fueron impresionantes. Para los que quieran llorar un poco, recomiendo esta historia de amor "escrita en las estrellas." *Iñaki*

B. LA NOCHE DE LAS NARICES FRÍAS ☆☆☆☆ Recientemente reapareció esta película sobre 101 perros dálmatas y me alegró mucho. Tiene todos los elementos necesarios para que ustedes se diviertan y pasen momentos de entretenimiento sano, pero también saltarán de susto y de emoción. A mis padres también les gustó mucho. *Leti*

C. UN BANQUETE DE BODAS ☆☆☆☆ Esta película fue nominada al Óscar como mejor película hecha en otro país. No se decepcionen con el título porque la verdad es que la película es una comedia y no es tan seria. Esta película les invita a una boda donde todos quieren besar a la novia . . . excepto el novio. La fotografía y el guión me gustaron mucho. *Iñaki*

D. LA ISLA DE LOS NIÑOS ☆☆ En esta obra teatral, el galán y la heroína invitan al público a viajar en el mundo de la fantasía del teatro en una historia llena de aventuras, música, bailes y canciones. Encontré un poco de todo en esta producción, gente mala y buena y, sin duda, entretenimiento y sana diversión para toda la familia. *Iñaki*

- **PARA DIVERTIRTE: HAZ UN FOLLETO**

Querido lector, ¡participa en nuestro concurso! En una hoja aparte, haz un folleto que ayude a los jóvenes a no tener esos accidentes que ocurren frecuentemente en el verano. En tu folleto dibuja personas que tuvieron diferentes accidentes o problemas. Al lado del dibujo escribe una palabra o expresión que indique qué necesita cada persona después del accidente o problema. También escribe algo para indicar cómo pueden protegerse en el futuro.

- **PARA HABLAR: TU FUTURO** *(20 points)*

Antes de terminar nuestra edición de aniversario, *Pasodoble* quisiera saber cuáles son tus predicciones para el futuro. Háblanos de cómo crees tú que serán la ropa, las comidas y bebidas, nuestras casas y aparatos eléctricos, los trabajos y profesiones del futuro. ¿Qué papel tendrá la tecnología?

PASODOBLE

- **¿QUIÉNES SON NUESTROS LECTORES?** *(12 puntos)*

  ____ **1.** Su escuela no es estricta sobre las reglas de vestir.

  ____ **2.** No puede llevar maquillaje en su escuela.

  ____ **3.** Esta persona está muy ocupada este año.

  ____ **4.** Les gustaría escribirles a estudiantes que estén interesadas en materias académicas.

  ____ **5.** Quisiera dedicarse al mundo de la literatura.

  ____ **6.** Pasa más tiempo con los amigos que con las actividades extracurriculares.

- **¿CÓMO SON NUESTROS LECTORES?** *(8 puntos)*

  1. __ o __   __ c __ s __ a m __ __ __

  2. s __ __   __ e __ i __ __ a __

  3. m __ __   __ e s __ i __ r t __ __

  4. __ e i __ __ a __ s __ __

- **EL RAP A RITMO DE PASODOBLE** *(10 puntos)*

  1. A Sarasonora le encantaba bailar.   Sí   No

  2. No era muy atrevida de niña.   Sí   No

  3. Se portaba mal a veces cuando era pequeña.   Sí   No

  4. Es la única persona en su familia que tiene talento musical.   Sí   No

  5. A su abuelo le encantaba jugar en los columpios.   Sí   No

  6. De pequeña pasaba mucho tiempo con sus parientes.   Sí   No

  7. La música será más importante en su futuro que los estudios académicos. Sí   No

  8. Sarasonora empezó cantando canciones de rock.   Sí   No

  9. Ella ya es una rapera muy conocida.   Sí   No

  10. Ella está muy aburrida con la música que compone.   Sí   No

PASODOBLE

• CRUCIGRAMA: DÍAS DE FIESTA FAVORITOS *(20 puntos)*

HORIZONTALES

2. Siempre celebrábamos el Día del _____ el tercer domingo de junio.

4. Siempre le dábamos algo bonito para celebrar con ella el Día de la _____ .

6. Mi familia y yo nos reuníamos siempre el 24 de diciembre. ¡Me gustaba mucho esa fiesta!

8. El 31 de octubre nos vestíamos de gente famosa y nos divertíamos mucho.

10. Mis abuelos le compraron un reloj a mi hermano porque el 16 de junio terminó sus estudios de secundaria. Todos celebramos su _____ .

VERTICALES

1. Siempre comíamos pavo relleno el Día de Acción de _____ .

3. En Latinoamérica celebran el 12 de octubre, el Día de la _____ .

6

PASODOBLE

5. ¡Qué alegría! Mi prima se casó la semana pasada. Toda la familia fue a su

_____ .

7. Mi novio me compró rosas y chocolates. ¡Me encanta el Día de los _____ !

9. El 25 de diciembre siempre íbamos a casa de mis tíos para celebrar. Me encantaban los

juguetes que recibía cada año.

- **CONSEJOS PARA LOS LECTORES QUE VAN DE VACACIONES** *(10 puntos)*

____ **1.** Lleva pilas y una linterna.

____ **2.** No lleves una olla.

____ **3.** Siempre ten repelente y calamina a mano.

____ **4.** Pide ayuda si te enfermas en el vuelo.

____ **5.** No pongas toallas en la maleta, pero sí lleva un despertador.

____ **6.** Ten cuidado con los animales venenosos.

____ **7.** Conversa en el idioma del país donde aterrizas.

____ **8.** Ponte bronceador.

____ **9.** Consigue cheques de viajero antes de salir de viaje.

____**10.** No olvides los fósforos.

- **MI CASA TENDRÁ...** *(10 puntos)*

a. secador	**e.** horno	**i.** extinguidor
b. calentador	**f.** ventilador	**j.** lavaplatos
c. fregadero	**g.** estante	
d. microondas	**h.** detector	

____ **1.** Será importante tenerlo si vivimos en un lugar frío.

____ **2.** Además de una estufa, nuestra casa tendrá este aparato eléctrico para calentar la comida más rápidamente.

____ **3.** Habrá muchos en todos los cuartos de mi casa porque leeré muchos libros.

____ **4.** Pondré uno en el baño para el pelo.

____ **5.** ¿Qué casa no tendrá un lugar donde lavarse las manos o los platos mientras cocinemos?

____ **6.** Todas las estufas tienen uno. Mi cocina tendrá dos para preparar la carne y otros platos calientes lentamente y con sabor.

____ **7.** En lugares donde hace mucho calor, la casa siempre necesitará este aparato.

PASODOBLE

_____ **8.** Siempre sabré si hay un incendio porque este aparato me dirá si hay humo en mi casa.

_____ **9.** Este aparato eléctrico será necesario para limpiar los utensilios de cocina mientras yo esté hablando con mis visitas.

_____**10.** En caso de un incendio en el garaje o en la cocina, en mi casa habrá varios aparatos en diferentes cuartos. Podré apagar el incendio más fácilmente.

- **LO QUE VIMOS ESTE MES** _(10 puntos)_

_____ **1.** No es la primera vez que los cines dan esta película.

_____ **2.** Esta película parece ser popular con toda la familia.

_____ **3.** El argumento de esta película romántica no es ni serio ni triste.

_____ **4.** A Iñaki le gustó esta película romántica con un argumento a veces triste.

_____ **5.** No podrán ver esta producción en el cine.

_____ **6.** No todos los personajes del argumento son animales.

_____ **7.** El personaje principal de esta producción no está vivo.

_____ **8.** El argumento de esta película trata principalmente de una fiesta.

_____ **9.** Ésta es una obra musical para jóvenes y mayores.

_____**10.** Una escena importante en esta película ocurre durante una celebración importante.

- **PARA DIVERTIRTE: HAZ UN FOLLETO**

- **PARA HABLAR: TU FUTURO** _(20 puntos)_

CAPÍTULO 1

A Tú y una amiga están mirando fotografías de tu familia. Mientras las miran, tú le dices cómo son tus parientes. Empareja *(match)* cada dibujo con la descripción apropiada y escribe la letra a la izquierda del número. *(50 puntos)*

a

c

e

b

d

f

____ **1.** Es mi tío Humberto. Es muy incomprensivo.

____ **2.** Me encanta mi tío Francisco. Es una persona muy tranquila.

____ **3.** Éste es Santi. Es mi primo, pero también es un amigo muy comprensivo.

____ **4.** Éste es mi primo Cristóbal. Prefiere quejarse de todo.

____ **5.** Mi otro primo Manuel siempre quiere ayudar y le encanta compartir todo.

B Paulina y Patricio están en la cafetería hablando de sus amigos. Subraya *(underline)* la palabra o la expresión que mejor complete la oración. *(50 puntos)*

1. —Beti siempre se lleva bien con todos, ¿verdad?

   —¡Qué va! Ella siempre quiere (entender / discutir).

2. —Respeto mucho a Julián.

   —Yo también. Siempre quiere (apoyar / enojarse) a los demás.

3. —Tú y Donald son amigos íntimos, ¿verdad?

   —¡Claro! Mantenemos una (discusión / amistad) muy buena desde hace dos años.

4. —¿Qué te parece Verónica? No tengo mucho en común con ella. ¿Y tú?

   —¡Pues yo sí! Ella me ayuda mucho y nunca me (da un consejo / hace caso) malo.

5. —¿Conoces a la nueva estudiante en la clase de biología?

   —Pues, no. No le (entendí / hice caso) a ella ayer.

CAPÍTULO 1

Fecha _____

A Marta es la directora de la obra de teatro que su escuela va a presentar en noviembre. Escribe la palabra que corresponda a la descripción de los personajes. *(40 puntos)*

1. La señora Mariel no es muy _____ .

2. Su hijo Justino no es _____ .

3. Ana, la hermana de Justino, es _____ .

4. No es una familia muy _____ .

B Quieres trabajar en la consulta *(doctor's office)* de un médico los sábados. Por eso, tienes que escribir una descripción personal. Selecciona la palabra o expresión de la lista que mejor complete las siguientes oraciones. Escribe la palabra en el espacio en blanco. *(60 puntos)*

llevarme bien con	dar consejos	enojarme	apoyarme	admirar
hacer caso a	los demás	mudarme	lo mejor	discutir con

1. Soy una persona muy amable. Me gusta _____ todos.

2. Me encanta ayudar a mis amigos con sus problemas. Me gusta _____

a otras personas.

3. No me gusta _____ mi familia ni con mis amigos. Prefiero escuchar

y entender a todos.

4. Creo que les debo _____ las personas que se quejan. A veces tienen

un problema importante que necesita atención.

5. También creo que es importante respetarse uno mismo y a _____ .

6. Ya sé que no puedo resolver todos los problemas siempre. Por eso debo tener un buen

sentido del humor, ser paciente y no _____ en una situación difícil.

A Tu amigo que vive en Venezuela te escribió una carta sobre las actividades que los jóvenes de su país hacen después de las clases. Encierra en un círculo *(circle)* la letra que mejor complete lo que tu amigo te escribió. *(50 puntos)*

1. Aquí en Venezuela todos participamos en actividades extracurriculares. Por ejemplo, los

   _____ a la música forman parte de una banda.
   a. asilos   **b.** aficionados

2. A los que les gusta escribir, pueden participar en _____ del periódico o de la

   revista literaria de la escuela.
   a. la discusión   **b.** la redacción

3. Los estudiantes que saben inglés pueden _____ a otros estudiantes.
   a. dar clases particulares   **b.** influir

4. Algunos practican deportes que la escuela no ofrece, como _____ .
   a. la esgrima   **b.** la campaña

5. Los trabajos comunitarios están _____ una gran popularidad entre los jóvenes

   venezolanos.
   a. inscribiéndose   **b.** adquiriendo

B Unos amigos están hablando de las actividades que quieren hacer después de las clases. Empareja las oraciones *(match the sentences)* y escribe la letra correcta a la izquierda del número. *(50 puntos)*

____ 1. Quisiera practicar un deporte que la escuela no ofrece.

____ 2. Creo que podría ayudar a otros estudiantes con sus materias.

____ 3. Me gustaría trabajar ayudando a las personas mayores de edad.

____ 4. Quisiera influir sobre los problemas del medio ambiente.

____ 5. Hay tantos niños sin padres. Me gustaría apoyarlos.

   a. Por eso debes participar en la campaña de reciclaje conmigo.
   b. ¿Quieres hablar con mi tía? Ella trabaja en una guardería.
   c. Yo también. ¿Por qué no trabajamos de voluntarios en el orfanato este año?
   d. Puedes ser ayudante en la clase de química conmigo.
   e. ¿Por qué no me acompañas al asilo los sábados?
   f. Pues, debes inscribirte en la clase de artes marciales.

CAPÍTULO 1

Fecha _____

A Tu mamá quiere saber qué actividades vas a hacer este año en los fines de semana. Escribe la palabra o expresión que mejor complete cada oración. Los dibujos te van a ayudar. *(60 puntos)*

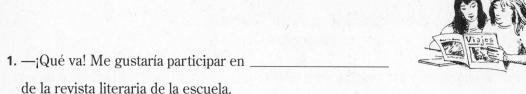

1. —¡Qué va! Me gustaría participar en _____

   de la revista literaria de la escuela.

2. —¿Por qué no practicas algún deporte, como _____ ?

3. —No, creo que no. Podría ayudar a las personas

   mayores de edad que viven en un _____ .

B Lucho quiere trabajar como voluntario después de las clases. Lee los anuncios que él encuentra en la oficina de los consejeros. Escribe la letra de la palabra o expresión que corresponda a cada anuncio. Usa cada palabra o expresión sólo una vez. *(40 puntos)*

a. un orfanato	**d.** influir	**g.** inscribirse
b. aficionado	**e.** ayudantes	**h.** campaña
c. adquirir	**f.** guardería	**i.** dar clases particulares

1. "Se buscan estudiantes para ser ___ en la clase de matemáticas."

2. "Para participar en la ___ política, deben ir a la reunión en la Sala 403, este viernes

   a las 3:30."

3. "Buscamos jóvenes para trabajar en nuestra ___ con niños de cinco años."

4. "¿Tienes un talento especial? ¿Tocas la guitarra? ¿Cantas? ¿Bailas? Escuela elementaria

   busca jóvenes para ___ ."

5. "___ necesita tres estudiantes para enseñar a los niños sobre la higiene."

Después de las clases trabajas en una guardería de niños. Los niños no se están portando muy bien hoy. Encierra en un círculo la letra que corresponda al mandato afirmativo correcto. *(100 puntos)*

1. Rodolfo, ¡ _____ tu sandwich!
  a. coma   **b.** come   **c.** comas   **d.** comes

2. María Soledad, ¡ _____ bien con tus amiguitos!
  a. te portas   **b.** pórtate   **c.** se porte   **d.** pórtese

3. Raquel, ¡ _____ tus marcadores con Virginia!
  a. comparte   **b.** compartas   **c.** comparta   **d.** compartes

4. Leonardo, ¡ _____ que no estás en casa!
  a. recuerde   **b.** recuerdes   **c.** recuerda   **d.** recuerdas

5. Mario, ¡ _____ con tus juguetes y no con los de Raquel!
  a. juega   **b.** juegue   **c.** juegas   **d.** juegues

6. Ay, Tere, ¡ _____ tus dibujos a los otros niños!
  a. muestra   **b.** muestres   **c.** muestras   **d.** muestre

7. Lucas, ¡ _____ el oso de peluche a Mario!
  a. devuelva   **b.** devuelvas   **c.** devuelves   **d.** devuelve

8. Inés, ¡ _____ la luz! No es posible ver nada aquí.
  a. enciendas   **b.** encienda   **c.** enciende   **d.** enciendes

9. Enrique, ¡ _____ a Rodolfo en el juego!
  a. incluye   **b.** incluyes   **c.** incluya   **d.** incluyas

10. Rosi, ¡ _____ perdón a tus amiguitos! No debes comer su helado.
  a. pida   **b.** pide   **c.** pidas   **d.** pides

CAPÍTULO 1

Fecha _____

A Tus amigos siempre te piden consejos porque eres muy inteligente. Encierra en un círculo la letra del mandato afirmativo que complete tus consejos. *(70 puntos)*

1. —Mis amigos nunca me escuchan.

—Pues, _____ que los buenos amigos siempre escuchan.
a. dígales　　**b.** les dices　　**c.** diles　　**d.** les digas

2. —Siempre llego tarde a mi primera clase por la mañana.

—Pues, _____ más temprano de tu casa.
a. sal　　**b.** sales　　**c.** salga　　**d.** salgas

3. —Mis maestros no me dan buenas notas en los exámenes.

—Pues, _____ más caso en la clase.
a. hazles　　**b.** les hagas　　**c.** hágales　　**d.** les haces

4. —No tengo ninguna amistad íntima.

—Pues, _____ más amable y generoso con tus amigos.
a. sé　　**b.** sea　　**c.** seas　　**d.** eres

5. —Estoy muy aburrido. No tengo nada que hacer.

—Pues, _____ al club de teatro o al club literario. Son muy interesantes.
a. vayas　　**b.** va　　**c.** vea　　**d.** ve

6. —Mis amigos dicen que la ropa que llevo es muy fea.

—Pues, _____ algo más a la moda. Conozco una tienda muy buena.
a. póngase　　**b.** te pones　　**c.** ponte　　**d.** te pongas

7. —No me gustan los programas que ve mi familia en la tele.

—Pues, _____ a mi casa. Tenemos dos teles y puedes ver tus programas favoritos.
a. ven　　**b.** sal　　**c.** vienes　　**d.** venga

B Estás hablando con Laura, una nueva estudiante en tu escuela. Laura quiere pasarlo bien en la clase de español. Por eso tú le das tres consejos. Escribe la forma correcta del mandato afirmativo de los verbos entre paréntesis. *(30 puntos)*

Es una clase muy buena y el profesor es excelente. Si quieres pasarlo bien este año,

_____ mucho en español, _____ todas las composiciones

y _____ a todas las preguntas del profesor. ¡Yo te ayudo si quieres! (hablar / escribir / responder)

A Carolina está hablando con Emilio sobre sus relaciones con los demás porque Emilio se queja de no tener buenos amigos. Escribe el pronombre del complemento directo correcto en el espacio en blanco. *(80 puntos)*

1. —¿Conoces bien a tus amigos?

   —No, no _____ conozco muy bien.

2. —¿Te influyen mucho tus amigos?

   —No, nunca _____ influyen.

3. —¿Llamas frecuentemente a tu amiga Patricia?

   —Pues, no. No _____ llamo mucho.

4. —¿Ves a tu amigo Juan todos los días?

   —No, no _____ veo mucho.

5. —¿Entiendes siempre a tus hermanas?

   —Nunca _____ entiendo. No hablamos mucho.

6. —¿Discutes tus problemas con tu familia?

   —No, no _____ discuto con ellos.

7. —Y tus padres, ¿hablan contigo y con tus hermanas a menudo?

   —No, no _____ hablan mucho porque siempre están trabajando.

8. —Emilio, ¿quieres mi consejo?

   —Sí, Carolina, por favor. _____ respeto mucho a ti y sé que sabes mucho.

   —Pues, Emilio, hay que hacer más caso a las amistades y a la familia. Para tener buenos

   amigos *tú* tienes que ser un buen amigo.

B Trabajas en un asilo los fines de semana. A veces tienes que contestar las preguntas de la gente mayor que vive en el asilo. Escribe el pronombre del complemento indirecto correcto en el espacio en blanco. *(20 puntos)*

1. —¿Escribes muchas cartas a tus abuelos?

   —¡Sí! _____ escribo todos los meses.

2. —¿Qué haces para ayudar a tu mamá?

   —A veces _____ preparo la cena y luego lavo todos los platos.

3. —¿Y qué haces para ayudar a tus amigos?

   —Pues, _____ presto mis apuntes o dinero para comprar el almuerzo.

4. —¿Siempre dices la verdad?

   —¡Naturalmente! Siempre _____ digo la verdad a todos.

Estás hablando con unos amigos sobre los trabajos o las actividades que hacen después de las clases. Para completar la conversación, escoge de la lista la expresión correcta y escríbela en el espacio en blanco. Puedes usar las expresiones más de una vez. *(100 puntos)*

lo mejor   lo bueno   lo peor   lo malo   lo que   lo más   lo menos

1. —Me encanta ser ayudante en la biblioteca. _____ más me gusta es que puedo ganar dinero y leer mis novelas favoritas.

2. —Pues a mí no me gusta nada mi trabajo de repartir periódicos. _____ es que no me pagan mucho dinero, pero _____ es que tengo que levantarme al amanecer.

3. —Yo trabajo en una guardería. _____ de mi trabajo es que me encantan los niños y _____ de todo es que me pagan muy bien.

4. —_____ interesante de mi trabajo es que estoy aprendiendo mucho sobre redacción. No gano dinero, pero me gusta mucho escribir para el club literario.

5. —Soy voluntaria en un asilo los sábados. Es más o menos interesante, pero _____ divertido es escuchar a las personas que se quejan frecuentemente.

6. —Tengo el mismo problema en mi trabajo. En la clínica mucha gente se queja del servicio. _____ debemos hacer tú y yo es no escucharlos.

7. —Doy clases particulares enseñando guitarra a unos niños. Algunos no tienen mucho talento, pero _____ importante es que están practicando y son muy aficionados a la música.

8. —Este año estoy practicando fútbol y me encanta. Pero _____ de esto es que llego a casa muy cansado y siempre tengo mucha tarea.

CAPÍTULO 1

Prueba cumulativa

A Recibes una revista de México que incluye información y fotos de jóvenes que quieren escribirse con jóvenes de otros países. Escribe la palabra que corresponda a cada dibujo. *(16 puntos)*

1. "Soy una chica un poco _____ , pero muy amable."

2. "No soy ni tacaño ni _____ ."

3. "Mis amigos dicen que soy una persona muy _____ ."

4. "Soy un poco seria y muy _____ ."

B Victoria y Elena están describiendo a algunos de los amigos que las dos conocen. Empareja las frases de su conversación y escribe la letra correcta en tu hoja para respuestas. *(16 puntos)*

1. Tus amigos son tan considerados.

2. ¡Eugenio se enoja siempre!

3. ¡Qué buen sentido del humor tiene Lucía!

4. Eusebio siempre nos da buenos consejos.

    a. Por eso nunca se lleva bien con nadie.
    b. Sí, y nunca piensan en los demás.
    c. Es verdad. Por eso le hago mucho caso.
    d. Por eso todos lo pasan muy bien con ella.
    e. Es verdad. Se quejan de todo.
    f. Sí. Me apoyan mucho.

C Quieres ayudar a un nuevo estudiante en tu escuela y le vas a decir lo que tiene que hacer. Escribe la forma correcta del mandato afirmativo. *(16 puntos)*

1. _____ (poner) tu mochila en un lugar seguro.

2. _____ (hacer) caso al profesor de inglés.

3. _____ (ir) a tus clases siempre.

4. _____ (inscribirse) en un club. Hay algunos que son muy buenos.

CAPÍTULO 1

D Reinaldo y Margarita están pensando en qué actividades les gustaría hacer después de las clases. Escribe la palabra o expresión que mejor complete su conversación. *(12 puntos)*

la esgrima   el ayudante   dar clases particulares   la redacción   adquirir

1. ¿Te gustaría aprender _____ ?

2. Podría inscribirme en el club literario. Me gusta mucho _____ .

3. Me gusta mucho ayudar a otros. Podría _____ de matemáticas.

E Fuiste a una agencia que ofrece empleos porque estás buscando un trabajo para los fines de semana. Empareja las descripciones de la lista con los trabajos que la agencia ofrece. Escribe la descripción en tu hoja para respuestas. *(16 puntos)*

aficionado a la música   habilidad en redacción
paciente con los mayores de edad   aficionado a las artes marciales
paciente con los menores de edad   interesado en recoger periódicos y latas

1. "Guardería, los sábados, de las 7:30 de la mañana hasta las 6:30 de la tarde"

2. "Trabajo en un asilo, los domingos, de la 1:00 hasta las 5:00 de la tarde"

3. "Gimnasio, de lunes a viernes, de las 6:00 a las 9:00 de la noche"

4. "Centro de reciclaje, los sábados y domingos, horas flexibles"

F Guadalupe se queja mucho de sus tíos. Escribe la expresión o el pronombre que mejor complete lo que ella dice. *(24 puntos)*

lo menos   lo peor   lo más   les   nos

lo malo   lo que   le   me   los

¡Qué aburridos son mis tíos! __1__ es que mamá __2__ invitó a traer las fotografías de sus vacaciones en junio. Y __3__ de todo esto es que está lloviendo y no podremos escaparnos. __4__ más __5__ enoja de mi tío es que siempre __6__ quiere hablar cuando estamos ocupados. Y __7__ interesante es que él siempre habla de su buen sentido del humor. ¡Sentido del humor es __8__ que tiene!

Nombre _____

CAPÍTULO 1

Fecha _____

A *(16 puntos)*

1. _____ 3. _____

2. _____ 4. _____

B *(16 puntos)*

1. _____ 3. _____

2. _____ 4. _____

C *(16 puntos)*

1. _____ 3. _____

2. _____ 4. _____

D *(12 puntos)*

1. _____

2. _____

3. _____

E *(16 puntos)*

1. _____

2. _____

3. _____

4. _____

F *(24 puntos)*

1. _____ 5. _____

2. _____ 6. _____

3. _____ 7. _____

4. _____ 8. _____

CAPÍTULO 1

I. Listening Comprehension *(20 points)*

A. Tus amigos están hablando en la cafetería sobre sus familias. Escucha la descripción que hacen de cada persona. Después, emparéjalas con el dibujo apropiado.

B. Luis y Marta son muy comprensivos con sus amigos. Escucha las dos conversaciones y luego encierra en un círculo la mejor respuesta a cada pregunta.

II. Reading Comprehension *(20 points)*

El señor Robles escribió este boletín para un grupo de estudiantes de tu escuela. Después de leerlo, indica si las oraciones son verdaderas *(Sí)* o falsas *(No)* encerrando en un círculo las respuestas correctas.

BOLETÍN

7 de septiembre

¡Bienvenidos! Yo sé que todos se mudaron hace poco y que lo peor de mudarse a otra escuela es que pierden a los viejos amigos. Pues aquí van a encontrar amistades buenas. Como director de las actividades extracurriculares, me gustaría conocer a todos personalmente. Les recomiendo que vengan a la oficina de actividades, donde podrán encontrar información sobre las muchas actividades en las que pueden participar. Por ejemplo, tenemos un club para los aficionados a la esgrima o las artes marciales, un club literario y varios clubes de idiomas. Si les interesa trabajar como voluntarios, pueden ser ayudantes en las clases de ciencias o matemáticas. Algunos estudiantes dan clases particulares para ayudar a otros con las materias más difíciles. En nuestra oficina somos comprensivos y siempre les ayudaremos con buen sentido del humor.

III. Writing Proficiency *(20 points)*

Tu profesor(a) de español quiere que le escribas a un(a) estudiante latinoamericano(a). Escríbele una carta a tu nuevo(a) amigo(a) e incluye la siguiente información:

- tu descripción física y qué tipo de persona eres
- una descripción de tu mejor amigo o amiga
- las características que más admiras en otras personas
- quién te influye más y por qué

Lee tu carta otra vez *(again)* antes de entregarla. ¿Escribiste las palabras correctamente? Revisa *(check)* la concordancia *(agreement)* de los adjetivos y los verbos. ¿Escribiste sobre todas las ideas? ¿Hay variedad de vocabulario y expresiones en tu carta? Haz cambios si es necesario.

CAPÍTULO 1

IV. Cultural Knowledge *(20 points)*

Contesta en español según lo que hayas aprendido en el *Álbum cultural.*

¿Cómo pasan los jóvenes españoles e hispanoamericanos su tiempo libre? ¿Tienen algo en común sus actividades con las de los jóvenes de Estados Unidos?

V. Speaking Proficiency *(20 points)*

Es posible que tu profesor(a) te pida que hables sobre uno de estos temas.

A. Quieres trabajar como voluntario(a) en una guardería donde yo soy el/la gerente. En nuestra conversación, yo quisiera saber lo siguiente:

- tus características personales

- cómo te relacionas con los demás

- por qué crees que puedes ser buen voluntario(a)

- cómo puedes influir sobre los niños

Pregúntame a mí algo sobre mi trabajo.

B. Háblame de las actividades que tu escuela ofrece. Soy un(a) nuevo(a) estudiante y quisiera participar en algunas. También, dame consejos para conocer a más estudiantes. Hazme preguntas sobre ese tema.

Paso a paso 3

CAPÍTULO 1

Nombre

Fecha

Hoja para respuestas 1
Examen de habilidades

I. Listening Comprehension *(20 points)*

A. *(8 points)*

a

c

e

b

d

1. ___

2. ___

3. ___

4. ___

B. *(12 points)*

DIÁLOGO 1

1. **a.** Juana le da buen consejo.
   b. Pilar no es buena amiga.
   c. Pilar no le acompaña a la fiesta.

2. **a.** No respeta la amistad.
   b. Le encanta discutir.
   c. Nunca es considerada.

3. **a.** Le gusta dar consejos sobre la redacción.
   b. Entiende a otras personas.
   c. Les hace caso a los demás.

DIÁLOGO 2

4. **a.** Luis no le hace caso.
   b. Ignacio no quiere hablar con Mariana.
   c. Mariana no entiende a Luis.

5. **a.** Ignacio no debe mantener una amistad con Mariana.
   b. Ignacio debe enojarse con Mariana.
   c. Ignacio debe discutir el conflicto con Mariana.

6. **a.** Hay que compartir más en una amistad.
   b. Hay que tener más en común.
   c. Hay que llevarse mal con los demás a veces.

II. Reading Comprehension *(20 points)*

1. Este boletín les explica a los estudiantes sobre actividades extracurriculares. Sí No

2. El boletín es probablemente para los nuevos estudiantes. Sí No

3. No hay una actividad para los estudiantes interesados en otras culturas. Sí No

4. Este boletín no incluye información sobre las actividades extracurriculares que ofrece la escuela. Sí No

5. No hay ninguna actividad para los deportistas.   Sí   No

6. Los estudiantes no pueden ser ayudantes.   Sí   No

7. Es posible ser ayudante en las clases de química, álgebra o biología.   Sí   No

8. El señor Robles es el director de la escuela.   Sí   No

9. El boletín quiere influir a los estudiantes a inscribirse en las materias difíciles.   Sí   No

10. Hay un club para los estudiantes interesados en escribir poemas.   Sí   No

III. Writing Proficiency *(20 points)*

Hola, _____ :

_____

_____

_____

_____

_____

_____

Saludos,

_____

IV. Cultural Knowledge *(20 points)*

_____

_____

_____

_____

_____

_____

_____

V. Speaking Proficiency *(20 points)*

A Estás hablando con dos estudiantes que no conoces muy bien y les preguntas dónde viven. Subraya la palabra que mejor complete tu conversación con ellos. *(40 puntos)*

1. —Marta, ¿vives cerca de (un peaje / un rascacielos)?

2. —No, porque vivo en (una granja / una senda).

3. —Pablo, ¿viven ustedes cerca de (un camino / una autopista)?

4. —Sí, y queda cerca de un (puente / atasco).

B La semana pasada fuiste a visitar el pueblo donde vivías cuando tenías tres años. Escoge de la lista la palabra o expresión que mejor complete tu descripción del pueblo a una amiga. Escribe la letra en el espacio en blanco. *(60 puntos)*

a. bella	**d.** animado	**g.** jardines	**j.** ruido
b. sano	**e.** aislado	**h.** ciclistas	**k.** seguro
c. lleno de	**f.** conveniente	**i.** peaje	

Todo el pueblo me pareció muy ___ porque está ___ gente ahora. Hay más tráfico y por eso se oye más ___ día y noche. Es más ___ vivir ahora en el pueblo porque hay más tiendas y un centro comercial. También hay más fábricas y contaminación. Por eso creo que es menos ___ vivir allí. Sin embargo, el pueblo es todavía muy ___. No hay mucho crimen y todas las casas tienen ___ bonitos. Los fines de semana se ven muchos ___ porque les encanta salir y hacer un poco de ejercicio. Aunque está un poco ___ , me gustaría vivir en el pueblo porque tengo buenos recuerdos, pero prefiero vivir aquí en la ciudad porque yo creo que es ___ .

A Jacobo y sus amigos están conversando sobre la casa que les gustaría tener en el futuro. Completa su conversación con la palabra o las palabras que correspondan al dibujo. *(40 puntos)*

1. —Me encantaría vivir en el piso más alto de un _____ .

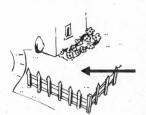

2. —Pues, yo prefiero tener una casa con _____ .

3. —Quisiera una casa lejos de la autopista y de los _____ .

4. —A mí me gustaría tener una casa en el campo con _____

blanca y muchas flores.

B Tus amigos te están describiendo los lugares donde vivían cuando eran niños. Subraya la palabra o las palabras que mejor completen cada frase. *(60 puntos)*

1. —No me gustaba mucho (el ruido / el sano) de la ciudad. Siempre había tantos

(peajes / peatones).

2. —A mí me gustaba mucho el campo porque era más (peligroso / seguro). También era

posible (tardar / cultivar) todo tipo de verdura y fruta fresca.

3. —Pues, nosotros no vivíamos tan (aislados / animados) como ustedes en el campo.

Tampoco teníamos tanto tráfico como ustedes en la ciudad porque estábamos en

(las sendas / las afueras).

A Tú y tus amigos no están de acuerdo sobre el lugar dónde prefieren vivir. Empareja tus opiniones con las de tus amigos. Escribe la letra a la izquierda del número. *(50 puntos)*

TÚ

____ **1.** Me encanta vivir donde el transporte público está al alcance de la mano.

____ **2.** No me molestan ni los atascos ni un lugar lleno de gente.

____ **3.** No me gustan las responsabilidades diarias de una casa en el campo.

____ **4.** La vida rural me aburre porque no ofrece actividades culturales.

____ **5.** Además, en la ciudad uno no paga tantos impuestos viviendo en un apartamento.

TUS AMIGOS

a. Pues, a mí sí porque me gustaría tener un jardín para cultivar flores y verduras.

b. A mí sí. Prefiero vivir aislado de tanta población.

c. A mí no. No me gusta la presión diaria de ir al trabajo en un autobús.

d. Prefiero pagar más dinero y tener el espacio de una casa grande con tierra.

e. Pues, a mí sí porque también hay autobuses, taxis y trenes en el campo.

f. El campo también tiene cines y teatros al alcance de la mano.

B Jorge y Juanita van a casarse en junio y necesitan escoger un lugar dónde vivir. Subraya la palabra o las palabras que mejor completen su conversación. *(50 puntos)*

JUANITA   Mi amor, quisiera tener una casa (rural / en las afueras) para no estar tan lejos de la ciudad.

JORGE   Pues, yo prefiero (los impuestos / el paisaje) que ofrece el campo.

JUANITA   Yo creo que el campo es muy (cultivado / idealizado) por la gente. Hay lugares bellos en el campo, pero no es tan conveniente.

JORGE   Si uno vive en el campo, hay menos (presiones / oportunidad).

JUANITA   Sí, mi amor, pero en las afueras puedes tener algunas de las ventajas del campo y también (escaparte de / contribuir a) las presiones de la ciudad. ¿Verdad?

JORGE   Sí, mi amor. Vamos a ver…

A Tienes que escribir un informe sobre las ventajas y desventajas de vivir en un lugar determinado. Para completar tu informe, escoge de la lista un sinónimo *(synonym)* de la palabra o expresión subrayada *(underlined)* en cada oración. Escribe el sinónimo en el espacio en blanco. *(80 puntos)*

| de las afueras | contribuye | población | presiones | ofrece | rural |
| oportunidad | abundantes | escaparse | países | paisajes | cultiva |

_____ **1.** La ciudad ofrece <u>muchos</u> trabajos.

_____ **2.** Por un lado, hay muchas <u>responsabilidades</u> en la ciudad.

_____ **3.** Por eso la gente necesita <u>salir</u> de la ciudad a veces para encontrar un ambiente más tranquilo.

_____ **4.** Por otro lado, la ciudad le <u>da</u> a la gente más trabajos y una variedad de actividades culturales.

_____ **5.** La vida del campo les da a todos la <u>posibilidad</u> de disfrutar de la naturaleza.

_____ **6.** Hay <u>vistas</u> y <u>panoramas</u> maravillosos en el campo.

_____ **7.** Además, <u>el número de personas</u> es menor y por eso hay menos atascos, contaminación y ruido.

_____ **8.** Sin embargo, la vida <u>del campo</u> también tiene sus desventajas. A veces uno está muy aislado de un ambiente animado.

B Algunos de tus amigos tienen opiniones opuestas *(opposite)* a las tuyas. Para completar tu conversación con ellos, escoge de la lista el antónimo *(antonym)* o idea opuesta de la palabra o expresión subrayada. Escríbelo en el espacio en blanco. *(20 puntos)*

al alcance de la mano   contribuir   impuestos   diferente   espacio   diario

1. —Quisiera tener <u>lo mismo</u> que mis padres, una casa en las montañas.

—Pues yo no. Quisiera tener algo _____ , como una casa en la playa.

2. —Me gusta practicar deportes <u>de vez en cuando</u>.

—Pues, a mí no. Prefiero hacerlo a _____ .

3. —Me gusta vivir cerca de mis vecinos. Prefiero tener <u>menos distancia</u> entre mis vecinos y yo.

—Pues yo no. Yo prefiero tener mucho _____ entre casas.

4. —Me gustaría vivir <u>lejos</u> de mi trabajo y de los negocios.

—Pues yo no. Quiero tener todo _____ .

A Estás escribiéndole una carta a un amigo sobre los buenos recuerdos *(memories)* que tienes de cuando vivías en el campo. Escribe la forma correcta del tiempo imperfecto de los verbos que están entre paréntesis. *(36 puntos)*

Hola, Gabriel:

Mi familia y yo _____ (vivir) en una casa grande. Mi cuarto _____

(estar) en el segundo piso. En mi cuarto _____ (haber) muchos juguetes, mis

bloques, el oso de peluche y mi colección de dinosaurios. No _____ (tener)

hermanos. Por eso me _____ (gustar) jugar con mi vecino, Justino. Él

_____ (ser) muy amable. Justino y yo _____ (montar) en triciclo

a menudo. (nosotros) _____ (ir) por una senda cerca de nuestras casas. Por la

senda (nosotros) _____ (oír) los diferentes pájaros que _____ (cantar) y

(nosotros) _____ (comer) las manzanas que se caían de los árboles. ¿Y tú, Gabriel?

¿Qué _____ (hacer) tú en la ciudad?

B En una conversación con tus amigos, ustedes están hablando de cómo son ahora y de cómo eran hace diez años. Cambia los verbos del presente al imperfecto para completar la conversación. *(64 puntos)*

1. —Ahora yo no soy callado, pero a los cinco años _____ muy tímido.

2. —Mis hermanos y yo somos obedientes ahora, pero a los cuatro años _____

   bastante desobedientes.

3. —Ahora veo películas románticas, pero a los cinco años siempre _____

   los dibujos animados.

4. —No hay ningún juguete en mi cuarto ahora, pero antes _____ muchos.

5. —Siempre obedezco a mis padres ahora, pero a los cuatro años no les _____

   mucho.

6. —Ahora me encanta ir a la playa, pero a los cinco años nunca _____ .

7. —No juego mucho con mis trenes ahora, pero a los seis años _____ todo

   el tiempo con ellos.

8. —Mi familia y yo comemos en diferentes restaurantes ahora, pero antes siempre

   _____ en casa o con los abuelos.

Tu profesor(a) de español te preguntó cuál es el lugar que más recuerdas de tu infancia. Tú decides hablarle de cuando viviste en la ciudad. Escoge los verbos correspondientes de la lista y escribe la forma correcta del imperfecto en los espacios en blanco. Puedes usar un verbo más de una vez. *(100 puntos)*

cuidar   haber   jugar   tener   saber   estar   oír   ser   ir

De mi infancia recuerdo bien el año que vivimos en un apartamento en la ciudad. Yo

_____ cinco años y nosotros no _____ mucho dinero. Sin embargo, yo no

lo _____ porque nosotros siempre _____ buenos desayunos, almuerzos y

cenas. Mi madre _____ muy buena cocinera. Nuestro apartamento _____

en el quinto piso. Por eso yo _____ con mis juguetes en mi cuarto. _____

demasiado tráfico y peatones en la calle y era imposible jugar enfrente del apartamento. Mis

padres _____ al trabajo de lunes a viernes y una vecina, quien era de Nicaragua, me

_____ todos los días menos los sábados y los domingos. Me gusta más vivir en las

afueras donde ahora tenemos una casa, pero tengo muy buenos recuerdos de ese año que viví

en la ciudad.

Ricardo y Catalina están hablando del pueblo de su infancia. Catalina fue a visitarlo hace una semana y Ricardo quiere saber cómo es el pueblo ahora. Cambia el verbo que está entre paréntesis a la forma correcta del participio pasado y escríbelo en el espacio en blanco. *(100 puntos)*

1. —¿Cómo está el pueblo ahora, Catalina? ¿Están _____ todas las calles como antes? (animar)

2. —¡Qué va! La mayoría de los negocios están _____ y hay muy poca gente. Pocas tiendas están _____ y tampoco nuestra escuela elementaria. (cerrar / abrir)

3. —Y de noche, ¿están _____ las luces del parque? Me encantaba ir al parque con mi familia las noches de verano. ¿Están todavía el carrusel y el columpio? (encender)

4. —Pues, el parque quedó en muy malas condiciones después de la inundación. Las luces están siempre _____ y el carrusel está _____ . No había ningún columpio. También hay más pobres en el pueblo. Cuando yo fui, muchos estaban _____ en el parque porque no tienen dónde dormir. (apagar / romper / dormir)

5. —¡Qué lástima! ¿Y el puente que cruzábamos para llegar a la escuela? ¿Está todavía _____ con las luces de colores? (decorar)

6. —Ricardo, todo es tan diferente. El puente ya no está _____ en el mismo lugar. Después de la inundación, lo construyeron en otro lugar más conveniente. El río ya no está limpio como antes. Está _____ de la basura que echa la gente. Sí, Ricardo, nuestro pueblo ya no es el pueblo de nuestra infancia. (situar / contaminar)

CAPÍTULO 2

A El verano pasado, mientras estabas de vacaciones, sacaste unas fotos. Las pusiste en tu álbum y ahora quieres escribir algo para identificar cada foto. Escribe la palabra o las palabras que correspondan a las fotos de tu álbum. *(32 puntos)*

1. Viajamos por _____ y vimos _____ muy bonitos.

2. Vimos muchos _____ por los _____ del campo.

3. Cruzamos _____ antiguos donde había muchos _____ .

4. Me encantaron las _____ y las casas con _____ pintadas de blanco.

B Los padres de Eugenia quieren mudarse de casa, pero Eugenia prefiere quedarse donde están ahora. Escribe la palabra o la expresión que mejor complete la conversación de Eugenia con sus padres. Usa cada palabra o expresión sólo una vez. *(18 puntos)*

| al alcance de la mano | el peaje | atascos | la vida |
| la vida urbana | aislados | presión | campo |

1. —Pero papá, dices que no te gusta ir a la ciudad en coche porque hay tantos

_____ . También tienes que pasar por _____ y pagar dos dólares

todos los días.

2. —Sí, Eugenia, pero ahora nada está _____ . Tenemos que ir de compras muy

lejos de la casa.

3. —Y tú, mamá, dijiste que te gusta vivir aquí porque _____ aquí es más segura.

Hay más tranquilidad y menos _____ .

4. —Sí, Eugenia, pero ahora me gusta la idea de mudarme del _____ para vivir

en la ciudad.

CAPÍTULO 2

C La abuela de Claudio está pensando en los días de su infancia. Cambia los verbos del presente al imperfecto para completar lo que ella dice. *(18 puntos)*

1. Ahora hay más violencia. Antes no _____ mucha.

2. Los vecinos no hablan mucho ahora. Antes todos _____ siempre.

3. Comemos verduras y frutas enlatadas ahora. Antes siempre las _____ frescas.

4. Ahora es peligroso caminar por las calles. Antes no _____ tan peligroso.

5. No veo mucha gente elegante ahora. Antes _____ más.

6. Nunca vamos al parque para divertirnos. Antes _____ todos los domingos.

D Los abuelos de Esperanza están hablando de sus experiencias en la ciudad y en el campo porque vivieron en los dos lugares. Empareja cada oración con otra que exprese la idea opuesta. *(16 puntos)*

1. Sólo era posible ver cuadras y cuadras de rascacielos.

2. Se oía el ruido día y noche.

3. Había muchos peatones, atascos frecuentes y poco espacio en el centro.

4. ¡Qué maravilla la variedad de actividades culturales que siempre había!

a. Aislados de todo, nada interrumpía nuestra tranquilidad.

b. La población nunca pasaba de treinta mil.

c. Había una vista del paisaje maravillosa.

d. Todos preferían vivir en un ambiente más seguro.

e. Siempre hacíamos lo mismo los fines de semana porque no había televisión.

E Hoy cuando llegaste a la escuela, viste muchos letreros indicando algunos problemas. Escribe la forma correcta del participio pasado del verbo entre paréntesis para completar la información de los letreros. *(16 puntos)*

1. "No hay clases en el teatro hoy. Las luces no están _____ . No hay electricidad." (encender)

2. "No se puede practicar deportes en el gimnasio hoy. Las ventanas están _____ ." (romper)

3. "No hay electricidad en la cafetería hoy. La comida no está _____ ." (hacer)

4. "No se puede nadar hoy. La piscina está _____ por reparaciones." (cerrar)

CAPÍTULO 2

Hoja para respuestas
Prueba cumulativa

A *(32 puntos)*

1. _____
2. _____
3. _____
4. _____

B *(18 puntos)*

1. _____
2. _____
3. _____
4. _____

C *(18 puntos)*

1. _____
2. _____
3. _____
4. _____
5. _____
6. _____

D *(16 puntos)*

1. ____
2. ____
3. ____
4. ____

E *(16 puntos)*

1. _____
2. _____
3. _____
4. _____

CAPÍTULO 2

I. Listening Comprehension *(20 points)*

A. Te encontraste con unos amigos que hacía tiempo que no veías. Te están hablando de problemas que tuvieron hace poco. Empareja cada descripción con el dibujo apropiado.

B. Estás conversando con unos amigos sobre cómo es vivir en diferentes lugares. Escucha la descripción y luego emparéjala con el nombre del lugar donde la persona quisiera vivir.

II. Reading Comprehension *(20 points)*

Gregorio vive en Madrid y mantiene correspondencia por carta con su amigo Alejandro. Lee la carta que Alejandro le escribió a Gregorio. Después escoge la respuesta correcta.

Querido amigo Gregorio:

En tu última carta me preguntaste sobre mi infancia. Cuando tenía cinco años vivíamos en una granja con mis abuelos a unas diez millas de la autopista principal. Nuestra familia cultivaba una variedad de frutas y verduras y teníamos todo lo que necesitábamos, leche fresca de las vacas y huevos de las gallinas. Lo que más me gustaba de nuestra casa era el bello paisaje que veía desde mi cuarto en el segundo piso. ¡La vista de mi ventana era una maravilla! Podía ver el puente antiguo, el sendero que estaba al lado del río y las montañas a poca distancia.

Ahora siento que para mí la vida en la granja fue idealizada por mi familia y que esa vida no es tan atractiva. Sin embargo, la vida cambia y yo sigo otro sendero ahora, el que pronto me llevará a una oficina en un rascacielos muy lejos de la granja. Escríbeme pronto. Quisiera visitarte en Madrid este verano si es posible.

Saludos,

Alejandro

III. Writing Proficiency *(20 points)*

Para la tarea de español tienes que escribir una breve composición sobre el lugar donde viviste cuando tenías cinco años. En tu composición, incluye la siguiente información:

- una descripción completa del lugar
- qué te gustaba o no te gustaba del lugar
- lo que hacías allí
- qué oportunidades culturales ofrecía el lugar
- cuáles eran las ventajas o desventajas de vivir allí

CAPÍTULO 2

Lee tu composición otra vez antes de entregarla. ¿Escribiste las palabras correctamente? Revisa las terminaciones de los adjetivos y los verbos. ¿Escribiste sobre todas las ideas? ¿Hay una variedad de vocabulario y expresiones en tu carta? Haz cambios si es necesario.

IV. Cultural Knowledge *(20 points)*

Contesta en español según lo que hayas aprendido en el *Álbum cultural*.

Un amigo tuyo quiere pasarse un año en Hispanoamérica. Explícale las ventajas de vivir en algunos lugares que tú conoces.

V. Speaking Proficiency *(20 points)*

Es posible que tu profesor(a) te pida que hables sobre uno de estos temas.

A. Somos buenos(as) amigos(as), pero a veces tenemos opiniones diferentes. Hoy vamos a conversar sobre el lugar donde cada uno(a) quiere vivir. En tu conversación conmigo, yo quiero que me digas:

- dónde prefieres vivir

- por qué prefieres vivir allí

- las ventajas de vivir en el lugar que prefieres

- las desventajas de vivir en el lugar que yo prefiero

B. Háblame de una comunidad ideal. En tu descripción dime cuáles son algunas características de esa comunidad:

- dónde está situada

- qué hay en tu comunidad ideal

- qué hay allí para los jóvenes y para los mayores

Pregúntame algo sobre mi comunidad ideal.

Paso a paso 3

Nombre _____

CAPÍTULO 2

Fecha _____

Hoja para respuestas 1
Examen de habilidades

I. Listening Comprehension *(20 points)*

A. *(8 points)*

a

b

c

d

e

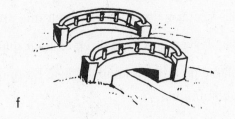

f

1. ____

2. ____

3. ____

4. ____

B. *(12 points)*

LUGAR

_____ las montañas

_____ la ciudad

_____ el campo

_____ el pueblo

_____ las afueras

II. Reading Comprehension *(20 points)*

1. Alejandro cree que
   a. la vida de la ciudad es idealizada.
   b. la vida rural es una maravilla.
   c. la vida del campo ya no es para él.

2. Cuando Alejandro era muy joven
   a. iba mucho a los mercados.
   b. su familia producía mucho de lo que comía.
   c. la familia iba a la ciudad todos los días.

3. El lugar donde ellos vivían era
   a. bastante rural.
   b. bastante urbano.
   c. bastante poblado.

4. Los abuelos de Alejandro
   a. le visitaban a menudo.
   b. buscaban una vida mejor en la ciudad.
   c. vivían en la misma granja.

5. En la granja, Alejandro
   a. tenía muchos quehaceres diarios.
   b. disfrutaba mucho con la naturaleza.
   c. jugaba con sus amiguitos del barrio.

III. Writing Proficiency *(20 points)*

_____
_____
_____
_____

IV. Cultural Knowledge *(20 points)*

_____
_____
_____
_____
_____
_____
_____
_____

V. Speaking Proficiency *(20 points)*

A Tú y unos amigos están conversando en un museo. Subraya la palabra que mejor complete tu conversación con ellos. *(40 puntos)*

1. —Soledad, ¿te gusta este (perfil / autorretrato)?

2. —Sí, pero prefiero aquella pintura de

(la naturaleza muerta / la paleta).

3. —Este (retrato / pincel) es muy bueno. Creo que El Greco lo pintó.

4. —Y éste también es muy bueno. Es (el perfil / el pincel) de un hombre.

B En tu clase de arte hay una exposición esta semana para los padres y los profesores. Selecciona la letra de la palabra o expresión que mejor complete lo que dicen los visitantes de la exposición. *(60 puntos)*

1. Me gusta mucho el paisaje en esta ___ .

   a. forma   **b.** obra   **c.** artista

2. Fíjate en ___ . Representa la historia de la escuela, me parece.

   a. este pastel   **b.** esta forma   **c.** este mural

3. ¿Qué se ve allí, en ___ ? ¿Es un perro o un gato?

   a. el estilo   **b.** el primer plano   **c.** el tono

4. Éste me parece muy triste. Hay tanta sombra y colores ___ .

   a. apagados   **b.** vivos   **c.** reflejados

5. Me gusta el ___ de esta pintura. Allí, detrás de la casa.

   a. reflejado   **b.** fondo   **c.** pincel

6. Allí ___ , encima de la figura, hay una mariposa.

   a. junto a   **b.** sentado   **c.** arriba

A Miguel Ángel y Emilia están conversando en una tienda de arte. Escribe la palabra que corresponda al dibujo. *(50 puntos)*

1. —Necesito comprar una nueva _____ para mi clase de arte.

2. —¿No necesitas un _____ también?

3. —Ah, sí. Tenemos que pintar un _____ para nuestro proyecto final.

4. —Nosotros tenemos que pintar un _____ en la cafetería.

5. —Mi hermano me va a hacer una _____ para mi dormitorio.

B Tú y unos amigos quieren comprarle un regalo a la profesora de arte. Empareja lo que tú dices con las opiniones opuestas de tus amigos. *(50 puntos)*

TÚ

____ 1. Me gusta mucho este cuadro de colores apagados.

____ 2. ¿Creen ustedes que le gustaría éste con los niños sentados?

____ 3. Me parece muy bien éste que tiene un paisaje en el fondo.

____ 4. No me gusta el cuadro que está arriba del cuadro de perros.

____ 5. Me encanta como se ve mucha luz en este cuadro.

TUS AMIGOS

a. Éste con los árboles en el primer plano es más interesante.

b. A mí no. Es mejor este cuadro que tiene tanta sombra.

c. El cuadro de abajo es mucho más interesante.

d. Este cuadro con la mujer de pie es más bonito.

e. La maestra prefiere colores vivos.

CAPÍTULO 3

A Estás preparando una breve presentación para tu clase de arte. ¿Qué palabras necesitas para completar tu informe? Escoge una palabra o expresión de la lista y escribe la letra en el espacio en blanco correspondiente. *(60 puntos)*

a. época	**d.** siglo	**g.** interpretaron
b. etapa	**e.** cubismo	**h.** realismo
c. estilos	**f.** punto de vista	**i.** trataron

1. Pablo Picasso fue un pintor español que pintó en varios ___ .

2. Su arte rompió con las tradiciones artísticas de esa ___ .

3. A veces las figuras de Picasso no son realistas porque son interpretaciones desde su ___ .

4. Picasso y otros artistas de su tiempo ___ de transformar la imagen de las figuras y los objetos.

5. Picasso es famoso por el ___ . En ese estilo predominan las formas geométricas.

6. Picasso vivió en el ___ XX.

B Toña tiene que terminar un informe sobre Salvador Dalí para su clase de español. Subraya la palabra o expresión que mejor complete cada oración de su informe. *(40 puntos)*

1. Muchos de los cuadros de Salvador Dalí expresan (etapas / temas / tonos) de sus propios sueños.

2. Sus ideas son del (subconsciente / mensaje / tema).

3. Antes de Dalí, los pintores (pusieron / quisieron / atrajeron) reproducir las sensaciones creadas por el color y la luz.

4. El arte de Dalí transforma el realismo en algo (abstracto / tratado / apagado).

5. En sus obras, los sueños (se transformaban / trataban de / criticaban) en cuadros.

A Estás haciendo un crucigrama sobre el tema del arte. Escribe la palabra de la lista que mejor complete cada definición. *(80 puntos)*

surrealismo inspiración realismo criticar etapas valor

transformaba sueños imagen épocas temas atraer

1. Movimiento artístico que cambiaba o _____ a las personas y los objetos en formas abstractas.

2. Un pintor que pinta exactamente lo que ve es un pintor del _____ .

3. Hay pintores que expresan las ideas de sus _____ . Por eso es difícil interpretar su arte a veces.

4. Un estilo de arte que expresa las ideas del subconsciente se llama el _____ .

5. Algunos artistas reciben su _____ de sus experiencias personales.

6. Hay personas que escriben sobre el arte. Su trabajo es estudiarlo porque lo quieren _____ para el público.

7. El _____ de una pintura a veces depende del nombre del pintor.

8. El estilo de un pintor cambia a veces porque las _____ de su vida personal cambian.

B En tu clase de arte, el profesor quiere saber qué aprendieron los estudiantes del informe que les presentó ayer. Completa cada frase con un sinónimo de la palabra subrayada. *(20 puntos)*

1. Picasso vivió casi cien años o casi un _____ .

2. La idea principal de una pintura es el mensaje o el _____ de la pintura.

3. Salvador Dalí pintaba lo que él veía en sus sueños o lo que estaba en su _____ .

4. El precio o el _____ de una pintura puede llegar a ser hasta de millones de dólares. Depende del nombre del artista y de la calidad de la pintura.

CAPÍTULO 3

Tú y algunos de tus amigos van a ver una exposición de arte moderno. Escribe el pretérito del verbo *poner* o *ponerse* para completar las conversaciones de las personas en la exposición. *(100 puntos)*

1. —Mónica, ¿dónde _____ tú los boletos para entrar en la exposición?

   —Creo que tú y papá los _____ en el bolsillo de la chaqueta.

2. —Guille, ¿te gusta este cuadro? Yo _____ muy alegre al verlo porque tiene

   colores muy vivos.

   —Pues, a mí no me gusta nada aquella pintura. Me parece que al ver el mar, el pintor

   _____ muy triste, ¿verdad?

3. —¿Ves al pintor allí al fondo de la galería? ¡Qué gracioso! Creo que él _____

   su propia imagen en la pintura.

   —Arturo y yo _____ furiosos con su obra. Tiene un valor de quince mil dólares

   y yo sólo veo dos líneas negras sobre un fondo blanco. ¡Quince mil dólares! ¡Fíjate!

4. —¿Por qué _____ ellos estas pinturas aquí? No hay bastante luz y son colores

   apagados. Mira, llegó Juan. ¡Hola!

   —¿Qué tal? Había mucho tráfico. Traté de no _____ impaciente, pero llegamos

   una hora tarde a la exposición.

5. —Señora, ¿dónde _____ usted la chaqueta? Encontramos ésta con dos boletos

   en el bolsillo. ¿Es suya?

   —Ay, sí. Yo la _____ encima de la silla enfrente del cuadro de Picasso. Fue tan

   emocionante ver la pintura original.

En la clase de historia del arte algunos estudiantes van a hacer el papel de artistas famosos. Otros(as) compañeros(as) los van a entrevistar. Completa las dos entrevistas con la forma correcta del pretérito del verbo entre paréntesis. *(100 puntos)*

PRIMERA ENTREVISTA

CRISTINA Señor Picasso, ¿qué le _____ más en su arte a principios del siglo XX? (influir)

PICASSO Pues, las máscaras de África me _____ mucho. (influir)

CRISTINA ¿Cree usted que el cubismo _____ al arte en general? (contribuir)

PICASSO Claro. Los otros artistas del cubismo y yo _____ mucho. Por ejemplo, todavía se ve mucho el cubismo en los anuncios comerciales. Y personalmente, yo sé que yo _____ en los movimientos artísticos de este siglo. ¿Es verdad, no? (contribuir / influir)

SEGUNDA ENTREVISTA

BENJAMÍN Señor Tamayo, ¿quiénes son los artistas que le _____ a usted? (influir)

TAMAYO Pues…, Rivera, Orozco…, Siqueiros. Pero en realidad la naturaleza me _____ más. (influir)

BENJAMÍN ¿Cree usted que los murales que usted pintó _____ al estilo de los otros muralistas? (contribuir)

TAMAYO Me gustaría pensar que sí. Veo en su arte elementos que yo considero importantes: forma, espacio y color. Además, ¿no te gustaría a ti decir algún día que tú _____ a otros movimientos artísticos? (contribuir)

BENJAMÍN ¡Claro que sí! Hace poco leímos que cuando usted termina de pintar por la tarde, le gusta ir bailar.

TAMAYO Es verdad, pero ¿dónde lo _____ ustedes? (leer)

BENJAMÍN En una revista de la biblioteca. Se llama *Américas*.

CAPÍTULO 3

Manuel y Paco están hablando en este momento de las actividades que estaban haciendo ayer. Completa su conversación con los verbos en la forma correcta del imperfecto progresivo. Recuerda que también necesitas usar el imperfecto del verbo *estar*. *(100 puntos)*

1. —Ayer a las tres Santiago y yo _____ en la clase de arte. (pintar)

2. —Pues a la una yo _____ en la cafetería. (comer)

3. —Sí, y a las dos tú _____ en la clase de historia. (dormir)

4. —Anoche a las nueve mi hermana le _____ a papá el coche para ir

al cine. (pedir)

5. —El sábado por la tarde Juana _____ una novela romántica, ¿verdad?

(leer)

6. —Sí, pero tú _____ un programa muy tonto en la tele. (mirar)

7. —¿Qué _____ ustedes ayer a las cuatro cuando nos vimos? (hacer)

8. —Nosotros _____ el mensaje que tú nos dejaste por teléfono.

(repetir)

9. —Tú _____ ayer sobre el accidente con mi mochila, ¿no? (mentir)

10. —No, en realidad yo _____ la verdad. ¡Fue un accidente! (decir)

En la clase de historia del arte de la profesora López, los estudiantes tienen que escribir informes sobre artistas famosos. Selecciona los tiempos correctos de los verbos para completar la información que los estudiantes ya tienen. Uno de los verbos debe estar en el pretérito y el otro en el imperfecto progresivo. *(100 puntos)*

1. Los padres de Francisco de Goya ___ en Zaragoza cuando el pintor ___ .
   a. vivieron
   b. estaban viviendo
   c. nació
   d. estaba naciendo

2. Goya ___ diferentes técnicas cuando ___ en un taller en Zaragoza.
   a. estaba aprendiendo
   b. trabajó
   c. aprendió
   d. estaba trabajando

3. Rufino Tamayo ___ en Oaxaca cuando su madre ___ en 1907.
   a. estaba viviendo
   b. estaba muriendo
   c. murió
   d. vivió

4. Pablo Picasso ___ su famoso cuadro *Les Demoiselles d'Avignon* cuando Rufino Tamayo

   ___ a vivir a la Ciudad de México en 1907.
   a. pintó
   b. fue
   c. estaba pintando
   d. estaba yendo

5. Cuando Pablo Picasso ___ el 8 de abril de 1973, Salvador Dalí todavía ___ .
   a. estaba muriendo
   b. pintó
   c. estaba pintando
   d. murió

6. En el famoso cuadro de Velázquez, *Las Meninas*, la niña rubia ___ cuando el

   pintor ___ a pintarla.
   a. jugó
   b. estaba comenzando
   c. estaba jugando
   d. comenzó

7. Cuando los padres de la niña rubia ___ en la sala para ver la pintura, Velázquez

   todavía ___ .
   a. pintó
   b. estaba pintando
   c. entraron
   d. estaban entrando

8. Diego Rivera ya ___ cuando ___ a Frida Kahlo, su futura esposa.
   a. estaba pintando
   b. pintó
   c. estaba conociendo
   d. conoció

9. Salvador Dalí todavía ___ en el estilo del realismo cuando ___ a transformar su arte

   en algo más abstracto.
   a. estaba pintando
   b. comenzó
   c. pintó
   d. estaba comenzando

10. Los muralistas mexicanos como Rivera y Tamayo ya ___ cuando yo ___ .
    a. estaba naciendo
    b. nací
    c. estaban pintando
    d. pintaron

Gramática en contexto / El uso del pretérito y del imperfecto progresivo   **45**

CAPÍTULO 3

Prueba cumulativa

A Estás en la clase de arte conversando con tus compañeros(as). Escribe la palabra o expresión que corresponda a cada dibujo. *(24 puntos)*

1. —¿Dónde están mis _____ y la _____ ? ¿Allí?

2. —No, están al lado del estudiante que está _____ y no al lado de la estudiante

_____ .

3. Este cuadro tiene demasiadas _____ y no me gusta _____ del hombre.

B Estás en un museo y escuchas a un grupo de jóvenes hablando sobre arte. Empareja lo que oyes con el término correcto de la lista. *(10 puntos)*

el impresionismo   el realismo   el cubismo

el surrealismo   el autorretrato   el mensaje social

1. Me gustan mucho las pinturas que representan la vida como la vemos exactamente. Por eso prefiero los cuadros del pintor español Velázquez. Él pintó naturalezas muertas y retratos que son casi como fotografías.

2. Yo prefiero una pintura que muestre la imaginación del pintor. Por ejemplo, las pinturas que representan los sueños del subconsciente me fascinan.

3. Este cuadro abstracto de una guitarra es impresionante. Presenta imágenes desde más de un punto de vista. Vemos todas las partes de la guitarra al mismo tiempo. Es una característica del estilo de Picasso de esa época.

4. Me gustaría pintar como Diego Rivera. En su arte están reflejadas la cultura, la historia y los problemas políticos de su país.

5. Quisiera ver más pinturas como ésta, en que el pintor trata de reproducir las sensaciones creadas por el color y la luz.

CAPÍTULO 3

C Dorotea está escribiendo un informe sobre la vida del pintor español El Greco. Completa esta parte de su informe con los verbos en el pretérito o en el imperfecto progresivo. *(32 puntos)*

Cuando El Greco (**1.** nacer) en 1541, su familia (**2.** estar / vivir) en la isla de Creta, en Grecia. De joven, El Greco (**3.** estudiar) arte con Ticiano y Tintoretto, dos pintores italianos famosos que (**4.** estar / influir) a otros pintores de esa época. Cuando el pintor (**5.** salir) de Italia en 1575, la ciudad española de Toledo (**6.** estar / atraer) a otros artistas por ser un centro cultural y religioso. El Greco (**7.** empezar) a pintar en Toledo en un estilo diferente, de figuras exageradamente alargadas y místicas, mientras otros pintores (**8.** estar / seguir) el estilo del realismo.

D El profesor de arte está haciendo comentarios sobre los cuadros que sus estudiantes están pintando. Primero, escribe la forma correcta del verbo *poner* en el pretérito. Después, cambia las palabras subrayadas a la palabra o expresión contraria. *(24 puntos)*

1. Eva y Alex, ¿por qué _____ tantos árboles en el primer plano?

2. Los _____ allí porque pensábamos que era mejor que ponerlos al

   _____ .

3. Eduardo, ¿por qué _____ Tito tantos colores apagados en su cuadro?

4. Tito los _____ porque hoy está de mal humor y me dice que no le gustan

   los colores _____ .

E La profesora está explicando a la clase de arte las instrucciones para escribir un informe. Completa su explicación con las palabras o expresiones apropiadas de la lista. Usa cada palabra o expresión sólo una vez. *(10 puntos)*

contribuyeron   inspiración   pinturas   obra   valor   temas

movimiento   influyeron   etapa   fijarse   mensaje   estilo

El informe debe incluir algo del __1__ personal del pintor. ¿Cómo sabemos siempre que es una __2__ suya? ¿Cuáles son las características de su trabajo? ¿De qué __3__ es? También, deben incluir información sobre el material que usó para crear sus __4__ .

Generalmente el arte representa algún __5__ artístico, como el cubismo. Además, quisiera saber algo de otros pintores que le __6__ o fueron su __7__ . Finalmente, ustedes deben __8__ en el __9__ que tenga el arte del pintor que escojan. En otras palabras, ¿por qué es el arte de esa persona tan conocido y famoso? ¿Cuál es su __10__ principal?

Nombre _____

CAPÍTULO 3

Fecha _____

A *(24 puntos)*

1. _____
2. _____
3. _____

B *(10 puntos)*

1. _____
2. _____
3. _____
4. _____
5. _____

C *(32 puntos)*

1. _____
2. _____
3. _____
4. _____

5. _____
6. _____
7. _____
8. _____

D *(24 puntos)*

1. _____
2. _____

3. _____
4. _____

E *(10 puntos)*

1. _____
2. _____
3. _____
4. _____
5. _____

6. _____
7. _____
8. _____
9. _____
10. _____

CAPÍTULO 3

I. Listening Comprehension *(20 points)*

A. Estás en una galería de arte donde varias personas están conversando. Escucha con atención los comentarios que hacen y selecciona el dibujo que mejor corresponda a cada uno.

B. Fuiste al museo para escuchar presentaciones sobre algunos artistas que te interesan. Después de escuchar dos, escoge *Sí* si la declaración es correcta o *No* si es incorrecta.

II. Reading Comprehension *(20 points)*

Al visitar un museo de arte moderno latinoamericano, lees este folleto. Escoge la respuesta correcta para completar cada oración.

El estilo de Fernando Botero es único. Sus figuras gordas y obesas nos atraen por ser tan originales, a veces grotescas y otras veces graciosas. Botero, pintor y escultor colombiano, nació en Medellín hace más de sesenta años. A los quince años ya estaba pintando. En todas partes busca la luz, los colores, la naturaleza tropical y los elementos que lo inspiran a pintar. Botero hace sus enormes esculturas en Italia. Según el artista, la escultura es como tocar una nueva realidad. De México, donde pasó un año, Botero dice que fue un país muy importante no sólo para él, sino para todos los pintores de su generación. Antes, los pintores del siglo pasado se inspiraban sólo en temas clásicos o mitológicos. Los grandes maestros mexicanos como Rivera, Orozco y Siqueiros le dieron a Latinoamérica importancia universal en el mundo del arte e inspiraron a jóvenes pintores como Botero.

III. Writing Proficiency *(20 points)*

Tienes que escribir un artículo sobre una pintura que te guste para el periódico de tu escuela. En tu artículo, incluye la siguiente información:

- una descripción completa de la pintura, incluyendo su tema o mensaje
- información personal y artística sobre el (la) pintor(a)
- los motivos sociales o políticos del (de la) pintor(a)
- cómo te afecta esa pintura

Lee tu artículo otra vez antes de entregarlo. ¿Escribiste las palabras correctamente? Revisa las terminaciones de cada palabra descriptiva y de los verbos. ¿Escribiste sobre todas las ideas? ¿Usaste una variedad de vocabulario y expresiones en tu artículo? Haz cambios si es necesario.

CAPÍTULO 3

IV. Cultural Knowledge *(20 points)*

Contesta en español según lo que hayas aprendido en el *Álbum cultural*.

Describe el arte de Diego Rivera y explica cómo sus raíces culturales influyeron en lo que pintó.

V. Speaking Proficiency *(20 points)*

Es posible que tu profesor(a) te pida que hables sobre uno de estos temas.

A. Tú y yo somos compañeros(as) en la clase de arte. Estamos conversando sobre algunos pintores hispanos y su arte. En nuestra conversación, háblame de:

- los pintores que te gustan o no te gustan
- una descripción de sus pinturas, incluyendo los temas y el estilo de su arte
- qué o quiénes les influyeron
- qué contribuyen esos pintores a la sociedad

B. Háblame de una pintura que te guste mucho. En tu descripción dime algo de las figuras o formas en la pintura. Explícame detalles específicos. Dime por qué crees que el (la) artista la pintó. Después, explícame por qué te gusta esta pintura. Dime qué valor tiene la pintura y por qué.

Pregúntame algo sobre una pintura que me guste a mí.

I. Listening Comprehension *(20 points)*

A. *(10 points)*

a

b

c

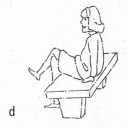

d

e

f

1. ___   **4.** ___

2. ___   **5.** ___

3. ___

B. *(10 points)*

PRIMERA PRESENTACIÓN

1. En las obras de Orozco, no vemos un punto de vista político.	Sí	No
2. Orozco es más conocido por sus murales que por sus pinturas.	Sí	No
3. Una característica de su arte es el uso de los colores vivos.	Sí	No
4. El pueblo mexicano influyó en Orozco y en sus temas artísticos.	Sí	No
5. Orozco vivió y murió en este siglo.	Sí	No

SEGUNDA PRESENTACIÓN

6. Diego Rivera sólo pintó en un estilo de arte.	Sí	No
7. Rivera es más conocido por sus cuadros que por sus murales.	Sí	No
8. Las tradiciones de México influyeron mucho en el estilo de Rivera.	Sí	No
9. Un tema importante de Rivera es el obrero mexicano.	Sí	No
10. Rivera criticaba a otros países en sus obras.	Sí	No

II. Reading Comprehension *(20 points)*

1. Fernando Botero
   a. vivió en el siglo pasado.
   b. nació en la época en que vivimos.
   c. murió antes de los sesenta años.

2. Según el folleto, Botero expresa su arte
   a. sólo con la pintura.
   b. sólo con la escultura.
   c. con la pintura y con la escultura.

3. En su obra, Botero pinta
   a. temas de su país solamente.
   b. figuras gordas y a veces graciosas.
   c. los puntos de vista de los italianos.

4. Botero encuentra inspiración
   a. en lugares diferentes.
   b. sólo en Italia.
   c. sólo en México.

5. Según el folleto, Botero
   a. se expresaba artísticamente desde muy joven.
   b. no tuvo éxito hasta que vivió en México.
   c. cree que sólo los pintores antiguos expresan temas importantes.

III. Writing Proficiency *(20 points)*

_____

_____

_____

_____

IV. Cultural Knowledge *(20 points)*

_____

_____

_____

_____

_____

_____

V. Speaking Proficiency *(20 points)*

A Cristina y Lorenzo están hablando por teléfono, tratando de decidir qué hacer esta noche. Escoge el dibujo que corresponda a la palabra o expresión subrayada. *(50 puntos)*

a

c

e

b

d

f

____ **1.** —Lorenzo, ¿quieres ir al centro comercial para <u>alquilar</u> el video de *Monstruos?*

____ **2.** —¡Qué va! Me hizo <u>bostezar</u> la primera vez que la vimos.

____ **3.** —¿Qué te pareció <u>la antena parabólica</u> que compró mi papá?

____ **4.** —Me encantó. <u>Me reí</u> mucho con el programa que vimos anoche.

____ **5.** —Yo también. Creo que lo voy a <u>grabar</u> esta noche.

B Estás entrevistando a tus compañeros de clase sobre programas en la televisión porque tienes que escribir un artículo para el periódico de la escuela. Subraya la palabra o expresión que mejor complete cada frase. *(50 puntos)*

1. —Raquel, ¿(has visto / he visto) algún programa en español esta semana?

2. —Pues, no, porque no tenemos (la multa / la televisión por cable).

3. —Jesús, ¿qué te pareció el noticiero anoche? ¿(Recientemente / Objetivo)?

4. —¿El noticiero? Nunca lo veo porque es bastante (subjetivo / informativo).

5. —Diana, ¿viste el comentario que (dieron / decidieron) anoche?

   —No, no lo vi.

CAPÍTULO 4   Fecha

Prueba **4-2**

A A tu mejor amigo(a) y a ti les gusta mirar la tele y los videos nuevos, pero nunca están de acuerdo sobre qué película alquilar. Escribe la palabra que corresponda al dibujo para completar tu conversación. *(40 puntos)*

1. —No vamos a estar en casa el sábado. ¿Me puedes _____

   el fútbol de México?

2. —¡Claro! ¿Puedes ir conmigo ahora para _____ unos videos?

3. —Sí, pero por favor, no quiero ver *Drácula III* de nuevo.

   Me hace _____ .

4. —Bueno. Podemos ver dibujos animados y _____ por horas.

B Tus compañeros de clase están comentando sobre los programas que ven en la televisión. Escoge de la lista la palabra o expresión que mejor complete la conversación y escríbela en el espacio en blanco. *(60 puntos)*

emocionarme	violentos	recientemente	positivo
demasiado	has visto	he visto	dieron

1. —Mis padres creen que los programas de detectives son muy _____ porque

   siempre alguien está matando a otro.

2. —Yo prefiero ver algún programa que sea menos negativo y más _____ , como

   los documentales.

3. —A mí me gusta el noticiero. A veces es _____ subjetivo, pero me enseña mucho.

4. —Después de las clases nunca pierdo mi telenovela favorita. Me hace llorar, pero me gusta

   _____ .

5. —Mis padres me _____ una tele para mi dormitorio, pero trato de apagarla y no

   verla noche y día.

6. —Pues, yo nunca veo la tele. Los programas que _____ recientemente no son

   tan buenos como leer una buena novela.

A Tu profesor(a) de historia quiere que los estudiantes hablen sobre el valor de la televisión. Subraya la palabra o expresión que mejor complete tu conversación con otro compañero de clase. *(60 puntos)*

1. —Sobre los programas violentos (se ha dicho / se controla) que (comprueban / hacen daño) a los jóvenes.

2. —Pero, ¿quién va a determinar qué programas son violentos y cómo van a (entretenerlos / clasificarlos)? A mí me da miedo (la multa / la censura).

3. —Es verdad. Yo pienso que el público debe tener (tal como / derecho) a escoger los programas que quiere ver.

4. —Otras personas piensan que no. Piensan que se debe (controlar / manipular) lo que vean los jóvenes.

B Tú y tus compañeros tienen que prepararse para un debate en la clase de sociología. Escoge la palabra o expresión apropiada de la lista y escribe la letra en el espacio en blanco. *(40 puntos)*

   a. derecho   **c.** censura   **e.** comprobar

   b. evaluar   **d.** hacer daño   **f.** controlar

1. —Tenemos que escoger la posición que queremos defender en el debate. Yo quisiera criticar el aspecto negativo de la televisión. Quisiera ＿＿ que los programas son una mala influencia para los jóvenes.

2. —Y yo quisiera hablar sobre el aspecto positivo de la televisión. Yo pienso que es mejor enseñar a los jóvenes a ＿＿ cada programa para que ellos mismos decidan cuáles deben ver y cuáles no.

3. —Yo no sé de qué lado del debate quisiera estar. En mi opinión hay programas malos y hay otros buenos. Por un lado, el público debe tener ＿＿ a escoger los programas y por otro lado creo que alguien debe ＿＿ el número de programas violentos que se ven en la televisión.

A Tu profesor(a) de sociología quiere que les preguntes a diferentes personas sus opiniones sobre la influencia que tiene la televisión. Escoge de la lista la palabra o expresión que mejor complete cada espacio en blanco de tu encuesta. *(50 puntos)*

se ha dicho	hacer daño	comprobar	clasificar	derecho
han manipulado	percepción	entretener	tal como	controlar

1. —¿Cuál es tu _____ de los programas de la televisión en general? ¿Piensas que tienen una influencia positiva o negativa?

2. —Bueno, creo que la mayoría de los programas entretienen, pero hay algunos que pueden _____ porque son demasiado violentos.

3. —Verónica, ¿crees que los padres deben tener el _____ de controlar lo que vean sus hijos?

4. —Pues, _____ que algunos programas y anuncios comerciales son una mala influencia sobre los jóvenes, pero generalmente los jóvenes no son tan tontos. No quiero que mis padres decidan qué puedo o no puedo ver.

5. —Mario, ¿crees que los programas violentos _____ cómo piensan muchos jóvenes?

6. —¡Claro que sí! No creo que sea necesario _____ que esos programas tengan una influencia negativa en los jóvenes. Sabemos que muchos tratan de hacer lo que ven en la tele.

B Gloria y sus amigas tienen ideas diferentes sobre la influencia de la televisión en la gente. Empareja sus opiniones contrarias. *(50 puntos)*

a. La televisión siempre entretiene.

b. Los jóvenes creen que la televisión siempre refleja la vida tal como es.

c. La televisión no puede influir mucho.

d. El gobierno tiene el derecho de controlar lo que ven los menores en la televisión.

e. Se ha dicho que el crimen en nuestra sociedad es el resultado de lo que ve la gente en la televisión.

____ 1. La gente no quiere que nadie controle lo que vean o no vean.

____ 2. Estoy tan aburrida con la tele. Hay pocos programas buenos.

____ 3. Los programas violentos no influyen sobre todos de manera negativa.

____ 4. Algunos pueden ver un programa sin ser manipulados porque saben que todo lo que ven no es verdad.

____ 5. La televisión ha hecho daño a demasiadas personas.

CAPÍTULO 4   Fecha

El (La) profesor(a) de economía quiere formar grupos de estudiantes para hablar sobre la influencia de la televisión. Escribe la forma correcta del presente perfecto de los verbos entre paréntesis para completar lo que dicen los miembros de los diferentes grupos. Recuerda que debes incluir el presente de *haber. (100 puntos)*

1. —Jaime, ¿piensas que los anuncios comerciales _____ mucho a los niños?

   (manipular)

2. —Algunos sí, pero no todos. Siempre hablo con mis hermanitos y creo que yo les

   _____ bastante. Ellos miran la televisión de una manera más crítica ahora.

   (influir)

3. —Susana y Luz, ¿qué programas _____ ustedes para ver esta noche?

   (escoger)

4. —Después de las clases, Luz y yo siempre vamos a mi casa para ver las telenovelas. En el

   último episodio de "Amorcito," el novio de Rebeca _____ del segundo

   piso tratando de salvar a un niño en un incendio. No sabemos si está muerto o vivo. ¡Esta

   tarde lo sabremos! (caerse)

5. —¡Susana! ¡Al maestro no le importa lo que pasa en una telenovela! Yo _____

   que la televisión _____ en el medio principal para recibir información

   y, como resultado, su influencia es muy grande. ¿Qué opinan ustedes? (leer / convertirse)

6. —Yo estoy de acuerdo. La televisión _____ la influencia mayor en la forma

   de reportar las noticias y hasta en los candidatos políticos que elegimos. (ser)

7. —Clara, ¿ _____ mucha televisión recientemente? Nosotros no te

   _____ decir mucho en esta conversación. (mirar / oír)

8. —Pues, no _____ nada estos últimos meses porque no funciona nuestro

   televisor. (ver)

CAPÍTULO 4

Tú y tus hermanos están conversando mientras miran la televisión. Completa la conversación con la forma apropiada del participio pasado irregular del verbo entre paréntesis. Recuerda que debes incluir el presente de *haber*. (100 puntos)

1. —Ignacio, ¿qué _____ tú con el control remoto? (hacer)

2. —No lo tengo. Ustedes lo _____ sobre la mesita. (poner)

3. —Ah, sí. Mariana, ¿ _____ tú y yo las cajas de pizza todavía? (abrir)

4. —No. ¿Dónde están? No las _____ . ¿Llegaron? (ver)

5. —¡Escucha el noticiero! El locutor _____ que hubo un terremoto. (decir)

6. —También dijo que nadie _____ . (morirse)

7. —¡No me digas! ¿Por qué están aquí los videos que alquilamos la semana pasada? ¿Ustedes

no los _____ a la tienda todavía? (devolver)

8. —¡Chist! Yo quiero ver lo que pasó con el novio de Rebeca después de que se cayó del

segundo piso. ¡Ah, sólo _____ un tobillo! Y también salvó al niño. ¡Ay, qué

romántico! Ahora él y Rebeca se pueden casar. (romperse)

9. —¡Por favor, cambia de canal! Quiero ver si los policías _____ el misterio

en el programa de detectives. (resolver)

10. —¡Esto es ridículo! ¿Y cuántos _____ ya el informe para la clase de inglés

mañana? ¡Ajá! Nadie, ¿verdad? Yo voy a la biblioteca. (escribir)

A Te encontraste con unos amigos y ahora están conversando en la cafetería. Escribe la forma correcta del pretérito del verbo entre paréntesis. *(50 puntos)*

1. —Yo no _____ ver la tele anoche porque tenía mucha tarea. ¿Y tú, Raúl? (poder)

   —Yo tampoco. Nosotros no _____ en casa anoche porque fuimos al cine. (estar)

2. —¿A qué hora _____ ustedes entrar al cine anoche? (poder)

   —No _____ entrar hasta las nueve y media, unos minutos después de que

   empezó la película. (poder)

3. —Eduardo, ¿ _____ que ayudar en casa anoche? No te vi con el grupo. (tener)

   —Sí, mi hermano y yo _____ que limpiar el garaje y luego nuestro cuarto. (tener)

4. —Antonio, no _____ en clase ayer. ¿Qué te pasó? (estar)

   —Pues, _____ enfermo todo el día, pero por la tarde _____

   mejor. (estar / ponerse)

B Mientras ustedes hablaban, en la mesa de al lado se sentaron otros compañeros(as) que empezaron a hablar de sus cosas. Escucha lo que dicen y cambia el verbo en cada oración del presente al pretérito. *(50 puntos)*

1. Hoy tengo cuatro horas de tarea y la semana pasada no _____ ninguna.

2. Felipe, Elisa y yo podemos ayudarte hoy con las decoraciones para el baile, pero ayer no

   _____ porque teníamos que ayudar en casa.

3. Mateo está mucho mejor hoy, ¿verdad? Ayer _____ enfermo todo el día.

4. Ramón y Paco, ¿tienen dinero que nos podrían prestar para comprar el almuerzo? Ayer no

   _____ .

5. Ay, ya estoy muy cansado para ir a la clase de educación física. Ayer _____

   cansado también.

CAPÍTULO 4   Fecha

Unos compañeros de clase están comentando sobre un programa que vieron anoche en la televisión. Primero, decide qué verbo necesitas para completar la conversación, *decir* o *dar*. Después, escribe la forma correcta de ese verbo en el pretérito. *(100 puntos)*

1. —¡Ana María, anoche _____ un programa especial en el Canal 2!

   Participaron varios de nuestros compañeros de clase.

2. —¡No me digas! Y, ¿por qué lo _____ ?

3. —Fue un programa de comentarios e invitaron al consejo estudiantil de nuestra escuela para

   comentar sobre los programas de la televisión. Todos _____ algo

   inteligente sobre el tema.

4. —¿Ah, sí? Y, ¿qué _____ Jorge? Ayer en clase él me _____

   que tenía que escribir un informe.

5. —Jorge y Luis _____ que los programas violentos son una mala influencia

   sobre la mayoría de los jóvenes. Jorge también _____ que el gobierno debe

   controlar más los programas que no reflejan la vida tal como es.

6. —¡Ajá! ¡Mis palabras exactas! Cuando Jorge me pidió ayuda con su informe, yo le

   _____ que sí y por eso yo le _____ mi informe sobre la

   televisión que escribí para otra clase.

7. —¿Tú no le _____ que no se debe usar la información de otro estudiante?

   —¡Claro que no! ¡No sabía que él iba a usarlo para hacer un comentario en la televisión!

CAPÍTULO 4

A Fuiste a la tienda de aparatos electrónicos y le estás haciendo preguntas al vendedor. Escribe la palabra que corresponda al dibujo para completar la conversación. *(16 puntos)*

1. —Perdone, ¿se puede _____ un video aquí?

2. —Pues, creo que no, pero me gustaría mostrarle

cómo _____ un video en esta videocasetera.

3. —¿Cómo se llama el programa que están recibiendo

por _____ ?

4. —Ah, sí. Es de Argentina. ¿Le gusta este televisor?

¿Quiere _____ ?

B Esteban y Cristina nunca están de acuerdo y siempre critican los programas de la televisión. Escribe la palabra opuesta a la que está subrayada en cada oración. *(12 puntos)*

1. —No me gustan las películas con mensajes <u>negativos</u>. Prefiero un mensaje _____ .

2. —Y a mí no me gustan los programas <u>subjetivos</u>. Es mejor que sean _____ .

3. —Ahora hay mucho crimen en la televisión. Prefiero los programas tranquilos y con más <u>paz</u>.

No me gustan los programas _____ .

C Chabela y Clara están hablando mientras caminan a su clase de inglés. Escribe el verbo entre paréntesis en la forma correcta del pretérito para completar su conversación. *(30 puntos)*

1. —Clara, _____ (decir) que ibas a entregar mi informe al profesor de historia.

¿Se lo _____ (dar)?

2. —Pues, Chabela, te _____ (decir) que sí, pero no se lo _____ (dar)

porque…

CAPÍTULO 4

3. —¡No se lo _____ (dar)! Pero ya sabes que anteayer (yo) _____

(ponerse) enferma y no _____ (poder) entregárselo yo al profesor.

4. Un momento, Clara. El problema es que el profesor no _____ (estar) en clase

ayer. Él también _____ (ponerse) enfermo.

5. —¡No me digas! Ahora voy a sacar una mala nota, yo que hasta hoy _____ (tener)

una "A" en la clase.

—¡Cálmate, Chabela! Esta mañana había un mensaje del profesor diciendo que nos va a dar

dos días más porque él está enfermo.

D En tu clase de inglés tienes que escribir un informe sobre el valor de la televisión. Para completar esta parte de tu informe, escoge de la lista una palabra apropiada. *(30 puntos)*

entretenerse	manipular	objetivos	analizar	derecho	público
información	percepción	manipulan	censura	evaluar	crítica

La televisión se ha convertido en el medio de __1__ más importante. Tiene mucha influencia

sobre el __2__ joven. Hay gente que no sabe cómo __3__ haciendo otra cosa. Otros no saben cómo

__4__ lo que oyen y ven. Pero la solución no es la __5__ . Nadie tiene el __6__ de decidir qué puede

ver otra gente. Yo creo que la solución es enseñar a los jóvenes a __7__ la televisión de una

manera más __8__ . Deben saber que algunos anuncios comerciales tratan de __9__ a la gente para

vender más fácilmente su producto. Si lo saben, pueden ser más __10__ .

E Estos estudiantes están haciendo la tarea mientras conversan en la sala de estudios. Escribe la forma correcta del verbo entre paréntesis en el presente perfecto. Recuerda que necesitas otro verbo también. *(12 puntos)*

1. —Lupe, ¿ _____ a Nacho? Él tiene mi libro de biología. (ver)

2. —¿No lo sabías? Nacho se cayó de su bicicleta y _____ el brazo. (romperse)

3. —¡Pobrecito! Pero no me _____ el libro y lo necesito. (devolver)

4. —Juan, ¿ustedes no _____ la composición todavía? (escribir)

5. —¿Composición? Nadie _____ nada de una composición. (decir)

6. —Pues, el profesor lo dijo ayer. Yo sí _____ la mía. (hacer)

Nombre _____

CAPÍTULO 4

Fecha _____

A *(16 puntos)*

1. _____

2. _____

3. _____

4. _____

B *(12 puntos)*

1. _____

2. _____

3. _____

C *(30 puntos)*

1. _____

2. _____

3. _____

4. _____

5. _____

D *(30 puntos)*

1. _____

2. _____

3. _____

4. _____

5. _____

6. _____

7. _____

8. _____

9. _____

10. _____

E *(12 puntos)*

1. _____

2. _____

3. _____

4. _____

5. _____

6. _____

CAPÍTULO 4

I. Listening Comprehension *(20 points)*

A. Tus compañeros de clase están hablando de los programas que vieron hace poco en la tele. Escucha tres descripciones diferentes y luego escoge de la lista las dos definiciones que correspondan a cada opinión.

B. Tu amigo Benito te está diciendo lo que hizo este fin de semana. Indica con *Sí* las oraciones que son correctas y con *No* las que son incorrectas.

II. Reading Comprehension *(20 points)*

La profesora de estudios sociales quiere que ustedes escriban una composición sobre los programas de la televisión. Lee esta sección de la teleguía y luego escoge la respuesta correcta.

TELEGUÍA

5:00	5:30	6:00
3 NOTICIERO. Reportaje especial: "Cómo influye la música rock a los jóvenes."	**9 BALÓN, PELOTA Y RAQUETA.** Comentarios deportivos con Camacho.	**7 PASO A PASO EN EL AMOR.** Nina ha descubierto una complicación más de la etapa secreta de su vida. Humberto regresa resuelto a apoyarla en todo.
7 LA COCINA DE CHELA. Sabores exóticos de las islas mediterráneas.	**12 ENCUESTA.** El público contra los impuestos.	**9 ENTREVISTAS ESTELARES.** Esta tarde, el "vampiro de la pantalla," Bernardo Alarcón.
8 CINE. "Deseada." Un hombre va a casarse con una muchacha, pero al conocer a la hermana de ésta, se enamora de ella.		**12 SIN CENSURA.** *Se recomienda discreción.* Debate sobre la eutanasia, ¿sí o no?
9 TAL COMO ES. "Drogadictos: ¿víctimas de la sociedad o de sí mismos?"		

III. Writing Proficiency *(20 points)*

Escribe un artículo para el periódico de la escuela en el que expreses tu opinión sobre cómo nos influye la televisión. En tu artículo, incluye la siguiente información:

- las influencias positivas y negativas de la televisión
- una descripción de algunos programas que pueden o no influirnos
- el derecho del público y la censura
- las maneras para mejorar *(improve)* los programas de la televisión

CAPÍTULO 4

Lee tu artículo de nuevo antes de entregarlo. ¿Escribiste las palabras correctamente? Revisa las terminaciones de los adjetivos y los verbos. ¿Escribiste sobre todas las ideas? ¿Hay una variedad de vocabulario y expresiones en tu artículo? ¿Usaste correctamente diferentes tiempos verbales? Haz cambios si es necesario.

IV. Cultural Knowledge *(20 points)*

Contesta en español según lo que hayas aprendido en el *Álbum cultural.*

¿Crees que la televisión tiene mucha influencia en los países hispanos? Explica tu respuesta.

V. Speaking Proficiency *(20 points)*

Es posible que tu profesor(a) te pida que hables sobre uno de estos temas.

A. Somos compañeros en la clase de historia. El (La) profesor(a) quiere que hablemos del valor de la televisión en la vida de los jóvenes. En tu conversación conmigo, háblame de:

- los programas que tienen influencia positiva o negativa

- por qué influyen o no influyen esos programas al público

- tu opinión de esos programas

- soluciones para los jóvenes que miren demasiada televisión

B. Háblame de los programas que has visto en la televisión. En tu descripción, dime tu opinión de cada programa. ¿Tienen una influencia positiva o negativa estos programas? ¿Por qué? Explícame cómo podemos mejorar la televisión.

Pregúntame algo sobre el tema de la televisión.

CAPÍTULO 4 Fecha

I. Listening Comprehension *(20 points)*

A. *(12 points)*

a. Para vender sus productos, algunas compañías tratan de llegar al subconsciente de la gente.

b. Hay programas que han usado videos hechos por personas que no son profesionales.

c. Se ha dicho que la televisión influye a los jóvenes.

d. Hay muy poca violencia en la televisión.

e. A veces el noticiero da una sola percepción de las noticias.

f. Hay programas informativos y divertidos.

g. A veces la televisión tiene que cortar segmentos de los videos que da al público.

1. __/__

2. __/__

3. ____

B. *(8 points)*

1. Benito ha alquilado un video.	Sí	No
2. El amigo de Benito ha visto la misma película en la televisión por cable.	Sí	No
3. Según Benito, le gustan más las películas que presentan la vida tal como es.	Sí	No
4. La película que vio Benito es de ciencia ficción.	Sí	No
5. Los padres de Benito llevaron a su hermanito al cine con ellos.	Sí	No
6. Benito grabó la película para sus padres que fueron al cine.	Sí	No
7. El personaje de la película vivió en una época antigua.	Sí	No
8. Benito ya ha devuelto la película.	Sí	No

II. Reading Comprehension *(20 points)*

1. Hay un programa para toda la familia esta tarde en
   a. el canal 12 a las seis.
   b. el canal 7 a las cinco.
   c. el canal 9 a las cinco.

2. Esta tarde en el canal 9 dan programas
   a. informativos.
   b. subjetivos.
   c. sólo para mayores.

3. Van a dar un programa que parece ser totalmente subjetivo en
　a. el canal 12 a las seis.
　b. el canal 9 a las cinco.
　c. el canal 12 a las cinco y media.

4. Éste es un programa informativo sobre la vida tal como es:
　a. en el canal 7 a las seis.
　b. en el canal 7 a las cinco.
　c. en el canal 12 a las seis.

5. Estos programas parecen ser objetivos:
　a. en el canal 12 a las cinco y media y en el canal 8 a las cinco.
　b. en el canal 9 a las cinco y en el canal 12 a las seis.
　c. en el canal 3 a las cinco y en el canal 12 a las cinco y media.

III. Writing Proficiency *(20 points)*

_____

_____

_____

_____

_____

_____

IV. Cultural Knowledge *(20 points)*

_____

_____

_____

_____

_____

_____

V. Speaking Proficiency *(20 points)*

A En tu clase de historia están analizando la película que han visto. Escoge el dibujo que corresponda a la palabra subrayada en cada oración. *(50 puntos)*

a

c

e

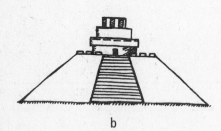

b

d

f

___ **1.** —¿Qué había en las <u>chozas</u>?

___ **2.** —Había unos <u>cuencos</u>.

___ **3.** —Me fascinan los <u>jeroglíficos</u>.

___ **4.** —A mí me interesan mucho las <u>vasijas</u> de los mayas.

___ **5.** —Me gustaría ser <u>arqueólogo</u> algún día.

B Antes de escribir un informe sobre los mayas, Mario y Juan están comentando sobre las fotografías en unos libros. Subraya la palabra o expresión que mejor complete cada oración. *(50 puntos)*

1. —Mario, mira el jade que había en esta (cultura / tumba / astrónoma).

2. —¡Fíjate! La (tradiciones / cultura / arqueóloga) de los mayas es tan fascinante.

3. —Pedro, ¿piensas que esta estatua era (escritura / heredado / sagrada)?

4. —No sé, pero creo que la (aceptaron / descubrieron / heredaron) donde los mayas

   tenían sus ceremonias religiosas.

5. —Creo que hemos escogido un buen libro para nuestro informe sobre

   (el antropólogo / el significado / la civilización) de los mayas, ¿no?

A Hoy Armando trajo a clase unas fotografías de su viaje a Guatemala. Su compañera Lila le está haciendo preguntas. Escribe la palabra que corresponda a cada fotografía. *(40 puntos)*

1. —¿Dónde descubrieron esta _____ ?

2. —Al fondo de una pirámide. También encontraron joyas en estos _____ .

3. —¿Y dónde sacaste esta foto de una _____ ?

4. —La saqué enfrente de una _____ .

B Tienes que escribir un informe para la clase de arte. Escoge de la lista la palabra que mejor complete cada espacio en blanco. *(60 puntos)*

descubrimiento	arqueólogos	arquitectos	ceremonia	dioses
construyeron	astrónomos	civilización	escritura	origen

La _____ de los mayas es fascinante. Sabemos que eran buenos _____

por los templos y pirámides que _____ , y buenos _____ por los

observatorios que todavía existen. Los _____ han investigado los jeroglíficos

y la _____ de los mayas, pero hay mucho que todavía no sabemos de esta cultura.

Vocabulario para comunicarse   **69**

CAPÍTULO 5

Tienes que representar un informe oral sobre los mayas en tu clase de español. Escoge la letra que mejor complete la información de tu informe. *(100 puntos)*

1. Una de las civilizaciones más impresionantes de la época ___ es la de los mayas.
   a. desaparecida   **b.** significada   **c.** precolombina

2. La civilización maya ya ___ unos mil años antes de Cristo.
   a. descubría   **b.** desaparecía   **c.** existía

3. Gracias a estudios de antropología y arqueología, sabemos que los mayas ___ un sistema de escritura muy avanzado antes de la llegada de los españoles.
   a. aceptaron   **b.** desarrollaron   **c.** heredaron

4. Los arqueólogos siguen ___ las ruinas de Copán, Honduras.
   a. enterrando   **b.** avanzando   **c.** excavando

5. Los símbolos del idioma maya representaban palabras o sólo ___ .
   a. líderes   **b.** sílabas   **c.** sagradas

6. Siguiendo el movimiento de las ___ , los mayas crearon un calendario tan exacto como el nuestro actual.
   a. estrellas   **b.** símbolos   **c.** sílabas

7. Los jeroglíficos mayas describen la vida de los grandes ___ y las guerras de la época.
   a. costumbres   **b.** esculturas   **c.** líderes

8. Los mayas que viven hoy en los pueblos pequeños han heredado un rico legado de sus ___ .
   a. descubrimientos   **b.** antepasados   **c.** desaparecidos

9. Sus ceremonias religiosas se relacionaban con la siembra y la ___ .
   a. cosecha   **b.** excavación   **c.** contribución

10. La cultura de los mayas tuvo su ___ hace más de 1500 años.
   a. tradición   **b.** esplendor   **c.** campo

CAPÍTULO 5

Fecha _____

A Agustín pasa mucho tiempo haciendo crucigramas en español para mejorar su vocabulario. Escoge de la lista la palabra que mejor complete cada definición. *(80 puntos)*

precolombina	desaparecida	agricultura	avanzada	sagradas	sílabas
calendario	antepasados	escultura	estrellas	campo	rica

1. Tiene 365 días y se le llama _____ .

2. La época en América antes de la llegada de los españoles es la época _____ .

3. Las luces que vemos en el cielo por la noche son _____ .

4. Una palabra se divide en _____ .

5. La gente que vivió antes de nosotros son nuestros _____ .

6. Si una persona tiene mucho dinero, se dice que la persona es _____ .

7. La siembra y la cosecha son dos actividades típicas de la _____ .

8. Cuando una civilización ya no existe pero antes existió, se dice que es una

civilización _____ .

B Tu amiga Pilar no estuvo en clase ayer y ahora te llama por teléfono para saber qué información necesita para el examen. Subraya la palabra que mejor complete cada oración de la conversación. *(20 puntos)*

1. La profesora habló de los mayas y del (símbolo / legado) que han heredado los mayas

del presente.

2. Por ejemplo, muchos se dedican a la siembra y a la (cosecha / escritura), como los mayas

de hace siglos.

3. Los mayas del pasado se habían (desarrollado / descubierto) y avanzado más que

otras civilizaciones de su época.

4. Los arqueólogos todavía están descubriendo sus grandes (orígenes / contribuciones)

en el campo de las matemáticas y en la astronomía.

CAPÍTULO 5

Fecha

Algunos de tus amigos no saben mucho de historia y tienes que darles la información correcta. Contesta sus preguntas con *hace...que* y el verbo en el tiempo presente, o con *hacía...que* y el verbo en el tiempo imperfecto. *(100 puntos)*

1. —¿Dónde vivían los mayas cuando llegaron los españoles?

   — _____ más de quince siglos _____ en Yucatán cuando los

   españoles llegaron.

2. —Los mayas no viven en México ahora, ¿verdad?

   —Sí, _____ más de veinte siglos _____ en México.

3. —Los aztecas no construyeron mucho en los siglos precolombinos, ¿verdad?

   —¡Claro que no! _____ más de tres siglos _____ ciudades,

   templos y pirámides.

4. —Ya no hablan el quiché, el idioma maya, en Guatemala, ¿no?

   —Sí, _____ siglos _____ quiché en Guatemala.

5. —Los mayas no sabían mucho de las matemáticas antes de llegar los españoles, ¿verdad?

   —¡Qué va! Ya _____ muchos años _____ del número cero.

A Estás hablando con los miembros del equipo de tenis sobre cómo jugaron este año y el año pasado. Cambia los verbos del presente perfecto al pluscuamperfecto para completar la conversación. Recuerda que para formar el pluscuamperfecto se necesitan dos verbos. *(60 puntos)*

1. —Este mes he jugado muy bien, pero antes no _____ muy bien.

2. —¡Como nosotros! Rocío y yo hemos ganado muchos partidos este año, pero antes de este campeonato no _____ ninguno.

3. —¿Qué ha hecho Eduardo en el equipo este año? Antes de agosto del año pasado no _____ casi nada.

4. —Sigue ganando. Y tú, Mateo, has puesto a la escuela en la primera posición de la liga y antes del otoño no _____ ni una pelota sobre la red.

5. —De acuerdo. Pero Soledad y Cecilia nos han abierto las puertas de este campeonato. Recuerdo que el año pasado ellas ni _____ todavía las puertas de su guardarropa para sacar sus raquetas.

6. —Nuestro entrenador ha dicho que nos va a dar una fiesta con pizza si ganamos y antes del mes pasado nunca _____ nada de fiestas.

B Tu clase de sociología está estudiando las civilizaciones antiguas. Uno de los proyectos es hacer un cartel de lo que han aprendido. Escribe los verbos en el tiempo pluscuamperfecto. *(40 puntos)*

1. Cuando los españoles llegaron al valle de México en 1519, los aztecas ya

   _____ una civilización muy avanzada. (desarrollar)

2. Antes de ese año, la civilización maya ya _____ problemas matemáticos usando el cero como número. (resolver)

3. Aquí en Estados Unidos, nosotros todavía no _____ ni pueblos ni ciudades. (establecer)

4. En Perú, los incas ya _____ la ciudad de Machu Picchu, una ciudad maravillosa por su arquitectura. (construir)

CAPÍTULO 5

A Jorge y sus amigos están comentando sobre las tradiciones y costumbres de la familia de cada uno. Escribe la forma correcta del verbo *seguir* con el presente progresivo del verbo subrayado para completar las oraciones. *(50 puntos)*

1. Mi familia y yo siempre <u>celebramos</u> el cumpleaños de todos y todavía lo

   _____ .

2. De niño les <u>enviaba</u> tarjetas graciosas a mis amigos y se las

   _____ ahora.

3. Mis hermanos siempre han <u>respetado</u> el legado de la familia y todavía lo

   _____ .

4. Julia, tú siempre <u>abrazabas</u> a tus amigos en las fiestas. ¿Todavía los

   _____ ?

5. Mi tía siempre <u>incluía</u> una sorpresa en cada regalo y todavía las

   _____ .

B Hacía mucho tiempo que no veías a estos amigos, por eso quieres saber qué están haciendo ahora. Escribe la forma correcta del verbo *seguir* en el presente y el presente progresivo del verbo entre paréntesis. *(50 puntos)*

1. —¿Qué tal, Manuel? Hacía mucho tiempo que no te veía. ¿Cómo está todo?

   —Pues, _____ fútbol y perdiendo en los partidos. (jugar)

2. —¿Y ustedes, Francisco y Alberto? ¿Cómo están?

   —Bien. _____ muchas cosas: los partidos de béisbol

   cada semana y la banda de música. Somos muy buenos guitarristas ahora. (hacer)

3. —No he visto a Paulina. ¿Cómo está ella?

   —Creo que _____ sus poemas. Escribe muy bien.

   (escribir)

4. —Y tú, José Emilio, ¿ _____ tus novelas de ciencia ficción?

   (leer)

5. —Sí, _____ como siempre. Aquí tengo una. ¡Te la presto!

   (leer)

CAPÍTULO 5

A La hermanita le está haciendo muchas preguntas sobre las fotografías que Elisa sacó en una excursión a la selva tropical. Escribe la palabra que corresponda al dibujo para completar su conversación. *(20 puntos)*

1. —Elisa, ¿dónde encontraron esa _____ ?

2. —La encontraron en esta _____ .

3. —Y, ¿qué había en esta _____ ?

4. —Había unas _____ y unos _____ muy antiguos.

B Lupe y Daniel tienen que presentar un proyecto oral en su clase de historia. Están preparando un cartel con información sobre su tema, "Los mayas." Escoge de la lista dos palabras o expresiones para cada categoría. *(20 puntos)*

| desarrollo de la escritura | ruinas de ciudades | astrónomos | siembra | dioses |
| estudio de las estrellas | objetos sagrados | pirámides | cosecha | jeroglíficos |

Religión _____ _____

Arquitectura _____ _____

Ciencias _____ _____

Agricultura _____ _____

Comunicación _____ _____

CAPÍTULO 5

C Antes de hacer un viaje a México, Arturo y su familia quieren saber más sobre las civilizaciones antiguas de ese país. Esoge de la lista el verbo que mejor complete la información que la familia está leyendo. Puedes escribir algunos de los verbos más de una vez. *(28 puntos)*

cultivaban	vivieron	llegaban	existe	viven	existió	había
cultivaron	cultivan	habían	hace	vivían	existía	hacía

1. Cuando los españoles llegaron a México en 1519, ya _____ más de tres siglos que los aztecas _____ las tierras del valle de México.

2. Los aztecas ya _____ desarrollado una gran civilización antes de 1519.

3. Antes de la llegada de los aztecas al valle de México en 1325, ya _____ más de veinte siglos que los mayas _____ en México y Guatemala.

4. _____ más de cuatrocientos setenta años que no _____ la civilización azteca.

D Tu primo Ernesto te está hablando sobre una película que vio en su clase de español. Escribe la forma correcta del verbo en el tiempo pluscuamperfecto. *(20 puntos)*

1. —Esta mañana en la clase de español vimos una película sobre los olmecas. Yo nunca _____ nada de esa cultura antes de ver la película. ¿Y ustedes? (ver)

2. —No, tampoco _____ nada sobre ellos. (estudiar)

3. —Los olmecas no fueron grandes arquitectos, pero sí fueron buenos artistas. En el siglo diecinueve los arqueólogos _____ de cabezas gigantescas de piedra que alguien _____ en la región del golfo de México. Pero nadie les _____ caso hasta que, en 1938, un grupo de arqueólogos exploraron la isla de La Venta en la península de Yucatán. (oír / descubrir / hacer)

E Sara quiere escribirle una carta a sus abuelos hoy porque se siente un poco sentimental. Escoge de la lista una palabra o expresión para completar su carta. *(12 puntos)*

precolombina	enterrado	símbolos	gracias a	rica
antepasados	heredado	avanzado	rico	legado

Queridos abuelos:

Estaba pensando hoy sobre el gran __1__ de nuestra familia. __2__ ustedes y a todos nuestros __3__ , disfrutamos todavía de costumbres que hemos __4__ a través de los siglos. Ustedes nos han enseñado a querer nuestra __5__ cultura __6__ .

Gracias, abuelitos

Paso a paso 3

CAPÍTULO 5

Nombre _____

Fecha _____

Hoja para respuestas
Prueba cumulativa

A *(20 puntos)*

1. _____
2. _____
3. _____
4. _____

B *(20 puntos)*

_____
_____
_____
_____
_____
_____

C *(28 puntos)*

1. _____
2. _____
3. _____
4. _____

D *(20 puntos)*

1. _____
2. _____
3. _____

E *(12 puntos)*

1. _____
2. _____
3. _____
4. _____
5. _____
6. _____

CAPÍTULO 5

Examen de habilidades

I. Listening Comprehension *(20 points)*

A. Lina y su familia están visitando unas ruinas en la selva tropical. Escucha la descripción del guía y sigue el mapa para saber dónde encontrar todo. Escribe la letra del dibujo que corresponda al orden en que oyes cada descripción diferente.

B. Estás mirando un documental sobre México. Escucha la narración del programa y luego indica con *Sí* las oraciones correctas y con *No* las oraciones incorrectas.

II. Reading Comprehension *(20 points)*

Estás de vacaciones visitando un lugar de interés histórico. Lee este folleto para que puedas explorar ese lugar. Después, escoge la letra que mejor complete cada oración.

Teotihuacán, que significa "lugar de los dioses," es uno de los lugares arqueológicos más importantes de la Tierra. Al salir del museo, estarán en la Avenida de los Muertos que los llevará hacia la Pirámide de la Luna, en el extremo norte de esta zona arqueológica. Primero pasarán por la ciudadela, una plaza enorme con el templo del dios Quetzalcóatl. En ese templo verán los mejores ejemplos de la escultura precolombina en toda la zona. La ciudadela es también donde miles de personas se reunían para participar en las ceremonias religiosas. Siguiendo por la Avenida de los Muertos, a la izquierda, quedan las ruinas que excavaron hace años. Allí es donde encontrarán también el templo de Tláloc, el dios de la lluvia. Un poco más al norte de estas ruinas, a la derecha, queda la estructura más dominante de esta zona, la Pirámide del Sol. Esta pirámide mide setecientos pies cuadrados en la base y es tan alta como un edificio moderno de veinte pisos. Según los científicos que han estudiado la historia de Teotihuacán, la construcción de estas dos pirámides, la del Sol y la de la Luna, ocurrió entre los años 300 a.C y 300 d.C.

III. Writing Proficiency *(20 points)*

Fuiste de vacaciones a un lugar donde antes había una civilización antigua impresionante. Escribe una carta a algún amigo o amiga sobre esa civilización. En tu carta, incluye la siguiente información:

- dónde y cuándo existió esa civilización
- cuál era su estructura social y política
- qué se sabe de su vida diaria y qué evidencia tenemos de su cultura
- cuáles fueron sus contribuciones significativas

CAPÍTULO 5

Examen de habilidades

Lee tu carta de nuevo antes de entregarla. ¿Escribiste las palabras correctamente? Revisa las terminaciones de los adjetivos y los verbos. ¿Escribiste sobre todas las ideas? ¿Hay una variedad de vocabulario y expresiones en tu carta? ¿Usaste correctamente diferentes tiempos verbales? ¿Usaste el pluscuamperfecto? Haz cambios si es necesario.

IV. Cultural Knowledge *(20 points)*

Contesta en español según lo que hayas aprendido en el *Álbum cultural.*

¿Cómo es posible que los mayas de hoy mantengan el rico legado de la civilización de sus antepasados?

V. Speaking Proficiency *(20 points)*

Es posible que tu profesor(a) te pida que hables sobre uno de estos temas.

A. Eres experto(a) en las culturas precolombinas. Yo no sé nada sobre ese tema. En una conversación conmigo, háblame de:

- una cultura precolombina y sus contribuciones
- lo que sabes de su vida artística y religiosa
- la influencia de la naturaleza sobre esa cultura
- cómo sabemos ahora que existió esa cultura

B. Piensa en cómo fue tu vida entre los tres y los catorce años. Háblame de las diferentes cosas que has hecho hasta ahora. Menciona otras que sigues haciendo. Háblame de algunas cosas que ya habías hecho antes de cada edad en tu vida de niño(a).

Pregúntame algo sobre mi vida de niño(a).

CAPÍTULO 5

Fecha _____

I. Listening Comprehension *(20 points)*

A. *(12 points)*

a

d

b

e

c

f

1. ___   **2.** ___   **3.** ___   **4.** ___   **5.** ___   **6.** ___

B. *(8 points)*

1. La civilización de Uxmal existía cuando los españoles llegaron. Sí No

2. Uxmal es impresionante por su arquitectura. Sí No

3. La serpiente no parece tener significado religioso. Sí No

4. La civilización de Uxmal tiene influencia maya. Sí No

5. No hay evidencia de una cultura artística en Uxmal. Sí No

6. Nadie vivió en Uxmal porque era un lugar sagrado. Sí No

7. La Casa de la Tortuga es el edificio más importante en Uxmal. Sí No

8. La época clásica en Uxmal fue del 300 al 1000 d.C. Sí No

II. Reading Comprehension *(20 points)*

1. El significado del nombre Teotihuacán es
   a. ciudad de los muertos.
   b. lugar de las pirámides.
   c. lugar de los dioses.

2. Cuando llegaron los españoles a México, Teotihuacán
   a. ya se había desarrollado.
   b. se estaba desarrollando.
   c. había desaparecido.

3. Los arquitectos de Teotihuacán
   a. sólo construyeron pirámides.
   b. construyeron varios edificios diferentes.
   c. sólo construyeron edificios religiosos.

4. Sabemos que los dioses eran importantes para la agricultura porque uno de ellos
   a. se llamaba el dios de la lluvia.
   b. se llamaba el dios de las mariposas.
   c. se llamaba el dios de las estrellas.

5. En Teotihuacán pueden visitar
   a. lugares de siembra y cosecha.
   b. lugares sagrados.
   c. lugares enterrados.

III. Writing Proficiency *(20 points)*

_____ :

_____

_____

_____

_____

_____

IV. Cultural Knowledge *(20 points)*

_____

_____

_____

_____

_____

_____

V. Speaking Proficiency *(20 points)*

A Leticia está ayudando a su hermanita Meche a escribir una carta porque nunca lo ha hecho antes. Subraya la palabra o expresión que mejor complete su conversación. *(60 puntos)*

1. —Leticia, ¿me puedes ayudar a escribir en (este sobre / este

   formulario), por favor?

   —Claro, Meche. Primero debes escribir (el remitente / el destinatario),

   que es el nombre y la dirección de la persona que recibe la carta.

2. —¿Qué significa (remitente / destinatario)?

   —Es el nombre y la dirección o (el formulario / el apartado postal) de

   quien manda la carta. Lo escribes aquí, a la izquierda.

3. —¿Tengo que escribir el nombre de (la fecha / la cartera) también?

   —No, nunca. Ahora, vamos a preparar (la cartera / el paquete)

   para abuelita y mandarlo con tu carta.

B Estás en Barcelona y quieres llamar a una amiga que vive en Madrid. Tienes que pedirle ayuda a alguien porque parece que el teléfono no funciona. Escoge de la lista las palabras o expresiones que mejor completen la conversación. Escribe la letra correspondiente en el espacio en blanco apropiado. *(40 puntos)*

a. tono   **c.** operadora   **e.** hacer una llamada

b. marqué   **d.** ficha   **f.** equivocarme

1. —¿Me podrías ayudar a ___ ? No oigo el ___ y creo que ___ el número correcto.

2. —¡Claro! ¿Qué hiciste primero? ¿Pusiste una ___ ? Hay que tener dos o tres si piensas

   hablar más de tres minutos.

3. —¡Ay, no! Puse una moneda. ¿Qué debo hacer si quiero hablar con la ___ ?

4. —Marca el cero.

A Fuiste al correo a mandar unos paquetes y viste a tu amigo Luis allí. Ahora estás conversando con él. Escribe la palabra que corresponda a cada dibujo. *(40 puntos)*

1. —Yo no sabía que primero hay que _____ antes de enviar

   este regalo a mi prima, que vive en México.

2. —Pues, sí. ¡Ay! Se me olvidó llamar a mis padres. ¿Me permites usar

   _____ que siempre llevas contigo?

3. —Bueno, pero primero tienes que ayudarme con este _____ .

   ¡Es tan grande! ¿Por qué tienes que llamar a tus padres?

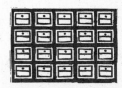

4. —Porque mi padre quiere que yo recoja sus cartas del

   _____ , pero no recuerdo la combinación para abrirlo.

B Gabriela quiere hablar por teléfono con su amiga Ana Rosa. Escoge de la lista la palabra o expresión que mejor complete la conversación y escríbela en el espacio en blanco apropiado. *(60 puntos)*

de parte de quién	equivocado	en voz alta	mandar a	colgada	hola
un destinatario	en voz baja	un recado	volver a	querida	aló

1. —¡_____ ! ¿Está Ana Rosa, por favor?

   —¿Podrías hablar _____ ? Tenemos una mala conexión.

2. —¡Ana Rosa! ¿Está en casa Ana Rosa?

   —¿_____ ?

3. —Soy Gabriela. ¿Debo _____ llamar más tarde o está en casa?

   —Un momento, por favor. ¡Ana Luisa! ¡Ana Luisa! No, me parece que no está ahora.

   ¿Quieres dejar _____ ?

4. —¿Ana Luisa? Yo quería hablar con Ana Rosa. Creo que marqué el número

   _____ . Perdone, adiós.

A Gerardo está escribiendo un informe para su clase de sociología. Subraya la palabra o expresión que mejor complete las oraciones de su informe. *(70 puntos)*

1. Hace doscientos años, teníamos muy pocos (remitentes / medios de comunicación / destinatarios).

2. Por eso, nuestra vida era más (descolgada / envuelta / privada).

3. Con (el invento / el evento / interactivo) del teléfono inalámbrico y, recientemente, (del correo electrónico / de la guía telefónica / del telegrama) hemos visto cambios dramáticos, por un lado positivos y por otro lado negativos.

4. Nuestra civilización avanza (aproximadamente / cualquiera / cada vez más) gracias a los que siguen (creando / marcando / colgando) más y más posibilidades.

5. Con la nueva tecnología será más fácil comunicarnos con (privado / cualquiera / creando) en mucho menos tiempo, pero será menos posible escaparnos de las presiones que nos trae esa misma tecnología.

B Tú y tus amigos están muy interesados en la nueva tecnología. Escoge de la lista las palabras o expresiones que completen la conversación. Escribe la letra correspondiente en el espacio en blanco apropiado. *(30 puntos)*

a. invento   **c.** conferencia por video   **e.** aproximadamente

b. correo electrónico   **d.** cada vez más   **f.** fabricar

1. En unos años vamos a poder hablar por teléfono y ver a la otra persona, gracias a la ___ .

2. El año pasado mi hermano y yo decidimos empezar nuestro propio negocio construyendo juguetes de madera para niños. Gracias al fax, ahora podemos ___ el doble de antes.

3. Hace diez años, una máquina de fax costaba más de 200 dólares. En el año 2000, una máquina de fax costará ___ 100 dólares.

Javier está ayudando a su hermanito a escribir un informe sobre la tecnología. Escoge de la lista las palabras o expresiones que mejor completen su informe. *(100 puntos)*

medios de comunicación	comunicarse	cualquiera	privado
conferencia por video	cada vez más	privada	rapidez
correo electrónico	interactivas	sonar	crear

Hace muchos años había muy pocos _____ . La gente podía

_____ por teléfono, pero no había la tecnología que tenemos

ahora. En su oficina, por ejemplo, mi papá usa un fax en vez de mandar cartas. El

_____ es mejor que el servicio de correos porque él puede enviar

y recibir información con más _____ . Por eso su trabajo es

_____ fácil y él puede vender más. En casa, si tengo que escribir

un informe para mi clase de historia, puedo conseguir la información directamente de

nuestra biblioteca porque tenemos computadoras _____ .

Yo sé que con la tecnología de hoy nuestra vida es menos _____ .

Cuando se tiene fax, teléfono inalámbrico en casa y teléfono celular en el coche, es difícil

escaparse cuando nos llaman o escriben. Sin embargo, para mí es importante la tecnología

porque nos permite hablar con las personas que están lejos. El otro día en nuestra clase,

gracias a una _____ , hablamos con una clase de español en Japón.

Hoy en día, _____ tiene fax y computadora. Yo sé que la tecnología no

es para todos, pero me encantaría _____ un nuevo invento algún día

y revolucionar la tecnología que ahora tenemos.

A Tus amigos están conversando sobre algunas cosas que deben hacer en el futuro. Cambia el verbo subrayado al futuro y escríbelo en el espacio en blanco. *(50 puntos)*

1. —Mis amigos me han dicho que no recibieron las cartas que les mandé y yo no lo sabía.

   Es porque nunca las <u>mando</u> con el remitente. Creo que en el futuro siempre las

   _____ con el remitente en el sobre.

2. —Mi hermana nunca <u>escribe</u> la fecha en sus composiciones. El otro día el profesor le dijo

   que tenía que hacerlo. Creo que ella la _____ en el futuro.

3. —Mi hermana y yo nunca <u>envolvemos</u> los paquetes que mandamos. Mi madre siempre lo

   hace. Pero el otro día nos dijo que ya no lo iba a hacer más. En el futuro los _____

   nosotras.

4. —Cristina, tú siempre <u>te equivocas</u> de número cuando me llamas. El otro día marcaste

   el número de tu ex-novio. Creo que en el futuro ya no _____ de número,

   ¿verdad?

5. —Es verdad, pero Gabi y Trini nunca <u>buscan</u> en la guía telefónica el número correcto

   y siempre me lo piden a mí. El otro día les di el número de la estación de policía. Creo que

   en el futuro ellas _____ el número en la guía.

B Estás conversando con unos amigos sobre el futuro y lo que piensan ser. Cambia la expresión subrayada a la forma correcta del futuro del segundo verbo. *(50 puntos)*

1. —Este año <u>voy a estudiar</u> más sobre tecnología. Después, en la universidad, _____

   ciencias y tecnología. ¿Y tú, Demetrio?

2. —No sé todavía. Mi hermano mayor <u>va a grabar</u> un disco con su banda este verano. En el

   el futuro _____ muchos más porque toca bien la guitarra. Él y yo <u>vamos a cantar</u>

   el domingo. ¡Eso es! En el futuro él y yo _____ en una banda famosa.

3. —Tengo unos amigos que dicen que ellos <u>van a resolver</u> los misterios de la Tierra.

   Dicen que en unos años ellos _____ enigmas importantes sobre el universo.

4. —Y tú, Ester, <u>vas a pintar</u> el cuadro más famoso del siglo, ¿verdad? Lo _____

   en tu casa grande en Italia.

¿Qué planes tienen tus amigos para el futuro? Lo sabrás si escuchas las diferentes conversaciones que siguen. Cambia el verbo entre paréntesis al futuro. *(100 puntos)*

1. —Si vas a vivir en la ciudad en tu propio apartamento, ¿ _____ un teléfono inalámbrico en cada cuarto? (tener)

   —Claro que sí. Y también _____ un teléfono celular en mi coche. (tener)

2. —¿Qué piensan estudiar en el futuro, Andrea y Leti? ¿ _____ algo relacionado a la tecnología o a la medicina? (hacer)

   —Pues, somos hermanas, pero creo que _____ estudios totalmente diferentes. (hacer)

3. —A mis padres les encantan los animales, pero no pueden tenerlos donde viven ahora. Después de graduarme de la universidad, ellos _____ a vivir conmigo en el campo y _____ tener muchos animales, como gatos y perros. Y tú, Gustavo, ¿qué planes tienes para el futuro? (venir / poder)

   —Todo depende de mi hermano. Queremos comprar una casa para los dos. Él _____ dónde la compramos porque a mí no me importa mucho. Lo que yo sí _____ es vivir en una casa lo bastante grande como para tener mi propio cuarto privado. (decir / querer)

4. —Cuando yo tenga mi propia casa, _____ de todo. ¿Y en la tuya, Yolanda? (haber)

   —Bueno, no lo he pensado mucho, pero quisiera tener un jardín bonito y un garaje grande, porque allí es donde _____ mi coche de lujo. (poner)

Estás conversando con los otros empleados en la oficina donde trabajas los sábados. Encierra en un círculo la respuesta correcta para cada pregunta. *(100 puntos)*

1. ¿Cuándo nos van a enviar los nuevos formularios?

   a. Nos los van a enviar esta semana.   **c.** Te las voy a enviar esta semana.

   b. Me los vas a enviar esta semana.

2. ¿Quién quiere mandarle este paquete a la señora Gutiérrez ?

   a. Pepe quiere mandártela.   **c.** Pepe quiere mandárselo.

   b. Pepe quiere mandármelos.

3. Jacinto, ¿puedes prepararle el café al director?

   a. ¡Claro que me lo puedo preparar!   **c.** ¡Claro que nos lo puede preparar!

   b. ¡Claro que se lo puedo preparar!

4. Rosario, ¿me podrías colgar este teléfono? Voy a hablar en el otro.

   a. Sí, te lo cuelgo.   **c.** Sí, se lo cuelgo.

   b. Sí, me lo cuelgas.

5. ¿Quién nos va a fabricar los nuevos juguetes?

   a. Los hermanos Carrillo te lo van a fabricar.

   b. Los hermanos Carrillo nos los van a fabricar.

   c. Los hermanos Carrillo se la van a fabricar.

6. ¿Cuándo van a mandar el fax al señor Díaz?

   a. Se los vamos a mandar ahora.

   b. Te lo vamos a mandar ahora.

   c. Se lo vamos a mandar ahora.

7. ¿Le van a comunicar las noticias al señor Quintero esta tarde?

   a. No, nos la vamos a comunicar por la mañana.

   b. No, se los vamos a comunicar por la mañana.

   c. No, se las vamos a comunicar por la mañana.

8. Milagros, ¿cuándo me vas a prestar tu computadora?

   a. Te la presto esta noche si quieres.

   b. Me la presto esta noche si quieres.

   c. Te las presto esta noche si quieres.

9. ¿Por qué no me está grabando mis recados esta máquina contestadora?

   a. No me los está grabando porque nadie te llamó.

   b. No te los está grabando porque nadie te llamó.

   c. No se los está grabando porque nadie me llamó.

10. Serafina, ¿me podrías buscar un número en la guía telefónica?

   a. ¡Claro que te lo busco!

   b. ¡Claro que me lo buscas!

   c. ¡Claro que nos lo buscas!

A Tres días a la semana trabajas en una oficina de secretario(a). Completa lo que dicen los empleados. Escribe el complemento directo y el indirecto en su posición correcta con relación al infinitivo del verbo. Las palabras que tienes que cambiar están subrayadas. ¡Ojo con los acentos! *(40 puntos)*

1. El director quiere mandarnos un fax. Creo que quiere _____ a las dos.

2. Tenemos que enviarle al señor Hernández esta carta por correo urgente. Y hay que

   _____ esta mañana.

3. Aida, ¿le podrías dar a Marisa estos diez sellos? Puedes _____ en este

   sobre. Gracias.

4. Ruperto, ¿me podrías llenar este formulario? Puedes _____ con este

   bolígrafo. Gracias.

B Los padres de Graciela y Fausto no estuvieron en casa el fin de semana pasado. Cuando regresaron tenían muchas preguntas. Escribe el complemento directo y el complemento indirecto en lugar de las palabras subrayadas en las respuestas de Graciela o Fausto. ¡Ojo! Tienes que escribir los complementos en su posición correcta. *(60 puntos)*

1. —Graciela, ¿quién te mandó el paquete?

   —Tía Rosario _____ _____ mandó.

2. —Fausto, ¿quién nos trajo las flores tan bonitas?

   —Los vecinos _____ _____ trajeron a ustedes.

3. —Graciela y Fausto, ¿por qué no nos contestaron nuestra llamada por teléfono anoche?

   —No _____ _____ contestamos porque nunca sonó el teléfono. Hemos tenido problemas

   con el teléfono este fin de semana.

4. —Graciela, no me diste las llaves de la casa. ¿Dónde están?

   —No _____ _____ di porque Fausto las perdió.

5. —¿Les preparó Silvia el desayuno esta mañana?

   —Sí, _____ _____ preparó pero no nos gustó mucho. Preferimos lo que tú nos

   preparas, mamá.

6. —¡Ay, qué niños tan imposibles! ¿Y dónde está el control remoto del televisor? Es hora de

   ver mi programa favorito.

   —Pues, _____ _____ dimos al vecino, papá. Él perdió el suyo.

Capítulo 6

A En la oficina donde trabajas tienes varias responsabilidades. Escribe la palabra que corresponda al dibujo para completar tu conversación con la directora. *(24 puntos)*

1. —Señora Osuna, ¿debo ver si hay recados en _____ ?

2. —¡Claro! Y después, ¿podrías ir a enviar este _____ ?

3. —¡Con mucho gusto! Señora, _____ le trajo esta carta esta mañana.

4. —¿De veras? Generalmente envían mis cartas al _____ .

5. —Señora, ¿va a hacer una llamada? ¿Quiere _____ ?

6. —No, gracias. Aquí tengo _____ .

B Mirta le está enseñando a su hermanita cómo usar el teléfono. Escoge de la lista la palabra correcta para completar su conversación. *(36 puntos)*

de parte de quién   equivocado   descolgar   aunque   marcar   tono   línea

la guía telefónica   un recado   volver a   esperar   entonces   colgar   operadora

Tita, primero tienes que __1__ el teléfono y escuchar para ver si hay __2__ . Si lo hay, __3__ puedes __4__ el número. A veces tienes que __5__ porque la __6__ está ocupada. Por eso es necesario __7__ llamar. Cuando alguien contesta, tienes que decir con quién quieres hablar. Te van a preguntar "¿ __8__ ?" Si esa persona no está, puedes dejar __9__ . Si te dicen que esa persona no vive allí, significa que marcaste un número __10__ . Si no tienes el número correcto, debes preguntárselo a la __11__ . Y después de hablar por teléfono, siempre lo debes __12__ bien, porque si no, el teléfono no funciona y nadie puede llamarnos.

CAPÍTULO 6

C Trabajas en el departamento de anuncios de un periódico. Tu trabajo es clasificarlos. Escribe las palabras de la lista que están relacionadas con cada uno de los anuncios que siguen. Puedes usar las palabras más de una vez. *(12 puntos)*

conferencia por video	correo electrónico	interactivo
medio de comunicación	comunicarse	rapidez

1. Ya es hora de modernizar su oficina con una máquina revolucionaria. Se pondrá en contacto de costa a costa en segundos en vez de días. Ya es hora de instalar el modem FAX UNIVERSAL en su oficina.

2. ¡Distinguido Director! Imagínese usted a sus empleados comunicándose por medio de computadoras. Todos se podrán comunicar sin dejar su escritorio, ahorrándole a usted tiempo y dinero.

3. Teléfonos celulares e inalámbricos y con videos, faxes, computadoras. Cada vez más tecnología al alcance de tu mano. ¡Ven a vernos!

D La directora de la oficina no está hoy y Amparo tiene que hacer su trabajo. Completa su conversación con los otros empleados. Escribe el verbo con el complemento directo y el indirecto en cada respuesta. *(16 puntos)*

1. —Francisca, ¿me podrías dar el número de teléfono del señor Lozano?

    —Sí, puedo _____ fácilmente. Es el 54-23-88.

2. —Martín, ¿quién nos va a traer más papel?

    —Creo que Manolo va a _____ .

3. —Amparo, ¿crees que le van a fabricar los nuevos inventos a la directora?

    —¡Claro! Van a _____ el mes que viene.

4. —¿Por qué no me está contestando Delia mis llamadas?

    —No está _____ porque salió de vacaciones ayer.

E Tú y tus amigos tienen planes de lo que van a hacer en las próximas vacaciones. Cambia los verbos subrayados del presente al futuro. *(12 puntos)*

1. No les <u>escribo</u> mucho a mis amigos en México, pero en el verano les _____ .

2. Mis hermanos y yo no <u>tenemos</u> computadora ahora, pero en julio _____ una.

3. No <u>haces</u> surf muy bien ahora, pero después de unas lecciones conmigo _____ surf mejor que yo.

4. Mis primos no <u>quieren</u> visitarnos ahora, pero este verano _____ visitarnos.

CAPÍTULO 6

Fecha _____

A *(24 puntos)*

1. _____   4. _____

2. _____   5. _____

3. _____   6. _____

B *(36 puntos)*

1. _____   7. _____

2. _____   8. _____

3. _____   9. _____

4. _____   10. _____

5. _____   11. _____

6. _____   12. _____

C *(12 puntos)*

1. _____

2. _____

3. _____

D *(16 puntos)*

1. _____   3. _____

2. _____   4. _____

E *(12 puntos)*

1. _____   3. _____

2. _____   4. _____

Capítulo 6

Examen de habilidades

I. Listening Comprehension *(20 points)*

A. Estás escuchando un programa de concursos para jóvenes. Identifica el dibujo o la expresión que corresponda a cada descripción.

B. Escucha estos diálogos e identifica el problema de cada persona. Escoge de la lista las dos oraciones que correspondan a cada diálogo.

II. Reading Comprehension *(20 points)*

Lee estos anuncios en una revista de tecnología. Escoge la respuesta que mejor complete cada oración según la información de los anuncios.

COMUNICACIONES MODERNAS

La nueva tarjeta de uso múltiple, COMUNICACIONES MODERNAS, hace las funciones de modem y fax y ofrece recados con voz en una sola unidad. La tarjeta tiene un modem de 8.900 bits por segundo y es compatible con todos los modelos que se han fabricado hasta ahora. Este sistema de correo tiene capacidad para 1.000 buzones, cada uno con su clave correspondiente, para mantener la privacidad cuando sea necesario.

MINI-RATÓN

Nuestro MINI-RATÓN utiliza un diseño diferente de ruedas para detectar e informar el movimiento al cursor de la computadora. Cuando se usa por primera vez, el (la) operador(a) tiene la sensación de que su funcionamiento es similar al de los modelos de esfera rodante, pero el diseño de rueda tiene sus diferencias. La característica más atractiva de este modelo de ratón es que es inalámbrico y, por eso, más costoso. Sin embargo, es muy fácil de operar y con el sensor infrarrojo siempre se saben los límites de la comunicación entre el ratón y la pantalla.

III. Writing Proficiency *(20 points)*

Eres reportero(a) del periódico de tu escuela. Esta semana tienes que escribir un artículo sobre los diferentes medios de comunicación que existen hoy en día y sobre los medios que tú crees que habrá en el futuro. En tu artículo describe:

- los diferentes medios de comunicación que utilizamos ahora
- cómo mejorar la interacción entre las personas
- cómo nos comunicaremos en el futuro
- las ventajas de la comunicación del futuro a nivel social y en el trabajo
- las desventajas o problemas de la comunicación del futuro

CAPÍTULO 6

Lee tu artículo de nuevo antes de entregarlo. ¿Escribiste las palabras correctamente? Revisa las terminaciones de los adjetivos y los verbos. ¿Escribiste verbos en el tiempo futuro? ¿Incluiste todas las ideas? ¿Hay una variedad de vocabulario y expresiones en tu artículo? Haz cambios si es necesario.

IV. Cultural Knowledge *(20 points)*

Contesta en español según lo que hayas aprendido en el *Álbum cultural*.

¿De qué manera la nueva tecnología hace más fácil que nos comuniquemos con otras personas?

V. Speaking Proficiency *(20 points)*

Es posible que tu profesor(a) te pida que hables sobre uno de estos temas.

A. Tienes que hacer una llamada desde un teléfono público. Yo soy el(la) operador(a). En tu conversación conmigo, considera la siguiente situación:

- no tienes tarjeta de crédito ni más de veinte centavos
- no tienes el número de la persona con quien quieres hablar
- la persona a quien llamas tiene algo que tú necesitas pronto
- qué harás si la persona no está

B. Quieres ayudarme a mandarle una carta y un paquete a mi abuelo porque yo sólo tengo cinco años. Explícame lo que:

- escribiré en el sobre y la carta
- haré con el paquete
- haré cuando llegue al correo con la carta y el paquete
- le explicaré al empleado del correo
- le preguntaré al empleado sobre la carta y el paquete

I. Listening Comprehension *(20 points)*

A. *(10 points)*

a. la computadora interactiva

d.

b. el correo electrónico

e.

c. la conferencia por video

f.

1. ___   2. ___   3. ___   4. ___   5. ___

B. *(10 points)*

a. Es necesario envolver mejor el paquete antes de mandarlo.
b. No se puede comunicar porque la línea está ocupada.
c. Puso monedas en el teléfono en vez de fichas.
d. Hay tono, pero no es el tono de marcar.
e. El paquete tiene destinatario, pero no tiene el remitente todavía.

1. _____   2. _____

II. Reading Comprehension *(20 points)*

1. La nueva tarjeta de uso múltiple se usa
   a. con computadoras para mandar correo electrónico.
   b. para mandar tarjetas por correo.
   c. para enviar correo por vía aérea.

2. La ventaja de comprar el MINI-RATÓN es que
   a. cuesta más dinero que otros.
   b. no tiene cables y por eso es más fácil moverlo.
   c. se parece mucho a los modelos de esfera rodante.

3. El MINI-RATÓN comunica
   a. con su buzón privado.
   b. con la pantalla.
   c. con el sensor infrarrojo.

4. La tarjeta COMUNICACIONES MODERNAS funciona

   a. como un contestador automático.

   b. como un fax.

   c. como un modem, un fax y un contestador automático.

5. Para usar el MINI-RATÓN, hay que tener

   a. conferencia por video.

   b. correo urgente.

   c. computadora.

III. Writing Proficiency *(20 points)*

_____

_____

_____

_____

_____

_____

IV. Cultural Knowledge *(20 points)*

_____

_____

_____

_____

_____

_____

V. Speaking Proficiency *(20 points)*

CAPÍTULO 7

A Estás hablando con tus padres sobre cómo ayudar a otras personas en tu comunidad. Escoge la letra del dibujo que corresponda a las palabras o expresiones subrayadas en cada oración. *(50 puntos)*

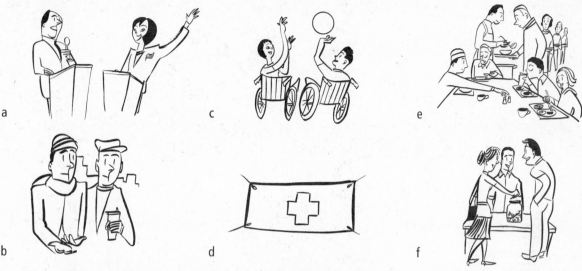

a

c

e

b

d

f

____ **1.** —¿Te gustaría trabajar ayudando a <u>la gente sin hogar</u>?

____ **2.** —Creo que sí. También puedo ayudar los sábados en <u>un comedor de beneficencia</u>.

____ **3.** —Mamá, ¿crees que <u>la Cruz Roja</u> necesita voluntarios?

____ **4.** —¡Claro que sí! También podrías trabajar en la campaña de algún <u>candidato</u> este año.

____ **5.** —Me parece buena idea ayudar a <u>los incapacitados</u>. Les podría enseñar a jugar

básquetbol.

B Milagros ha ido a la oficina de consejeros a buscar información sobre los trabajos voluntarios que puede hacer para su comunidad. Subraya la palabra o expresión que mejor complete la información que ella encuentra. *(50 puntos)*

1. "Personas mayores necesitan lecciones sobre la historia de Estados Unidos para

prepararse para hacerse (responsabilidad / refugio / ciudadanos)."

2. "Organización (sin fines de lucro / obligatoria / ciudadano) busca estudiantes para juntar

fondos para su centro recreativo."

3. "Las olimpiadas de minusválidos (benefician / exigen / votan) a miles de jóvenes cada año.

¿Nos podrías ayudar?"

4. "Se necesitan jóvenes para ayudar con la (anciana / responsabilidad/ campaña electoral)

en junio."

5. "La organización de derechos estudiantiles busca voluntarios para (prometer / protestar /

colaborar) que no cierren el centro recreativo."

CAPÍTULO 7

A Tú le estás diciendo a tu hermana que tus amigos participan en una variedad de actividades en la escuela o en la comunidad. Escribe la palabra que corresponda a cada actividad según los dibujos. *(40 puntos)*

1. Ruth y Marta ayudan los sábados en un _____ .

2. Sebastián es uno de los _____ para presidente

del consejo estudiantil este año.

3. Elena y Gonzalo quieren _____ para la Cruz

Roja el sábado.

4. Octavio y Aurelio ayudan a los incapacitados en el

_____ los viernes por la tarde.

B Estás leyendo el periódico de la escuela y ves que una organización de tu comunidad puso un anuncio en el periódico esta semana. Escoge de la lista las palabras o expresiones que mejor completen los espacios en blanco del anuncio. *(60 puntos)*

la gente sin hogar	ciudadanos	prometer	ancianos
sin fines de lucro	colaborar	beneficiar	donar

Les invitamos a participar en el nuevo centro de la comunidad, CASA CÉSAR CHÁVEZ.

Porque somos una organización _____ , dependemos del dinero y del

trabajo voluntario de nuestra generosa comunidad. Necesitamos varios tipos de ayuda. Los fines

de semana servimos una comida completa a _____. Podrían

_____ su tiempo en la cocina o contribuir comida, si prefieren. Los

jueves por la tarde ofrecemos clases para los jóvenes y los _____ que

están preparándose para hacerse _____ de Estados Unidos.

Necesitamos libros en inglés o en español. Si les gusta enseñar, también nos podrían ayudar

dando clases de inglés. Su tiempo de dos o tres horas por semana podría _____

a mucha gente. Vengan a visitarnos. Nuestras puertas están abiertas a todos.

CAPÍTULO 7

A En la clase de historia, los estudiantes están participando en un debate. Cada grupo defiende sus ideas sobre el trabajo voluntario. Escoge la oración del Grupo A que afirme una oración del Grupo B. *(50 puntos)*

Grupo A

a. No debe ser obligatorio trabajar como voluntario(a) si el (la) estudiante no quiere hacerlo.

b. Vamos a mostrar a toda la gente que no estamos de acuerdo con los candidatos.

c. Sacar buenas notas debe ser el único requisito para graduarse.

d. Tenemos leyes justas que nos garantizan a todos los mismos derechos.

e. Esta experiencia no preparará a los estudiantes para ser parte de la sociedad.

f. Los negocios no pueden garantizar trabajos a los jóvenes.

Grupo B

_____ **1.** No es necesario que los jóvenes trabajen en la comunidad para saber cómo llevarse bien con la gente.

_____ **2.** Algunos estudiantes no tienen tiempo de trabajar como voluntarios porque prefieren estudiar y practicar deportes. Es injusto que tengan que hacer algo que no les gusta.

_____ **3.** Si un(a) estudiante quiere juntar fondos para alguna organización como voluntario(a), es su derecho, pero su graduación de la escuela secundaria sólo debe depender de las notas que reciba en sus materias.

_____ **4.** Hemos preparado una manifestación para protestar en contra de los estudiantes que esperan ganar la elección esta semana.

_____ **5.** Las compañías pueden prometer trabajos ahora, pero ninguna sabe cuál será su situación financiera en el futuro. Por eso es mejor no depender de lo que nos prometan ahora.

B Estás escribiendo unos apuntes para expresar tu opinión en clase sobre las responsabilidades que deben tener los estudiantes mayores de dieciocho años. Subraya la palabra que mejor complete tus apuntes. *(50 puntos)*

1. Nosotros los jóvenes, al cumplir los dieciocho años, podemos (esperar / prometer / completar) algunos derechos personales.

2. Pero, al mismo tiempo, hay que pensar en lo que significa ser buen ciudadano si queremos beneficiarnos de las (causas / ciudadanías / leyes) que nos protegen.

3. Una sociedad democrática como la nuestra no (colabora / beneficia / exige) que votemos.

4. Sin embargo, es importante que lo hagamos para (gobernarnos / presentarnos / garantizarnos) los derechos de los que tanto disfrutamos, no sólo hoy en día (actualmente / sino / por) también para las generaciones futuras de ciudadanos que vivirán en nuestro país.

CAPÍTULO 7

Fecha _____

Mercedes encontró el diario viejo de su bisabuelo mientras estaba limpiando un guardarropa en su casa. Escoge de la lista la palabra o expresión que complete las partes del diario que no se pueden leer claramente. *(100 puntos)*

nos presentamos	actualmente	ciudadanía	prometer	ejército
manifestación	esperamos	realmente	en contra	injusta
colaboramos	a favor de	ciudadano	obtener	sino

Teníamos veintitrés años cuando llegamos en 1898. Queríamos _____ nuestra

_____ aunque no sabíamos leer ni escribir muy bien en inglés. Era muy

importante para nosotros porque en el país de donde veníamos no era posible votar y nadie tenía

el derecho de protestar _____ del gobierno. Cuando yo tenía unos catorce años,

los trabajadores de mi pueblo organizaron una _____ porque no estaban

_____ las malas condiciones en las que tenían que trabajar.

El _____ llegó con rifles. Nunca vi más a los padres de mis amigos Paquito

y Simón.

En este país todo _____ tiene derechos y la vida no es tan

_____ para la gente que quiere defender una causa personal. Ya hace muchos

años que llegué, pero ahora estoy escribiendo en este diario porque quiero que mis hijos

recuerden el pasado. _____ sigo estudiando de noche y he aprendido a leer

y escribir bien en inglés. Mi querida Lilia y yo _____ que nuestros hijos

y nietos tengan un futuro mejor.

Unos amigos tuyos trabajan los fines de semana como voluntarios en un centro de la comunidad. Completa su conversación con la forma correcta del verbo (en el subjuntivo o en el indicativo) o el infinitivo. *(100 puntos)*

1. —Queremos que los nuevos ciudadanos _____ en la sala pequeña porque vamos

   a prepararles una comida especial en la sala grande. (votar)

   —De acuerdo, yo arreglaré las mesas.

2. —Chelo, el director nos pide que _____ nuestra ropa vieja y los libros que ya

   no leemos. (donar)

   —Voy a buscar cajas para ponerlos.

3. —Kati, espero que Manolo _____ más la guitarra antes de tocar para los

   ancianos el sábado. (practicar)

   —Pues, yo sé que Manolo y su hermano nunca _____. (practicar)

4. —El director quiere que yo _____ a alguien para ayudarnos con las elecciones.

   Dan, ¿crees que tu hermano nos puede ayudar? (encontrar)

   —No sé, tengo que preguntárselo primero.

5. —Los incapacitados insisten en que las olimpiadas _____ en marzo y no en junio.

   Están practicando ahora en el gimnasio. (empezar)

   —Así podrán ganar muchas medallas.

6. —Eric, unas personas sin hogar llegaron hace una hora. Sugiero que tú les _____

   cómo buscar trabajo esta semana. (explicar)

   —Sí, pero primero debo explicarles cómo es nuestro centro.

7. —Roberto, recomiendo que tú y yo _____ más temprano mañana al centro.

   Hay mucho que hacer para la fiesta del sábado. (llegar)

   —Bueno. ¿A qué hora debo llegar?

8. —Una organización quiere _____ el centro el domingo para una celebración.

   (usar)

   —Está bien, pero el director dice que él prefiere que ellos _____ antes y no

   después de unirse al centro. (pagar)

Estos estudiantes se han reunido para conversar sobre sus trabajos como voluntarios en diferentes centros. En sus conversaciones, cambia el verbo a la forma correcta (del indicativo o del subjuntivo) o el infinitivo. *(100 puntos)*

1. —Trabajo con ancianos. Es importante que yo les _____ con su inglés porque

   quieren obtener su ciudadanía este año. Y tú, Alex, ¿qué estás haciendo? (ayudar)

   —Yo también trabajo con ancianos. Les estoy ayudando a protestar las malas condiciones

   del edificio donde viven. Algunos creen que es mejor que ellos _____ en un asilo

   para ancianos, pero ellos prefieren _____ en su propio apartamento privado.

   (estar / vivir)

2. —¡Amanda, ya veo que _____ interés en la campaña electoral! ¿Qué te interesa

   de esta elección? (tener)

   —Pues, creo que es necesario que nosotros _____ a un candidato responsable.

   ¿Y tú, Raquel? (elegir)

   —No me interesa mucho la política y creo que se _____ escribir menos leyes.

   (deber)

3. —Felipa, el otro día te vi entrar al centro de rehabilitación. ¿Qué hacías allí?

   —Creo que es importante que los jóvenes _____ mejor a los incapacitados.

   Flor, tú me podrías ayudar a enseñarles que todo está al alcance de la mano porque siempre

   eres muy optimista. Te recomiendo que _____ conmigo el sábado. ¿Qué te

   parece, Flor? (conocer / venir)

   —Me parece una idea excelente.

4. —David, ¿qué sugieres que yo _____ por la gente sin hogar? Me gustaría

   _____ su situación injusta, pero no sé cómo. (hacer / cambiar)

   —Podrías ayudar en el refugio de la comunidad. Te gusta cocinar, ¿verdad? Te recomiendo

   que _____ tu tiempo en el comedor de beneficiencia. (contribuir)

A Eres uno de los guías en un museo de arqueología. Contesta las preguntas que los estudiantes que están visitando el museo te hacen. En tus respuestas, cambia los verbos entre paréntesis a la voz pasiva. *(60 puntos)*

1. —¿Quiénes estudiaron estos jeroglíficos para interpretarlos?

   —Los jeroglíficos _____ por antropólogos mexicanos. (ser / estudiar)

2. —¿Quiénes construyeron los observatorios en esta fotografía?

   —Esos observatorios _____ por los arquitectos mayas.

   (ser / construir)

3. —¿Quién hizo esta escultura? ¡Es fascinante!

   —Creemos que _____ por un artista precolombino. (ser / hacer)

4. —¿Quién descubrió esas ruinas?

   —Son las ruinas más impresionantes y _____ por unos obreros en

   el campo. (ser / descubrir)

5. —¿Quién abrió esta tumba maya por primera vez?

   —Esa tumba _____ por un científico que excavaba en las ruinas.

   (ser / abrir)

6. —¿Cuándo pusieron este cuenco de jade en la tumba?

   —Creemos que _____ en la tumba por los mayas hace más de ocho

   siglos. (ser / poner)

B Es el primer día de trabajo voluntario para estos muchachos y muchachas en un centro de la comunidad. Completa las respuestas que la directora del centro les da a los voluntarios usando el *se* impersonal y la forma correcta del verbo subrayado en las preguntas. *(40 puntos)*

1. —¿<u>Esperan</u> a más voluntarios hoy?

   —Sí, _____ a más de cinco.

2. —¿<u>Necesitan</u> más ropa y comida?

   —¡Claro! Siempre _____ más.

3. —¿Qué <u>sirven</u> hoy en el comedor de beneficencia?

   —_____ pavo, papas, ensalada y tarta de calabaza.

4. —¿Dónde <u>ponemos</u> las latas y botellas después de la comida?

   —_____ con el cartón y lo llevamos al centro de reciclaje mañana.

CAPÍTULO 7

Prueba cumulativa

A Estás hablándole a tu consejero porque quieres trabajar como voluntario después de las clases. Escribe la palabra o expresión que corresponda al dibujo para completar tu conversación. *(16 puntos)*

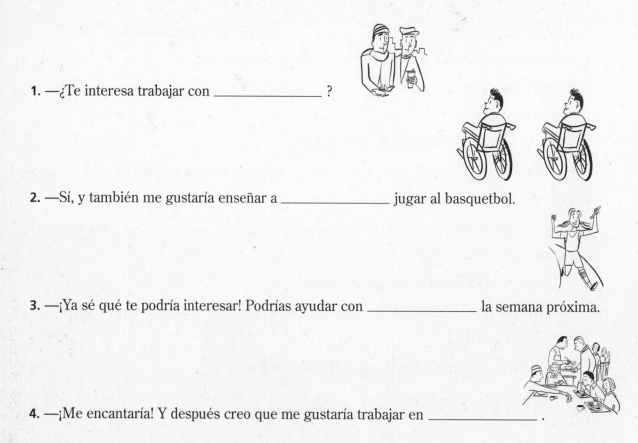

1. —¿Te interesa trabajar con _____ ?

2. —Sí, y también me gustaría enseñar a _____ jugar al basquetbol.

3. —¡Ya sé qué te podría interesar! Podrías ayudar con _____ la semana próxima.

4. —¡Me encantaría! Y después creo que me gustaría trabajar en _____ .

B José Luis está preparándose para hablar enfrente del consejo estudiantil. Escoge de la lista la palabra o expresión apropiada que complete sus apuntes. *(40 puntos)*

manifestación	derecho	en contra de	exigir	injusta
colaboramos	prometer	ejército	donar	haga
protestemos	obligatorio	a favor de	justa	sino

La administración quiere que todo estudiante __1__ algún trabajo voluntario antes de la graduación. El problema es que es __2__ hacerlo. La administración va a __3__ que cada estudiante trabaje diez horas como voluntario(a) por semana. Ellos están __4__ esa idea porque dicen que los estudiantes serán mejores ciudadanos si sirven a la comunidad. Nosotros estamos totalmente __5__ la administración. No es que __6__ la idea del trabajo voluntario __7__ que pensamos que todos deberían tener el __8__ de escoger lo que hace en su tiempo libre. Esta tarde hemos organizado una __9__ para expresarnos. Esperamos que este consejo estudiantil nos ayude en nuestra oposición a esta situación __10__ creada por una administración autocrática.

CAPÍTULO 7

C Santiago y Rocío son consejeros estudiantiles. Hoy están hablando con un grupo de jóvenes que quiere ayudar en la comunidad. Completa sus comentarios con el verbo en la forma correcta (del subjuntivo o del indicativo) o el infinitivo. *(28 puntos)*

1. Ustedes quieren ayudar a la gente pobre. Les recomendamos que _____ información en los centros de la comunidad. Aquí tengo una lista. (buscar)

2. Elisa, como dices que te interesan los deportes, te sugiero que _____ en trabajar como entrenadora voluntaria en un centro recreativo. (pensar)

3. A mí me interesa mucho el gobierno. Por eso mis padres quieren que yo _____ a las elecciones como voluntaria. Tal vez les interese a algunos de ustedes. (contribuir)

4. A Santiago y a mí nos gusta enseñar inglés. La biblioteca nos ha pedido que _____ cada viernes a dar clases. (venir)

5. Hay jóvenes que no pueden practicar algunos deportes porque son incapacitados. Si tienen talento musical es importante que les _____ a tocar un instrumento o a cantar. (enseñar)

6. En el centro recreativo hay una piscina. Eva sabe nadar muy bien. Ella debe _____ la posibilidad de enseñar natación a otros. (considerar)

7. Cada persona tiene algo que ofrecer. Es mejor que todos _____ su experiencia como voluntario(a) haciendo algo que les interese. (empezar)

D Has decidido donar tu trabajo como voluntario a la Cruz Roja. Este sábado la gente ha sido muy generosa y la directora no puede creerlo. Contesta las preguntas con la forma correcta de la voz pasiva. *(16 puntos)*

1. —¿Quién donó toda esta ropa tan buena?

—No sé. _____ por una señora canosa esta mañana. (ser + donar)

2. —¿Quién organizó la cena para los pobres?

—Creo que _____ por un grupo de jóvenes de mi escuela. (ser + organizar)

3. —¿Quién puso todos esos jamones en el refrigerador?

—Nosotros. _____ anoche por un señor muy amable. (ser + traer)

4. —¿Y quién oyó nuestro anuncio pidiendo ayuda?

—Creo que _____ por toda la ciudad. Yo lo oí anoche en la radio también.

(ser + oír)

Nombre _____

CAPÍTULO 7

Fecha _____

A *(16 puntos)*

1. _____
2. _____
3. _____
4. _____

B *(40 puntos)*

1. _____ 6. _____
2. _____ 7. _____
3. _____ 8. _____
4. _____ 9. _____
5. _____ 10. _____

C *(28 puntos)*

1. _____ 5. _____
2. _____ 6. _____
3. _____ 7. _____
4. _____

D *(16 puntos)*

1. _____
2. _____
3. _____
4. _____

CAPÍTULO 7

I. Listening Comprehension *(20 points)*

A. Tus amigos están describiendo los trabajos que hacen como voluntarios después de responder a los anuncios que leyeron en el periódico. Escucha cada descripción y luego empareja con el anuncio correspondiente en la hoja para respuestas.

B. Escucha lo que dice Vicente sobre su experiencia personal trabajando en la comunidad. Escoge la letra de la respuesta que complete cada oración correctamente.

II. Reading Comprehension *(20 points)*

Lee estos anuncios que están en el boletín de anuncios de una biblioteca pública. Busca el anuncio con la información que mejor corresponda a cada descripción. Hay sólo una respuesta para cada descripción.

A   CENTRO COMUNITARIO *CÉSAR CHÁVEZ*

Se ofrecen estos servicios gratis a nuestra comunidad:

- Asistencia con su declaración de impuestos
- Programa de nutrición para los mayores de edad
- Servicio médico y dental a bajo costo
- Clases bilingües de preparación para el examen de ciudadanía
- Clases de inglés

C   CENTRO RECREATIVO *BARRIO ALEGRE*

Nuestro personal tiene mucha experiencia y conocimiento de las necesidades de la gente bilingüe.

- Gimnasio, piscina y guardería infantil
- Sesiones de terapia familiar
- Servicios para personas incapacitadas
- Donaciones mensuales de sangre
- Consejeros especializados en el SIDA

B   LA CASA DE LA RAZA

Organización sin fines de lucro ofrece:

- Galería para las artes culturales
- Centro para la juventud
- Programas para prevenir el uso de drogas
- Información sobre servicios comunitarios y empleos
- Sala de conferencia con cocina (Se alquila a bajo costo.)
- Distribución de comida a personas pobres
- Alojamiento y refugio temporal

III. Writing Proficiency *(20 points)*

Estás muy interesado(a) en una causa particular. Por eso has decidido escribir un artículo en el periódico estudiantil expresando tus ideas. En tu artículo, incluye:

- una descripción de la causa y por qué fue iniciada
- por qué estás a favor o en contra de esta causa

CAPÍTULO 7

- lo que recomiendas que haga la gente para apoyar o eliminar tu causa

- tu opinión sobre qué se espera de esta situación

Lee tu artículo de nuevo antes de entregarlo. ¿Escribiste las palabras correctamente? Revisa las terminaciones de los adjetivos y los verbos. ¿Usaste el modo subjuntivo? ¿Escribiste sobre todas las ideas? ¿Hay una variedad de vocabulario en tu artículo? Haz cambios si es necesario.

IV. Cultural Knowledge *(20 points)*

Contesta en español según lo que hayas aprendido en el *Álbum cultural*.

¿Qué hacen las personas en los países hispanos para servir a su comunidad?

V. Speaking Proficiency *(20 points)*

Es posible que tu profesor(a) te pida que hables sobre uno de estos temas.

A. La administración de tu escuela cree que el trabajo voluntario debe ser obligatorio para la graduación. Yo soy el (la) director(a) de la escuela y tú eres un(a) estudiante que no está de acuerdo con esa idea. En tu conversación conmigo, explícame:

- la situación con una descripción detallada

- por qué no estás de acuerdo

- la evidencia a favor o en contra de los estudiantes

- una solución o sugerencia alternativa

B. Eres uno(a) de los consejeros(as) de la escuela. Soy un(a) estudiante que quiere trabajar como voluntario(a) en la comunidad. Háblame sobre:

- los diferentes trabajos que yo podría hacer

- los lugares donde puedo hacer los trabajos

- cómo cada trabajo beneficia a otros

- cómo cada trabajo me beneficia a mí como voluntario(a)

CAPÍTULO 7

Fecha

I. Listening Comprehension *(20 points)*

A. *(8 points)*

a. "Organización sin fines de lucro busca voluntarios para juntar fondos."

b. "Se necesitan voluntarios para entretener a los ancianos de un asilo."

c. "Buscamos jóvenes para que trabajen con la gente sin hogar."

d. "Ayuden en la campaña electoral para el gobierno de la ciudad."

e. "Pónganse en contacto con nuestra oficina si les interesan las leyes injustas."

f. "Trabajarás con incapacitados si tienes entusiasmo y talento para los deportes."

1. ___   **2.** ___   **3.** ___   **4.** ___

B. *(12 points)*

1. Vicente
   a. trabaja como voluntario actualmente y no le pagan.
   b. trabajaba como voluntario antes, pero actualmente le pagan.
   c. trabajó antes como voluntario, pero ahora sólo estudia en la universidad.

2. Vicente escogió el trabajo como voluntario porque
   a. no era tímido y quería ayudar a todos.
   b. tenía mucho interés en ayudar a la gente mayor que él.
   c. le influyó un amigo suyo.

3. Según Vicente, una de las ventajas de este trabajo ha sido
   a. la responsabilidad que tiene para solicitar dinero.
   b. la oportunidad de servir en el ejército.
   c. aprender de la experiencia de los ancianos.

4. Parte del trabajo que hace Vicente consiste en
   a. protestar contra el centro de la comunidad.
   b. ser entrenador de deportes para jóvenes pobres.
   c. enseñar inglés.

5. Según Vicente
   a. su vida fue influida por las personas del centro.
   b. la vida militar será una opción buena para él.
   c. no es importante que tengamos miedo de trabajar con los ancianos.

6. Vicente está hablando hoy
   a. a unos jóvenes que fueron a visitar el centro de la comunidad.
   b. en la escuela donde estudió hace dos años.
   c. a un grupo de ancianos.

II. Reading Comprehension *(20 points)*

1. Este centro está preparado para recibir a la gente sin hogar. _____

2. Si te interesa ayudar a ancianos con su alimentación, podrías trabajar aquí. _____

3. Este centro te podría servir si eres incapacitado(a) y quieres obtener ayuda. _____

4. Hay espacio para la gente que quiere reunirse y organizar una protesta. _____

5. Para este centro es importante que la gente les ayude a juntar fondos. _____

6. En este centro podrías ayudar a la gente a estudiar para hacerse ciudadanos. _____

7. Si tienes que declarar lo que ganas al gobierno, aquí te ayudarán. _____

8. Aquí se da información sobre una enfermedad que afecta la salud. _____

9. Es mejor que vayas a este centro si quieres practicar un deporte. _____

10. Este centro no exige que se pague mucho si se necesita atención médica. _____

III. Writing Proficiency *(20 points)*

_____

_____

_____

_____

_____

_____

_____

IV. Cultural Knowledge *(20 points)*

_____

_____

_____

_____

V. Speaking Proficiency *(20 points)*

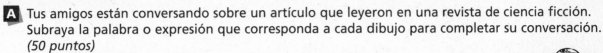

Paso a paso 3   Nombre _____

CAPÍTULO 8   Fecha _____   Prueba **8-1**

A Tus amigos están conversando sobre un artículo que leyeron en una revista de ciencia ficción. Subraya la palabra o expresión que corresponda a cada dibujo para completar su conversación. *(50 puntos)*

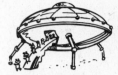

1. —Felipe, ¿leíste el artículo sobre (la rueda / la nave espacial) que unos científicos vieron?

2. —Sí, lo leí. La vieron en (la huella / el desierto) hace unos meses.

3. —Los geólogos (calcularon / trazaron) que medía quince pies de altura.

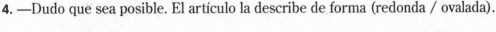

4. —Dudo que sea posible. El artículo la describe de forma (redonda / ovalada).

5. —Parece increíble. El artículo decía que no tenía (largo / ruedas / ancho).

B En la clase de arte, tú y una compañera están terminando sus trabajos para dárselos al profesor. Escoge de la lista la letra de las palabras o expresiones que mejor completen la conversación. *(50 puntos)*

a. pesemos	**d.** diseños	**g.** trazar
b. movamos	**e.** medirlo de largo	**h.** midamos
c. medirlo de ancho	**f.** pesar	**i.** diámetro

1. —Sólo tenemos una hora más para terminar nuestros _____ .

2. —El profesor recomienda que _____ el pájaro antes de empezar.

3. —Sí, es necesario que el pájaro sea totalmente realista. Por eso hay que _____

y también _____ para saber sus dimensiones exactas.

4. —De acuerdo. ¿Tienes un lápiz negro para _____ el cuerpo del pájaro? ¡Nuestro pájaro

será mejor que cualquier otro de la clase!

CAPÍTULO 8   Fecha

A Manuela y Ana están grabando un video de dibujos animados para la clase de comunicaciones. Escribe la palabra que corresponda a cada dibujo para completar la conversación entre las dos amigas. *(60 puntos)*

1. —Creo que nuestra _____ debería ser _____ .

2. —Prefiero que sea redonda como una _____ . También quiero

    dibujar un _____ .

3. —Vamos a poner unas _____ cerca de estas

    _____ para crear la impresión de que aterrizaron unos

    extraterrestres. ¡Nuestros dibujos animados de ciencia ficción serán geniales!

B A Horacio y Benito les encanta leer sobre las cosas inexplicables del mundo. Ahora los dos están leyendo una revista para jóvenes. Escoge de la lista las palabras o expresiones que mejor completen su conversación. *(40 puntos)*

mide nueve pies de alto	estar seguros	aparece	duda
mida nueve pies de ancho	prueba	peso	traza
para qué sirve	extraño	pesa	Yeti

1. —Benito, ¡no lo puedo creer! Según esta revista, unos esquiadores vieron al

    _____ sentado debajo de un árbol.

2. —¡Increíble! A ver… Dice que _____ y que

    _____ unas trescientas libras.

3. —¡Qué _____ ! También dice que otros lo han visto antes

    y que siempre _____ a la misma hora del día.

4. —Pues, yo dudo que haya tal persona en las montañas. ¿Dónde está

    la _____ ? ¿Cómo pueden ellos _____ ?

    ¿Tienen fotos?

5. —No, pero ¿ _____ una foto? Cualquiera podría sacarle una foto

    a alguien con un disfraz.

CAPÍTULO 8   Fecha _____   Prueba **8-3**

Después de ver una película sobre fenómenos extraños en la clase de sociología, tú y algunos amigos siguen conversando de ese tema en la cafetería. Subraya la palabra o expresión que mejor complete lo que cada uno dice. *(100 puntos)*

TÚ   El año pasado mi familia y yo visitamos la isla de La Venta, donde vimos las enormes cabezas de piedra olmecas.

GABRIEL   Lo extraño es que no había piedras tan grandes en esa región y, (se supone que / a pesar de que) conocían la rueda, no la usaban.

LYDIA   ¿Cómo era posible mover piedras tan (toneladas / pesadas)?

NANCY   Hace poco leí en una revista sobre las líneas de Nazca, en Perú. En el desierto se ven diseños (misteriosos / desconocidos) de diferentes figuras, como los de un (mito / mono) entre otros.

TÚ   Para mí, lo curioso es que los diseños son tan grandes. Se supone que los creadores (aparecían / pertenecían) a una antigua civilización.

GABRIEL   Yo he leído libros en los que (haya resuelto / se ha afirmado) que las líneas de Nazca fueron trazadas por extraterrestres.

LYDIA   Sí, pero la (evidencia / afirmación) que ofrecen en esos libros está basada en el (mito / peso) de que los indígenas creían que sus dioses llegaban a la Tierra desde el cielo.

NANCY   No sé nada de cabezas grandes ni de líneas trazadas en el desierto, pero lo que a mí me interesa es saber cuáles son (las leyendas / los datos) que tienen los autores de esos libros como prueba para sus (teorías / desconocidos).

TÚ   Yo estoy de acuerdo. Se necesitan más pruebas y no tantas leyendas.

CAPÍTULO 8

Fecha

Rosa María tiene que preparar sus apuntes para el informe que dará en su clase de sociología. Escoge las palabras o expresiones de la lista que mejor completen lo que ella ha escrito hasta ahora. *(100 puntos)*

extraordinarios	fenómenos	a pesar de	afirmar	supone	el Yeti
la afirmación	pertenecer	fenómeno	suponer	mono	datos
desconocidas	desconocido	habitantes	misterio	teoría	mitos
ha resuelto	inexplicables	creadores	evidencia	dudas	suponen

Hay _____ que nos llaman la atención porque son un _____ .

Algunas personas antes _____ se han hecho famosas porque dicen que pueden

hacer flotar objetos o doblar una cuchara con poderes _____ de la mente.

También se han escrito miles de artículos sobre monstruos y animales

_____ . En 1915, los _____ de una colonia inglesa en Kenia

fueron atacados por un enorme _____ que medía dos metros de alto. En 1983,

un biólogo reportó que había visto un animal _____ que parecía

_____ a la familia de los dinosaurios. Los cuentos del abominable hombre de las

nieves, o _____ , siguen fascinando a la gente. Los científicos quisieran tener

más _____ y pruebas que sirvan de _____ para

_____ que nuestros antepasados eran animales. Mientras haya

_____ , esa idea es sólo una _____ .

Otro _____ que no se _____ es el de los O.V.N.I., los

objetos voladores no identificados. En 1971, alguien sacó fotos de uno, pero

_____ que es la única prueba, la mayoría de la gente _____

que es la foto de una nave espacial. Todos estos misterios extraños seguirán siendo

_____ hasta el día que se puedan explicar de una manera lógica.

Después de ver una película sobre fenómenos inexplicables, estos jóvenes expresan sus opiniones sobre el tema. Completa la conversación con la forma correcta de cada verbo en el subjuntivo o en el indicativo. *(100 puntos)*

CARLOS　La película dice que hay O.V.N.I.s, pero dudo mucho que _____ .
(existir)

ISABEL　¡Pues claro! Es imposible que _____ volando por el espacio naves espaciales con extraterrestres. (estar)

JULIO　¿Qué piensas, Leticia? ¿Es posible que _____ objetos voladores no identificados volando por el cielo? (encontrarse)

LETICIA　¡No soy idiota, Julio! Estoy segura de que no _____ seres de otros planetas volando por la Tierra. (haber)

JULIO　¿Y cómo puedes explicar las fotos tan realistas que vimos en la película? Es probable que sólo algunas personas _____ la oportunidad de estar presentes cuando los O.V.N.I. aterrizan. (tener)

CARLOS　También es posible que _____ seres en otros planetas, pero como vivimos a tanta distancia es imposible que los _____ . (vivir / ver)

JULIO　Por otro lado, nosotros no _____ científicos. Debemos recordar que antes del viaje de Cristóbal Colón a las Américas, mucha gente tenía teorías muy falsas sobre la forma de la Tierra. No creo que _____ posible saberlo por muchos siglos, pero creo que algún día será posible que los científicos _____ sobre otras formas de vida en otros planetas. (ser / ser / aprender)

La profesora de biología está conversando con algunos estudiantes mientras ellos trabajan en sus proyectos. Completa lo que dicen con la forma correcta de cada verbo en el subjuntivo. *(100 puntos)*

1. —Toña, recomiendo que tú y Paulina _____ las piedras antes de continuar con el experimento de los insectos. Después, les sugiero que _____ su investigación y consulten los documentos en esos libros científicos. (medir / seguir)

2. —Profesora Anaya, ¿es necesario que Virgilio y yo le _____ más datos sobre nuestro experimento? (dar)

   —¡Claro que sí! Hay que tener bastante evidencia siempre. Hay científicos que presentan sus teorías sin suficiente evidencia y por eso es probable que _____ sobre sus conclusiones, porque no tienen los datos necesarios. (mentir)

3. —Angelina y Alfredo, me parece que su proyecto con los monos va bien, pero creo que es mejor que el dibujo del animal _____ más grande y más detallado. Es posible que en esta enciclopedia de primates _____ fotos detalladas que podrían consultar. (ser / haber)

4. —Profesora Anaya, ¿nos permite que _____ a la biblioteca para buscar más información sobre mamíferos? (ir)

   —Sí, y quiero que ustedes le _____ al señor Molino los nuevos libros que él compró para nuestra clase de biología. (pedir)

5. —Sofía, ¡no has hecho nada hoy para completar tu proyecto! Te recomiendo que _____ más horas esta noche. (dormir)

   —Sí, profesora Anaya. También será mejor que yo _____ de mis amigas más temprano. (despedirse)

Nombre _____

CAPÍTULO 8

Fecha _____

A Hoy es el primer día que tus amigos trabajan en el centro de la comunidad y están un poco nerviosos. Completa su conversación con la forma correcta de los verbos en el presente perfecto del subjuntivo o en el presente perfecto del indicativo. Recuerda que necesitas otro verbo para formar el presente perfecto. *(60 puntos)*

1. —Irene, ¿crees que yo _____ bastantes pavos para el comedor de

   beneficencia? (pedir)

   —Creo que sí, pero no creo que tú _____ bastantes platos en las mesas.

   (poner)

2. —Ricardo, espero que tú y Leti _____ que las olimpíadas de minusválidos

   serán el sábado. (anunciar)

   —Sí, pero es posible que no _____ la hora correcta en la invitación.

   (escribir)

3. —Dudo que Silvita _____ las puertas del centro todavía. (abrir)

   —No sé, pero sí sé que todavía no _____ a Marina y a Serafina. Las dos

   se pasaron la mañana juntando fondos para el baile. (ver)

B Eres un(a) guía en un museo de arqueología y estás mostrándoles las exposiciones a unos jóvenes de escuela primaria. Contesta sus preguntas cambiando los verbos subrayados a la forma correcta del presente perfecto del subjuntivo o del indicativo. Recuerda que necesitas otro verbo para formar el presente perfecto. *(40 puntos)*

1. —¿Llegaron al desierto de otros planetas?

   —Pues, yo dudo que _____ de otros planetas.

2. —¿Les sirven esos dibujos a los extraterrestres como un mensaje?

   —No creo que los dibujos les _____ de mensaje a los extraterrestres.

3. —¿Resolvieron los científicos el misterio?

   —Dudo que ellos lo _____ todavía.

4. —¿Dibujaron la araña en las piedras o en el desierto?

   —Yo creo que _____ arañas en el desierto y en las piedras.

Capítulo 8

A Tú y unos compañeros están trabajando en un proyecto para la clase de ciencias. Escribe la palabra o expresión que corresponda a cada dibujo. *(30 puntos)*

1. —Primero, debemos saber _____ de cada piedra.

2. —Y yo las voy a _____ y luego tengo que _____ cada una.

3. —Yo te ayudo. Elisa, escribe que la primera mide quince centímetros de _____ .

4. —Y tú, Pascual, escribe que mide doce de _____ . ¡Qué buenos científicos somos!

B Estos estudiantes de sociología están discutiendo los artículos que han leído sobre civilizaciones fascinantes. Escribe los verbos en la forma correcta del presente del subjuntivo o del presente perfecto del subjuntivo. *(28 puntos)*

1. —Es increíble pensar que algunas de las civilizaciones antiguas _____ templos enormes y pirámides gigantescas sin usar la rueda. (construir)

2. —No se sabe por qué desaparecieron los incas de Machu Picchu. No creo que nadie _____ el porqué nunca. (saber)

3. —Hay una novela que propone la idea que las líneas de Nazca fueron creadas para indicar dónde debían aterrizar las naves espaciales de los extraterrestres. Es imposible que esa idea _____ posible. (ser)

CAPÍTULO 8

4. —Yo estoy seguro de que esas líneas tienen un significado lógico, pero dudo que los incas las

_____. (trazado)

5. —Quisiera saber más de los habitantes de la isla de Pascua. Pero es mejor que tú y yo

_____ a la biblioteca porque este artículo no tiene suficiente información. (ir)

6. —Martín, René y yo dudamos de la información que leímos en nuestro artículo. ¿Es posible

que el autor _____ cuando dice que algunas civilizaciones precolombinas hacían

sacrificios humanos con frecuencia? (mentir)

7. —Yo no creo que en los tiempos precolombinos _____ tanta violencia como se

dice. (existir)

C Yolanda y Sergio están preparando los apuntes para el informe sobre fenómenos inexplicables que tienen que escribir para mañana. Escoge de la lista las palabras o expresiones que faltan en sus apuntes. *(42 puntos)*

haya resuelto	está segura de	afirmarlos	evidencia	extraño	el Yeti
misteriosos	fantasmas	leyenda	teorías	trazadas	falso
geométricas	a pesar de	pertenecen	suponen	datos	pesan

Es posible que el __1__ universo de los fenómenos inexplicables, que son el objeto de mucha

investigación, pueda ser revelado en el próximo siglo. Entre los muchos fenómenos __2__ que

hasta ahora se han presentado, la mayoría __3__ a dos categorías: los fenómenos físicos y los

psíquicos. En estos últimos, la persona __4__ que su mente tiene poderes independientes. Para

otras personas existe el fenómeno del *poltergeist*. Es el fenómeno peculiar en que aparecen __5__

acompañados por ruidos y se lanzan objetos por el aire. Otros insisten en que pueden elevar

mesas u objetos que __6__ poco, como vasos o jarras. Entre los fenómenos físicos se encuentran

algunos que parecen ofrecernos __7__ de su existencia porque los hemos visto en fotografías,

pero no creo que nadie __8__ esos enigmas. Por ejemplo, hay fotografías de los grandes círculos y

configuraciones __9__ que se han visto en los campos de cultivo de muchos países. Vistas desde

el aire, parecen ser __10__ con gran precisión. __11__ las fotos, algunos científicos dicen que son sólo

fenómenos naturales. No pueden aceptar las __12__ que atribuyen este fenómeno a los aterrizajes

de los O.V.N.I. Otros fenómenos parecen tener explicación lógica, pero todavía no hay

suficientes __13__ para __14__ .

CAPÍTULO 8

Fecha _____

A *(30 puntos)*

1. _____
2. _____
3. _____
4. _____

B *(28 puntos)*

1. _____
2. _____
3. _____
4. _____
5. _____
6. _____
7. _____

C *(42 puntos)*

1. _____
2. _____
3. _____
4. _____
5. _____
6. _____
7. _____
8. _____
9. _____
10. _____
11. _____
12. _____
13. _____
14. _____

CAPÍTULO 8

I. Listening Comprehension *(20 points)*

A. En la clase de sociología, los estudiantes tienen que hacer un proyecto sobre fenómenos inexplicables. Antes de empezar sus proyectos, varios estudiantes están conversando sobre lo que saben de esos fenómenos. Empareja cada conversación con dos dibujos apropiados.

B. A Serafina le encanta un programa de la radio que se llama "Lo fascinante e inexplicable." Escucha el programa con ella y luego indica si las oraciones son verdaderas *(Sí)* o falsas *(No)* encerrando en un círculo la respuesta correcta.

II. Reading Comprehension *(20 points)*

Lee estos artículos que aparecen en una revista sobre fenómenos extraordinarios. Después, encierra en un círculo la letra que mejor complete cada oración.

SUSTANCIAS QUE VIENEN DE OTROS MUNDOS

En 1865, según los documentos de la Real Academia Irlandesa, una piedra en forma de pirámide cayó del cielo cerca de Cashel, Tipperary. Los bordes redondeados de la pirámide tenían líneas precisas, como si fueran trazadas y hechas con el uso de una regla. En 1908, en los bosques siberianos de Rusia, la caída de un objeto destruyó 2,000 Km^2 de árboles. Después de mucha investigación, un científico que estudió la zona quemada llegó a la conclusión de que algún tipo de meteorito había causado la devastación, a pesar de que no se encontraron fragmentos de hierro o de piedras. Ninguna evidencia concluyente ha sido establecida.

FOTOGRAFÍAS PSÍQUICAS

Hay fenómenos que incluyen la aparición de extrañas formas electromagnéticas en películas. Por ejemplo, un fotógrafo profesional que saca fotos para varias revistas fue a Suiza para fotografiar los Alpes suizos. En algunas de las fotos del rollo que usó aparecieron líneas zigzagueantes verdes, amarillas y blancas. Había sacado las fotos en una noche de luna llena y cielo lleno de estrellas. El fotógrafo no pudo explicar estos efectos, especialmente porque las otras fotos que había sacado salieron normales. Lo que pensó al principio era que las líneas fueron causadas por una doble exposición o luz extraña. Expertos de varias instituciones estudiaron las fotos y ninguno pudo dar una explicación razonable.

III. Writing Proficiency *(20 points)*

Quieres escribir un cuento corto de ciencia ficción sobre un fenómeno inexplicable. En tu cuento puedes incluir datos e información reales o imaginarios. Al escribir, incluye:

- dónde y cuándo ocurrió el fenómeno
- los personajes, reales o fantásticos
- la reacción de la gente que observaron el fenómeno
- si se ha resuelto o no el misterio sobre la situación

CAPÍTULO 8

Examen de habilidades

Lee tu cuento de nuevo antes de entregarlo. ¿Escribiste las palabras correctamente? Revisa las terminaciones de los adjetivos y los verbos. ¿Incluiste verbos en el pasado? ¿Usaste diferentes tiempos del subjuntivo en algunas oraciones? ¿Escribiste sobre todas las ideas? ¿Hay una variedad de vocabulario y expresiones en tu artículo? Haz cambios si es necesario.

IV. Cultural Knowledge *(20 points)*

Contesta en español según lo que hayas aprendido en el *Álbum cultural*.

¿Cuáles son algunos fenómenos inexplicables que tú conoces asociados con Hispanoamérica?

V. Speaking Proficiency *(20 points)*

Es posible que tu profesor(a) te pida que hables sobre uno de estos temas.

A. Tienes que dar un informe oral sobre cosas inexplicables y extrañas de civilizaciones antiguas o actuales para tu clase de historia. Yo soy estudiante en la clase y quiero oír:

- una descripción de cada fenómeno y por qué es inexplicable
- en qué civilización y época ocurrió
- si hay evidencia científica para cada uno

B. Fuiste al cine y viste una película sobre extraterrestres. Dame una descripción de la película que incluya:

- una descripción de los extraterrestres
- una descripción del aparato en que vinieron a la Tierra
- un problema que los extraterrestres causaron
- cómo terminó la película

CAPÍTULO 8

Fecha _____

I. Listening Comprehension *(20 points)*

A. *(12 points)*

a

b

c

d

e

f

1. _____   2. _____   3. _____

B. *(8 points)*

PRIMERO

1. En Puerto Rico se ha visto la forma de un triángulo cerca de la isla.	Sí	No
2. Muchas personas creen que hay un fenómeno extraño que ocurre en el océano Atlántico entre las islas Bermudas, Puerto Rico y el estado de Florida.	Sí	No
3. Según el libro *The Bermuda Triangle*, un número extraordinario de aviones y barcos ha desaparecido en el agua allí.	Sí	No
4. Algunos científicos creen que este fenómeno existe, pero el misterio es nada más que la fabricación de la gente.	Sí	No

SEGUNDO

5. Según el piloto que filmaba en un lugar de California, su cámara siempre se apagaba cuando volaba sobre una roca.	Sí	No
6. La explicación de este fenómeno se debe a una leyenda popular en esa región.	Sí	No
7. Este extraño incidente ha sido resuelto desde que ocurrió en 1980.	Sí	No
8. Primero el piloto y la tripulación pensaron que el fenómeno fue causado por la velocidad y aceleración del helicóptero.	Sí	No

II. Reading Comprehension *(20 points)*

1. Según unos documentos irlandeses,
   a. encontraron una pirámide azteca cerca de Cashel, Tipperary.
   b. se encontró una piedra extraña que cayó a la Tierra sin explicación.

2. En un bosque siberiano
   a. los árboles fueron destruidos por un fenómeno inexplicable.
   b. un científico duda que la causa del fuego haya sido un meteorito.

3. Un fenómeno extraño ocurrió cuando
   a. aparecieron unas líneas trazadas en el cielo sobre los Alpes suizos.
   b. unas líneas de origen desconocido aparecieron en algunas fotos.

4. Según la gente que tiene interés en incidentes extraordinarios,
   a. hay ocurrencias relacionadas a formas electromagnéticas.
   b. hay fuerzas electromagnéticas que sólo se producen cuando hay luna llena.

III. Writing Proficiency *(20 points)*

_____

_____

_____

_____

_____

_____

IV. Cultural Knowledge *(20 points)*

_____

_____

_____

_____

_____

_____

V. Speaking Proficiency *(20 points)*

A Tú y unos(as) amigos(as) están considerando trabajos para el verano mientras leen los anuncios del periódico. Escoge el dibujo que corresponda a la palabra subrayada en cada oración. *(50 puntos)*

a

b

c

d

e

f

____ **1.** —Quiero conseguir un trabajo como <u>salvavidas</u>. ¿Y tú, Silvia?

____ **2.** —A mí me gustaría trabajar de <u>intérprete</u>.

____ **3.** —¿Se necesita mucha experiencia para ser <u>gerente</u> en un hotel?

____ **4.** —¡Claro! Ése no es un trabajo de verano. Esta tienda busca <u>repartidores</u>.

____ **5.** —¡Mira! También necesitan <u>recepcionistas</u>. ¡Voy a llamar en seguida!

B Tu consejera te está hablando sobre trabajos que podrías solicitar este verano. Completa la conversación subrayando la palabra o expresión correcta. *(50 puntos)*

1. —Si quieres trabajar sólo por la mañana, aquí dice que buscan jóvenes para ayudar en una oficina de negocios (tiempo incompleto / tiempo imparcial / tiempo parcial). Prefieren personas que sean (maduras / administradas / encargadas) porque hay bastante responsabilidad.

2. —Me interesa. Ya tengo experiencia trabajando en una oficina de médico, donde tuve que (cumplir con / convenir / tratar bien) muchas responsabilidades. ¿Qué (sueldo / cita / recomendación) ofrecen?

3. —Dice que depende de (los modales / la habilidad / el requisito) de la persona. Mientras más experiencia tengas, más te pagarán.

A Celia y su mamá están leyendo la sección de anuncios del periódico porque Celia está buscando un trabajo para las vacaciones de verano. Escribe la palabra que corresponda al trabajo en cada dibujo. *(40 puntos)*

1. —Mira, mamá. Este anuncio dice que el _____

   de una tienda de juguetes necesita joven de junio a septiembre.

2. —¿Te gustaría este trabajo, Celia? "Se necesita _____

   para la piscina del centro comunitario."

3. —No sé, mamá. A ver..., una zapatería busca jóvenes para

   atender a _____ , pero sólo los sábados.

4. —¿Qué se necesita para ser _____ ?

   Tú puedes escribir y hablar muy bien el español, Celia.

   Aquí dice que no se necesita experiencia.

B Los consejeros de tu escuela recibieron un fax que anuncia un trabajo. El problema es que algunas palabras no se copiaron muy bien. Escoge de la lista las palabras que mejor completen el fax. *(60 puntos)*

| entrenamiento | solicitud | habilidad | maduros | puntual | citas |
| recepcionista | respetuosa | requisito | modales | sueldo | capaz |

Oficina de médico busca _____ que tenga buenos _____ y que sea

siempre _____ y nunca llegue tarde. No hay que tener experiencia ni

_____ porque lo recibirán de la persona que deja el puesto este mes. También es

_____ que la persona sea _____ con los pacientes. Debe ser

_____ de escribir en computadora y es necesario que haga las _____

para todos los médicos. Ofrecemos un buen _____ de ocho dólares por hora. Se

puede conseguir una _____ en nuestra oficina entre las ocho de la mañana y las

cinco y media de la tarde.

A Enrique le escribió una carta a su hermano Pablo, que estudia en la universidad. En la carta le pide a su hermano consejos para encontrar trabajo. Subraya las palabras o expresiones que mejor completen la carta. *(80 puntos)*

¡Hola, Pablo!

¿Cómo estás? Yo estoy bien. Busco un trabajo que (no sólo / cualquier) me pague bien, (sino también / desde que) me dé la oportunidad de adquirir más (oportunas / destrezas) para el futuro. Como ya sabes, el año pasado trabajé manteniendo (las solicitudes / los archivos) en la oficina de un dentista. Este año ese trabajo no es mi (meta / ascenso) personal.

Me gustaría tener más responsabilidades (administrativas / distribuidas) que me ofrezcan entrenamiento mientras trabajo tiempo completo. Creo que puedo ser buen gerente de una oficina porque soy una persona muy organizada. Siempre soy (realizado / cortés) y muy capaz de encargarme de (cualquier / ahora mismo) responsabilidad seria. ¿Qué me aconsejas? ¿Qué me recomiendas que busque con la poca experiencia que tengo?

Escríbeme cuando tengas oportunidad.

Saludos,
Enrique

B Lee este anuncio clasificado que apareció en el periódico de tu escuela. Luego, escoge de la lista la letra de la palabra que mejor complete cada espacio en blanco. *(20 puntos)*

a. ascenso   c. destreza   e. meta

b. aumento   d. fijo   f. merezca

Diplomático busca intérprete para trabajo de tiempo parcial sin horario ___ . Se le pagará el sueldo que ___ según la experiencia de la persona y cuál sea su ___ como intérprete. Además de hablarlo, será necesario escribir bien el español. Habrá un ___ de sueldo cada seis meses. Llame al 54-88-09.

A Trabajas en una agencia de empleos que ofrece varios trabajos este mes. Lee las descripciones de los trabajos de la lista y luego emparéjalas con lo que algunas personas que buscaban trabajo escribieron. *(60 puntos)*

a. Necesitamos técnico(a) que sepa reparar modem o fax.

b. Queremos jefe(a) que pueda distribuir tareas a otros empleados, tiempo parcial.

c. Se busca gerente, cuarenta horas a la semana con posibilidades de ascenso.

d. Persona para archivar en una oficina después de horas laborales, con experiencia en computadora.

e. Buscamos repartidor o repartidora para distribuir anuncios clasificados.

f. Se ofrece empleo después de mayo a joven maduro(a) que sepa usar computadora, máquina de fotocopias y fax.

g. Horario fijo de lunes a viernes para persona interesada en administrar tres oficinas. Aumento de sueldo cada seis meses.

h. Requisitos: debe ser bilingüe (inglés-español) y tener conocimientos de computadora.

_____ **1.** Prefiero no tener mucha responsabilidad y me gusta trabajar sola. Sé mantener archivos.

_____ **2.** Soy cortés y me encanta trabajar con el público. Busco empleo de tiempo completo con metas administrativas.

_____ **3.** No sólo soy experto en computadoras sino también en todo tipo de aparatos electrónicos.

_____ **4.** Tengo experiencia administrativa. Sólo puedo trabajar pocas horas al día.

_____ **5.** Joven honesta y puntual podrá trabajar después de graduarse en junio. Sin experiencia, pero ambiciosa y capaz de aprender cualquier tipo de trabajo.

_____ **6.** He realizado muchos trabajos de oficina. No me interesa el trabajo administrativo. También he sido intérprete para una compañía que distribuye productos en México.

B Guillermina le está describiendo a la agencia de empleos lo que ella puede ofrecer en un trabajo. Escribe la palabra que tenga un significado similar al de las palabras subrayadas. *(40 puntos)*

1. Tengo buenos modales. Soy muy _____ con toda la gente.

2. Nunca llego tarde porque yo sé que la _____ es muy importante en un trabajo.

3. Tengo mucha _____ porque siempre tengo tiempo para escuchar a los otros.

4. Después de trabajar por algún tiempo, si creo que merezco más sueldo, yo sé que tengo que esperar el momento adecuado, apropiado y _____ para hablar con el jefe o la jefa.

A Quieres ayudar a tu amiga Marisa, que nunca ha trabajado, a conseguir un empleo que requiere mucha responsabilidad. Completa la conversación con el mandato afirmativo o negativo con *tú* del verbo subrayado. En algunos casos debes incluir también pronombres reflexivos, directos o indirectos. *(60 puntos)*

1. —¿Debo <u>llenar la solicitud</u> con bolígrafo?

—Sí, _____ con bolígrafo y con cuidado, por favor.

2. —¿Qué debo <u>incluir</u>?

—_____ la recomendación que te dio la profesora.

3. —¿Debo <u>pedirle</u> al jefe <u>más sueldo</u>?

—Pues, ¡no _____ en la entrevista!

4. —Y si no me contestan en dos o tres días, ¿debo <u>ser</u> paciente y esperar una semana?

—No _____ impaciente, pero tampoco debes esperar mucho. Podrías llamarle

si no te contesta.

5. —¿Qué hago si el jefe no está en su oficina cuando llegue? ¿Debo <u>irme</u> y regresar?

—No, no _____ si tienes una cita con él. Será necesario que hagas otra cita con

la secretaria.

6. —¿<u>Te llamo</u> mañana después de la entrevista?

—¡Claro! Y _____ después de las siete. Yo también tengo una entrevista con

el gerente de una compañía de computadoras.

B La hermanita de Aurora es muy traviesa y está haciendo lo que no debe hacer. Completa lo que Aurora le dice a su hermanita, Toñita. Escribe el mandato afirmativo o negativo con *tú* del verbo entre paréntesis. *(40 puntos)*

1. ¡Toñita, _____ con la guitarra! ¡No sabes tocar! (jugar)

2. ¡Toñita, _____ al cartero con tantas preguntas! Él tiene que trabajar. (molestar)

3. Toñita, _____ los zapatos de tacón alto de mamá. (ponerse)

4. Por favor, Toñita, _____ . _____ el suéter y los jeans ahora

mismo. Tenemos que ir al supermercado. (vestirse / ponerse)

Estás conversando con unos amigos sobre los trabajos que están considerando para el verano. Para completar la conversación, escribe la forma correcta del verbo entre paréntesis en el indicativo o en el subjuntivo. *(100 puntos)*

1. —Según estos anuncios clasificados, hay dos o tres lugares que ofrecen trabajo a jóvenes que

   _____ experiencia con computadoras. (tener)

2. —Pues, yo tengo un amigo que no _____ ningún conocimiento sobre

   computadoras, pero le dieron empleo en ese lugar. (tener)

3. —Yo voy a buscar un trabajo en un restaurante elegante. Quisiera trabajar con un cocinero

   que _____ preparar comidas exóticas. ¡Me encantaría ser un cocinero famoso!

   (saber)

4. —Quisiera ser salvavidas este verano, pero no hay ninguna piscina por aquí que

   _____ salvavidas. (necesitar)

5. —Espero encontrar un trabajo que me _____ bien, pero hasta ahora no he

   podido encontrar ninguno. (pagar)

6. —¡Mira! Aquí dice que se necesita alguien que _____ hablar dos idiomas para

   trabajar con diplomáticos chilenos. ¡Yo hablo español y portugués! (poder)

7. —En estos anuncios no hay ninguno que _____ experiencia. ¿Es posible? (pedir)

8. —¿Crees que le darán un puesto a alguien que no _____ un poco de experiencia?

   ¡Lo dudo mucho! (tener)

9. —En éste dicen que tienen personas que _____ entrenar a los futuros empleados.

   Sólo hay que tener buenos modales, ser productivo y respetuoso. (poder)

10. —Creo que voy a solicitar trabajo en una agencia de empleo. No hay nada en este periódico

    que me _____ . (convenir)

Serafín tiene unos amigos que siempre prefieren dejar para mañana lo que deberían hacer hoy. Completa su conversación con el verbo entre paréntesis en el indicativo o el subjuntivo. *(100 puntos)*

1. —Marcia, ¿cuándo vas a empezar a buscar un trabajo?

   —No sé. Creo que voy a empezar cuando _____ mejor tiempo. ¿Y tú? (hacer)

2. —Cuando mis clases _____ voy a empezar. Gustavo, ¿por qué no consigues más

   información sobre el puesto que ofrecen en el centro de la comunidad? (terminar)

3. —Pues, no quiero hacerlo todavía. Pienso hacerlo cuando _____ cuánto van

   a pagar. (saber)

4. —Leti, ¿cuándo vas a hacer una cita con el jefe para empezar el entrenamiento para el

   puesto de gerente?

   —¡Ah, sí! La voy a hacer cuando _____ un momento más oportuno. Todos los

   días cuando lo _____ , él siempre está ocupado. (haber / ver)

5. —Demetrio, he oído que no quieres hablar con tu jefe sobre un aumento de sueldo.

   —Ummm. No me parece buena idea. Cuando él _____ de buen humor es cuando

   más miedo _____ de pedírselo. (estar / tener)

6. —Ada, ¿quieres leer los anuncios clasificados conmigo?

   —Pues, los leeré cuando _____ mis anteojos. (conseguir)

7. —Osvaldo, ¿por qué no quieres darme el número de teléfono de la nueva salvavidas que

   trabaja en el gimnasio?

   —Te lo daré cuando ella me lo _____ a mí. (dar)

8. —Recuerda que yo te ayudo siempre a atender a los clientes en la zapatería cuando

   tú no _____ . (poder)

   —Es verdad. ¿Y cuándo me vas a presentar a la nueva recepcionista en la oficina

   donde trabajas?

CAPÍTULO 9

Prueba cumulativa

A Tu escuela ha invitado a varias personas para que les hablen a los estudiantes sobre trabajos y carreras. Antes de empezar su presentación, cada persona les da a los estudiantes un folleto con información sobre el trabajo que ellos hacen. Escribe la palabra que corresponda al dibujo que aparece en cada folleto. *(30 puntos)*

1. "Empecé como _____ y ahora soy _____ ."

2. "Después de un año como _____ , llegué a ser _____ ."

3. "El trabajo de _____ me preparó para ser _____ . ¡Es fascinante!"

B Una agencia de empleos está anunciando los diferentes trabajos que ofrece esta semana. Empareja cada anuncio con el requisito que corresponda a ese trabajo. *(30 puntos)*

TRABAJOS

a. Salvavidas: tiempo completo; debe dar clases de natación en la piscina los sábados y domingos; sueldo mínimo.

b. Se buscan personas para atender a ancianos en un centro de rehabilitación; tiempo parcial; sueldo negociable.

c. Técnico o técnica con entrenamiento mínimo en computadoras; tiempo completo; se entrenará a la persona adecuada; posibilidad de ascenso y aumento de sueldo.

d. Asistente de oficina para mantener archivos; solamente por la tarde; sueldo mínimo; sin experiencia.

e. Tareas administrativas en una clínica; buena oportunidad para personas con metas; se necesita entrenamiento previo.

f. Necesitamos jóvenes para enseñar y entretener en refugio de niños sin hogar; tiempo parcial; sueldo fijo.

CAPÍTULO 9

REQUISITOS

1. Se necesita experiencia; hay que tener ambición y conocimiento previo en el campo de la medicina. Se trabajará cuarenta horas por semana.

2. Hay que tener paciencia y el deseo de no sólo trabajar con mayores de edad, sino también interés en ayudar a personas incapacitadas. Para gente madura y capaz hay posibilidad de un buen sueldo.

3. No se necesita habilidad especial ni entrenamiento. Pero sí hay que saber leer bien en inglés. Se trabajará sólo entre las seis y nueve con sueldo fijo.

4. Se espera que la persona tenga talentos musicales o sea deportista. También se necesita paciencia para tratar a pequeños que a veces no tienen muy buenos modales.

5. Situación oportuna para aprender y ganar dinero al mismo tiempo. Se debe cumplir con los requisitos del trabajo, que consisten en leer y aplicar lo que se aprende diariamente.

6. Buen deportista, es preferible que sea un(a) estudiante. Debe ser responsable y puntual.

C Julián llamó por teléfono a una oficina para solicitar empleo. La secretaria le está explicando qué hacer para conseguir el trabajo. Escoge de la lista las palabras que falten en la conversación. También debes escribir el mandato afirmativo o negativo con *tú* o la forma correcta del subjuntivo de los verbos que te damos. *(40 puntos)*

cualquiera	habilidad	modales	maduro	meta
cualquier	solicitud	realizar	requisito	cortés

—Me interesa mucho el trabajo que ustedes ofrecen. ¿Qué debo hacer para conseguirlo?

—Primero, (**1.** ir) a nuestra oficina central hoy por la tarde y (**2.** llenar) la __3__ . También,

(**4.** traer) un *curriculum vitae* que muestre la experiencia que (**5.** haber) tenido hasta ahora.

—Pues, tengo un problema. No he tenido mucha experiencia y me da miedo admitirlo.

—¡No (**6.** tener) miedo! La experiencia puede ayudar, pero más que todo hay que ser

__7__ . También es importante ser respetuoso y __8__ con la gente. (**9.** cumplir) con todas

tus responsabilidades y (**10.** encargarse) de __11__ situación que (**12.** merecer) tu atención

inmediata y harás bien tu trabajo.

—Pues, cuando es necesario soy siempre puntual. Puedo __13__ toda tarea que ustedes me

(**14.** dar) y creo que tengo __15__ para aprender con rapidez lo que no (**16.** saber) hacer.

Y, ¿qué sueldo ofrecen?

—No lo sé todavía. Cuando (**17.** llegar) a la oficina esta tarde, (**18.** incluir) en el formulario

el sueldo que tú (**19.** esperar) ganar. Yo creo que es negociable, pero lo sabrás sólo cuando

(**20.** hablar) con el señor Ramírez.

CAPÍTULO 9

Fecha _____

A *(30 puntos)*

1. _____

2. _____

3. _____

B *(30 puntos)*

1. ____   4. ____

2. ____   5. ____

3. ____   6. ____

C *(40 puntos)*

1. _____   11. _____

2. _____   12. _____

3. _____   13. _____

4. _____   14. _____

5. _____   15. _____

6. _____   16. _____

7. _____   17. _____

8. _____   18. _____

9. _____   19. _____

10. _____   20. _____

CAPÍTULO 9

Examen de habilidades

I. Listening Comprehension *(20 points)*

A. Estás en una feria de trabajos de verano oyendo descripciones y requisitos de los diferentes trabajos para estudiantes. Escucha cada descripción y escoge tres letras: una para el trabajo, otra para la descripción y otra para el requisito. Escríbelas en los espacios en blanco debajo de cada categoría.

B. Cachita decidió consultar con una agencia de empleos para conseguir trabajo estas vacaciones. Escucha la conversación que tiene con la agente. Luego, encierra en un círculo la letra de la frase que mejor complete cada oración.

II. Reading Comprehension *(20 points)*

Éstos son los anuncios de trabajo que pusieron en el boletín de la biblioteca. Algunas personas los están leyendo. Encierra en un círculo el número del anuncio que mejor corresponda a cada situación.

1

EMPRESAS FIBRAS ÓPTICAS

Ofrece ahora mismo un puesto a profesional que
- tenga experiencia en administración general de una oficina
- sepa comunicarse bien por teléfono y computadora

¡Conocimiento de computadora es un requisito!
Sueldo competitivo
Excelentes beneficios de salud

Llene la solicitud en nuestra oficina o llame al 86-55-30

2

GERENCIA GENERAL

Persona bilingüe para encargarse de 16 unidades. Referencias necesarias. Descuento en el alquiler.

Llame al 66-93-22

3

AGENCIA CENTRAL

Se ofrece gran cantidad de empleos, de tiempo completo y parcial.

Algunos trabajos requieren experiencia y otros no.

Posibilidad de empleo sólo a los que tengan buenos modales, sean puntuales y cumplan con la tarea asignada. Entre los varios empleos que hay esta semana, pueden solicitar para: intérprete de un diplomático latinoamericano; mecánico que sepa reparar motocicletas; salvavidas en piscina pública; niñeras entre junio y septiembre.

Visítenos hoy en la Avenida 32, entre las ocho y las cinco y media.

4

BURRITOS, INC.

Gerentes • Gerentes asistentes

Puestos en varias localidades

Sueldo negociable según la experiencia

Buscamos jóvenes responsables y entusiastas que sepan administrar a otros empleados y que estén interesados en atender al público.

Habilidad de hablar más de un idioma preferible, pero no es requisito.

Sólo los que tengan destrezas administrativas deben solicitar. Tiempo parcial o completo a toda hora que les convenga, 24 horas al día.

Llamen a BURRITOS, INC., atención Gerente: 90-35-83.

CAPÍTULO 9

III. Writing Proficiency *(20 points)*

Como preparación para conseguir un trabajo, hablaste con una agencia de empleo. Ellos quieren tener en sus archivos información escrita sobre ti en caso de que encuentren un buen trabajo más tarde. Escribe un *curriculum vitae* e incluye información sobre:

- tus características más sobresalientes y tus intereses personales
- qué destrezas posees y tu experiencia previa de trabajo
- tus metas para el futuro y por qué piensas que te mereces el trabajo

Lee tu *curriculum vitae* de nuevo antes de entregarlo. ¿Escribiste las palabras correctamente? Revisa las terminaciones de los adjetivos y los verbos. ¿Usaste el pretérito y el imperfecto? ¿Has hecho uso del subjuntivo en algunas frases? Haz cambios si es necesario.

IV. Cultural Knowledge *(20 points)*

Contesta en español según lo que hayas aprendido en el *Álbum cultural*.

¿Puedes explicar cómo el papel de la mujer en el mundo del trabajo influye en el machismo?

V. Speaking Proficiency *(20 points)*

Es posible que tu profesor(a) te pida que hables sobre uno de estos temas.

A. Buscas un trabajo y yo soy el (la) agente en una agencia de empleos. En tu conversación conmigo, yo quisiera saber cuáles son:

- tus experiencias previas de trabajo
- tus destrezas sobresalientes
- los requisitos que esperas del trabajo

B. Explícame en detalle algún trabajo que hayas tenido en el pasado. Yo quisiera que me des:

- una descripción del trabajo
- detalles sobre las tareas que hiciste
- información sobre lo que hacían otras personas
- una razón por la que crees que te emplearon en ese trabajo

CAPÍTULO 9

I. Listening Comprehension *(20 points)*

A. *(15 points)*

TRABAJO	DESCRIPCIÓN	REQUISITOS
a. asistentes de oficina	**a.** hacer citas y ser bilingüe	**a.** experiencia
b. gerente	**b.** entregar productos a negocios	**b.** sin metas
c. diplomático (a)	**c.** saber sobre medicina	**c.** saber usar un fax
d. repartidor (a)	**d.** dar clases	**d.** buenos modales
e. salvavidas	**e.** trabajar con los archivos	**e.** ser puntual
f. enfermero (a)	**f.** entrenamiento administrativo	**f.** ambición
g. recepcionista	**g.** saber programar computadoras	**g.** habilidad física, deportista

TRABAJO	DESCRIPCIÓN	REQUISITOS
1. ___	___	___
2. ___	___	___
3. ___	___	___
4. ___	___	___
5. ___	___	___

B. *(5 points)*

1. Cachita decidió consultar a la agencia de empleos porque
   a. no pudo encontrar trabajo en los anuncios clasificados.
   b. ya sabe que la agencia tiene un trabajo para ella.

2. Cachita quiere
   a. trabajar y luego volver a estudiar español en una escuela.
   b. encontrar un empleo que la entrene.

3. La agente le dice a Cachita que hay un trabajo
   a. de repartidora de periódicos.
   b. en el periódico de la ciudad.

4. Cachita entró en la agencia
   a. sin metas específicas para su futuro.
   b. sin deseo de solicitar cualquier trabajo.

5. Una habilidad importante que posee Cachita es que
   a. ha aprendido a comunicarse en otros idiomas.
   b. ha realizado varias tareas que requieren destreza administrativa.

Paso a paso 3

Nombre

CAPÍTULO 9

Fecha

Hoja para respuestas 2
Examen de habilidades

II. Reading Comprehension *(20 points)*

1. Consuelo ya tiene experiencia como recepcionista y sabe manejar la computadora.

    1   2   3   4

2. Carlos y Pepe son jóvenes que no tienen ninguna experiencia de trabajo.

    1   2   3   4

3. Este anuncio clasificado sólo busca personas que tengan talentos administrativos.

    1   2   3   4

4. Gonzalo tiene un primo que habla más de un idioma y está buscando trabajo y un lugar dónde vivir.

    1   2   3   4

5. Andrea ya tiene experiencia y entrenamiento cuidando niños, un trabajo que le encanta.

    1   2   3   4

III. Writing Proficiency *(20 points)*

_____

_____

_____

_____

_____

_____

IV. Cultural Knowledge *(20 points)*

_____

_____

_____

_____

V. Speaking Proficiency *(20 points)*

A Estás leyendo en el periódico sobre un crimen que ocurrió ayer. Subraya la palabra o palabras que correspondan a cada "fotografía" que aparece en el periódico. *(50 puntos)*

1. Aunque ayer arrestaron al sospechoso y lo metieron en

   (el hecho / la cárcel), todavía no han encontrado el arma.

2. El (guardia / ladrón) se encontró con él cerca de la puerta, con la

   maleta llena de dinero.

3. Después de (secuestrar / luchar) unos minutos, el sospechoso

   sacó la pistola, hiriendo a su víctima en el brazo.

4. El (testigo / acusado) insiste en que es inocente.

5. En dos meses (el jurado / la autodefensa) tendrá que decidir.

B La profesora de español les dio a los estudiantes crucigramas para que practiquen su vocabulario. Escoge de la lista las letras de las palabras que mejor completen las pistas del crucigrama que les dio la profesora. *(50 puntos)*

a. castigarlo	**d.** medidas	**g.** secuestro
b. rehenes	**e.** asombrarlo	**h.** culpable
c. asesinato	**f.** penas	**i.** tiroteo

1. El concepto de matar a otra persona se llama ___ .

2. Cuando alguien participa en un crimen, es necesario ___ .

3. El ladrón y la policía peleaban con pistolas. El ruido del ___ se oía

   por todas partes de la ciudad.

4. El terrorista tomó dos ___ para protegerse mientras corría de la policía.

5. Lo opuesto de inocente es ___ .

A Estás haciendo apuntes sobre los dibujos que vas a usar en un video para tu clase de cine y tecnología. Escribe la palabra que corresponda a cada dibujo que piensas usar en tu video. *(50 puntos)*

1. Cada _____ va a tener una pistola en la mano.

2. Cuando _____ oiga el sonido de

   _____ , va a correr hacia el banco.

3. Los dos ladrones van a tomar _____

   antes de escaparse, pero al final de la película a los dos los

   van a meter en _____ .

B Lilia y Hernando están hablando en su clase de sociología sobre un informe que tendrán que entregar la semana próxima. Escoge de la lista las palabras o expresiones que mejor completen su conversación. *(50 puntos)*

tienen la culpa	narcotráfico	delincuentes	testigos
tienen miedo	te preocupa	sorprenden	asombra

1. —Lilia, ¿qué problema _____ más,

   el _____ o el terrorismo?

2. —Los dos, pero creo que para nuestro informe deberíamos escribir sobre las drogas

   y cómo afectan a los jóvenes _____ de la comunidad. Necesitan

   ayuda porque muchos _____ de cambiar su vida. El número de

   jóvenes sin hogar me _____ también. Creo que será interesante

   escribir sobre ellos en nuestro informe.

CAPÍTULO 10   Fecha

A Éstos son los breves de noticias que aparecieron en el periódico de hoy. Léelos y luego subraya la palabra o expresión que mejor complete cada frase. *(60 puntos)*

1. "Dos rehenes (arriesgaron / recurrieron) la vida hoy al escaparse de los terroristas que los habían capturado, pidiendo por ellos (un rescate / una seguridad) de cincuenta mil dólares."

2. "El gobierno hoy (contrató / puso en libertad) a unos prisioneros políticos. El gobierno decidió no (imponerles / acabar con) la sentencia de muerte, como había considerado antes. Nadie explicó por qué."

3. "Hoy a las cuatro de la tarde hubo un (atentado / vigilado) en el Banco Nacional. Sólo (afirmaron / hirieron) a un empleado, que una hora después del incidente salió del hospital."

B Estás mirando un programa de entrevistas en el que la locutora habla con un policía. Escoge la mejor respuesta a la pregunta que la locutora le hace al policía y escribe la letra correspondiente en el espacio en blanco. *(40 puntos)*

    a. Se necesitan campañas de seguridad pública para que la gente aprenda a protegerse contra los atentados en la calle.

    b. Hay que luchar contra las drogas.

    c. Para algunos, recurrir a un tiroteo es la única solución.

    d. La mayoría de ellos resultaron de ataques a mano armada en una situación doméstica.

    e. Nadie debe imponer la censura ni prohibir lo que vemos. Sin embargo, la familia debe imponer disciplina a sus hijos cuando sea necesario.

    f. Hay que enseñarle a la gente a resolver los conflictos en una relación de una manera positiva.

____ 1. Nos sorprende el número de asesinatos en la ciudad este año. ¿A qué se atribuyen tantos?

____ 2. En su opinión, ¿cuál sería una posible solución para evitar la violencia doméstica?

____ 3. Muchos afirman que la causa de todo esto es que hay demasiada violencia en los videojuegos y en la televisión. ¿Qué deberíamos hacer para controlar esa influencia?

____ 4. ¿Cómo se puede evitar que la gente sienta tanta inseguridad y que no se viva con el temor de ser atacado al salir de casa?

CAPÍTULO 10   Fecha

A Estás leyendo un artículo en el periódico del día. Subraya la palabra o expresión que mejor complete cada oración. *(40 puntos)*

Un acto de (terrorismo / autodefensa) sorprendió a los habitantes de la ciudad de Argüello

hoy. A las 22:00 horas hubo una (pena / explosión) fuerte en el metro y en la confusión

secuestraron a tres personas. Es posible que los terroristas pidan un (secuestro / rescate)

al gobierno por los tres rehenes. También se cree que insistirán en que (a mano armada /

pongan en libertad) a los miembros de su organización que estén en la cárcel.

B Patricio tiene que escribir un informe basado en sus reacciones depués de ver un video en la clase de inglés. No tiene todas las palabras o expresiones que necesita todavía. Escoge las palabras o expresiones de la lista que mejor completen lo que Patricio ha escrito hasta ahora. *(60 puntos)*

inseguridad	arriesgan	contratar	castigos	severas	evitar
acabar con	penas	atentado	ataques	imponer	temor

En los dieciséis años que he vivido, no he conocido nunca la _____ que otros

jóvenes han sentido sólo porque viven en un ambiente donde el _____ es normal.

Yo sé que en algunas comunidades demasiados jóvenes _____ su vida desde el

momento que salen de sus casas y caminan por ciertas calles, donde pueden ser víctimas

de _____ o un _____ .

Vivimos en un mundo donde la violencia es una realidad diaria, lo que me preocupa mucho.

Entre las soluciones que algunos líderes comunitarios ofrecen están: _____ más

policías o guardias para las escuelas, _____ leyes y _____ más

_____ y _____ mucho más fuertes para los culpables. En el video que

vimos hoy me asombró el número de jóvenes sin hogar. ¿Cómo podremos _____ la

violencia doméstica y _____ que esos jóvenes sean víctimas de la violencia que hay

en las calles? Quisiera ayudar, pero todavía no sé cómo.

CAPÍTULO 10   Fecha _____

Trabajas tiempo parcial en un centro de la comunidad y te pidieron un favor. El centro quiere publicar un folleto en español para las familias hispanas de la comunidad. Completa el folleto con la forma correcta del mandato afirmativo o negativo con *Ud.* o *Uds.* de los verbos entre paréntesis.
(100 puntos)

Sugerencias para los padres

1. _____ Uds. que es normal que los adolescentes se rebelen y discutan con sus padres a veces. Están buscando su identidad. (recordar)

2. Madre, no _____ todas las demandas de su adolescente. Él o ella debe aprender que todo lo que exige no puede ser suyo. (obedecer)

3. Padre, _____ que a veces su adolescente se siente confuso e inquieto. (entender)

4. _____ Uds. saber a su adolescente que ustedes comprenden sus preocupaciones. (hacer)

5. Padre, no _____ todo lo que le pida su adolescente. A menudo necesita su libertad. (prohibir)

6. No _____ Uds. siempre cosas negativas. El adolescente necesita oír palabras cariñosas de sus padres a menudo. (decir)

7. Madre, _____ las cosas buenas y positivas que haga su adolescente. (reconocer)

8. _____ Uds. justos al imponer la disciplina. Los jóvenes reconocen la justicia. (ser)

9. _____ Uds. sin gritar las cosas que les enojen. (explicar)

10. _____ Uds. a su adolescente de los peligros siendo siempre honestos con él o ella. (proteger)

Pablo y el director de la escuela están hablando sobre los problemas de los adolescentes en la sociedad. Completa su conversación con la forma correcta del mandato afirmativo o negativo con *tú*, *Ud.* o *Uds.* de los verbos entre paréntesis. En algunos casos tendrás que añadir pronombres. *(100 puntos)*

1. —Señor director, _____ su opinión sobre los problemas de los

   adolescentes de hoy, por favor. (decir / a mí)

2. —Bueno, Pablo. _____ esta situación. Todos tus amigos y amigas

   siempre quieren hacer lo que quieran, sin respetar las leyes. ¿Crees que es buena idea?

   (considerar)

3. —No entiendo bien. _____ otra vez. (explicarlo / a mí)

4. —Uds. los adolescentes nunca hacen caso a los adultos. _____

   más caso y verán cómo se resuelven muchos problemas. (hacer)

5. —Pero, señor director, no todos los adolescentes son así. _____

   a todos en la misma categoría. (no incluir)

6. —Y tú, _____ a los que sí son culpables.

   _____ todos Uds. làs leyes y las decisiones de los mayores.

   Es la única manera de tener orden en la sociedad. (no defender / respetar)

7. —Yo creo que los mayores a veces se olvidan de los problemas que había cuando ellos

   eran jóvenes. _____ Uds. de los adolescentes

   y _____ más comprensivos. Ésa es mi opinión. (no tener miedo / ser)

8. —Y yo digo que _____ Uds. a las leyes de los mayores porque

   son el producto de la experiencia. (no temerles)

Estabas presente hace un rato cuando ocurrió un incidente enfrente del banco de la ciudad. Completa la conversación de las otras personas que también estuvieron presentes. Escribe los verbos en la forma correcta del presente del subjuntivo o del indicativo, o en el infinitivo, según sea necesario.
(100 puntos)

1. —Oímos la alarma y tememos que alguien _____ robando el banco. ¿Verdad, Jacinto? Me parece que antes de _____ en el banco sonó la alarma. (estar / entrar)

2. —Pues sí, pero no es cierto que _____ un crimen en proceso. Es posible que _____ una alarma falsa. (haber / ser)

3. —Yo también estaba en el banco cuando sonó la alarma. Hay un hombre y una mujer muy sospechosos en la ventanilla. Tengo miedo de que _____ robar el banco y que _____ a alguien inocente. (querer / matar)

4. —Yo los vi también. Me preocupa que la policía no _____ para arrestarlos. Es una lástima que nadie _____ una cámara para sacarles fotos a los sospechosos. (llegar / tener)

5. —Como ustedes vieron a los sospechosos, me preocupa que ellos los _____ . ¿No temen que ellos _____ a buscarlos porque son testigos? (reconocer / venir)

6. —¡Ay! Antes no lo había pensado, pero ahora creo que mi esposo y yo _____ en peligro. Es importante que nos _____ de esos delincuentes. (estar / proteger)

7. —Es evidente que ustedes no _____ nada de la ley. No pueden irse ahora. Ustedes son testigos y tienen que _____ con la policía. (saber / hablar)

8. —¡La policía! ¿Dónde está cuando _____ necesario? ¿No le molesta que nuestros impuestos _____ por la protección que nunca tenemos? (ser / pagar)

9. —¡Miren! ¿No es ese hombre que _____ hacia nosotros el sospechoso de la ventanilla? Temo que él los _____ reconocido a Uds. (venir / haber)

10. —Señores, disculpen ustedes la inconveniencia. Los trabajadores estaban instalando una nueva alarma en el banco y tuvieron unos problemas. Me alegro de que no se _____ alarmado. Los invito a _____ un cafecito en la cafetería del banco. (haber / tomar)

CAPÍTULO 10

Prueba cumulativa

A El periódico de tu ciudad ha publicado fotografías y descripciones de los crímenes que ocurrieron esta semana. Mira cada "fotografía" y luego escribe la palabra o expresión que falte en la descripción. *(24 puntos)*

1. _____ le explica al policía qué pasó cuando oyó _____ .

2. En esta foto el ladrón _____ al _____ con la pistola.

3. Después del robo, dos policías llevaron a los _____ y los metieron en _____ .

B Eres un(a) policía que está escribiendo lo que un testigo vio cuando dos ladrones entraron en el banco. Escribe las palabras o expresiones que falten en tu informe. *(30 puntos)*

pusieron en libertad	recurrieron	castiguen	testigo
teníamos miedo	sorprendió	secuestró	tiroteo
a mano armada	herir	hirieron	haya

Mientras yo hacía fila para cambiar unos cheques, los dos ladrones entraron con máscaras y dijeron que era un robo __1__ . ¡Todos __2__ porque sabíamos que en cualquier momento los ladrones nos podrían __3__ o matar! El más alto le pidió al empleado del banco todo el dinero que tenía y, mientras lo metía en un bolso, el otro ladrón __4__ a una mujer. Cuando salían con la

CAPÍTULO 10

mujer y el dinero, la policía entró y empezó un __5__ . La policía los __6__ a los dos y por eso __7__

a la mujer. Me asombra que nadie __8__ muerto. Sólo __9__ a dos personas. Espero que __10__ a los

ladrones con una pena severa.

C Decidiste asistir a una clase para aprender a defenderte contra un ataque. Lee lo que les dice la instructora la primera noche de la clase. Escoge de la lista las palabras que mejor completen los espacios en blanco y escribe la forma correcta del mandato afirmativo o negativo con *Uds.* de los verbos entre paréntesis. *(30 puntos)*

autodefensa   atentado   arma   teme   sea

Buenas tardes. En esta clase de __1__ aprenderán no sólo a defenderse físicamente, sino

también psicológicamente. Primero, nunca (**2.** permitir) que les sorprendan. Si es de noche,

siempre (**3.** vigilar) por todas partes al salir o entrar en un lugar. Antes de subir o bajar del

coche, siempre (**4.** evitar) que otra persona esté muy cerca. Si ya es muy tarde y la persona tiene

un __5__ , (**6.** gritar) en voz alta. ¡Mujeres, (**7.** no ser) tímidas! Siempre (**8.** mostrar) una actitud

positiva y no una actitud de víctima. Si la persona que les ataca insiste en llevarles a otro lugar,

¡(**9.** luchar) y (**10.** arriesgarse) si creen que van a poder escapar!

D La profesora de sociología quiere que ustedes piensen en nuestro sistema de justicia para que luego escriban un informe. Como introducción, ella les habla sobre algunas ideas que quiere que ustedes consideren más tarde en su informe. Escribe los verbos que están entre paréntesis en la forma correcta del subjuntivo o del indicativo y escoge de la lista las palabras que falten. *(16 puntos)*

inseguridad   asesinos   contratar   censura   asesinatos   imponer

Es cierto que hoy en día nosotros (**1.** vivir) con mucha __2__ . Me molesta que nuestras leyes

no nos (**3.** proteger) completamente y siento que (**4.** haber) tantas víctimas inocentes. Algunos

piensan que hay demasiada violencia en la televisión. Para otros la solución es __5__ más policías

e __6__ sentencias más severas. Algunos dicen que es una lástima que nosotros no (**7.** castigar)

a los __8__ con la pena de muerte. Consideren éstas y otras ideas hoy en su discusión y luego

escriban su informe.

A *(24 puntos)*

1. _____
2. _____
3. _____

B *(30 puntos)*

1. _____   6. _____
2. _____   7. _____
3. _____   8. _____
4. _____   9. _____
5. _____   10. _____

C *(30 puntos)*

1. _____   6. _____
2. _____   7. _____
3. _____   8. _____
4. _____   9. _____
5. _____   10. _____

D *(16 puntos)*

1. _____   5. _____
2. _____   6. _____
3. _____   7. _____
4. _____   8. _____

CAPÍTULO 10

I. Listening Comprehension *(20 points)*

A. Estás escuchando las noticias de la radio. Escucha cada noticia y luego indica con *Sí* las oraciones correctas y con *No* las oraciones incorrectas.

B. En tu clase de historia, los estudiantes van a discutir en un debate sobre la violencia y la justicia. Escucha lo que dice cada estudiante y luego escoge la letra que mejor complete cada frase.

II. Reading Comprehension *(20 points)*

Tú y unos compañeros tienen que escribir un informe para la clase de sociología. Antes de hacerlo, van a la biblioteca de la comunidad, donde encuentran un folleto con la información que buscan. Lee el folleto y luego escoge la respuesta que mejor complete cada frase.

Una carta abierta de nuestra escuela a la suya

Hoy en día hay escuelas que han recurrido a medidas severas para evitar la violencia en el ambiente escolar. Cada hora 2,000 estudiantes son víctimas de ataques, cada día 100,000 adolescentes van a la escuela con armas y cada día esas armas hieren o matan a 40 jóvenes. Nuestra escuela quisiera compartir con otras la medida que hemos tomado para reducir la violencia: entrenamos a los estudiantes a mediar en los conflictos de otros. Somos una de 5,000 escuelas públicas en Estados Unidos que han iniciado un programa en el que los mismos estudiantes resuelven sus propios problemas sin recurrir a la violencia. Con este método hemos evitado muchas peleas entre jóvenes. Es importante que los estudiantes les tengan confianza a sus compañeros(as). Por eso destruimos toda información escrita y nadie repite lo que le hayan dicho durante la mediación. Nuestro programa de mediación ha tenido mucho éxito hasta ahora. Si quieren consultarnos o apoyarnos, escriban a MEDIACIÓN, Apartado 46 QE o pónganse en contacto por correo electrónico: medcv@eaeu.ipe

III. Writing Proficiency *(20 points)*

Tu escuela quiere crear un programa para ayudar a los estudiantes que tengan problemas a no recurrir a la violencia. Tienes interés en participar en el programa. Antes de que te acepten, tienes que escribir un breve informe en el cual das tu opinión sobre el problema de la violencia. Incluye la siguiente información:

- las causas de la violencia y cómo nos afectan

- sugerencias para protegernos de la violencia

- cuáles serán las consecuencias si no hacemos algo para acabar con la violencia

Lee tu informe de nuevo antes de entregarlo. ¿Escribiste las palabras correctamente? Revisa las terminaciones de los adjetivos y los verbos. ¿Usaste el subjuntivo? ¿Escribiste sobre todas las ideas? ¿Hay una variedad de vocabulario y expresiones en tu informe? Haz cambios si es necesario.

CAPÍTULO 10

Examen de habilidades

IV. Cultural Knowledge *(20 points)*

Contesta en español según lo que hayas aprendido en el *Álbum cultural*.

¿De qué maneras pacíficas se expresa la gente en contra de la violencia en los países hispanos?

V. Speaking Proficiency *(20 points)*

Es posible que tu profesor(a) te pida que hables sobre uno de estos temas.

A. Te han invitado a hablar con unos estudiantes de escuela primaria sobre la violencia. En tu conversación con ellos, háblales sobre:

- diferentes tipos de violencia y lo que la causa
- qué deben hacer ellos para evitarla
- cómo pueden protegerse personalmente
- cómo resolver un problema personal antes de recurrir a la violencia

B. Tú y yo tenemos opiniones opuestas sobre la violencia y la justicia. En tu conversación conmigo, dime tus opiniones sobre las causas de la violencia. Explícame cómo es posible acabar con la violencia. Dime qué piensas sobre el sistema de justicia que tenemos ahora y qué cambios son necesarios para reducir el número de crímenes y asesinatos.

CAPÍTULO 10   Fecha _____

I. Listening Comprehension *(20 points)*

A. *(10 points)*

1. La gente de la comunidad teme que pongan en libertad a un asesino en dos años.   Sí   No

2. Un grupo de quince personas va a tomar medidas para prohibir que el asesino regrese a su comunidad.   Sí   No

3. El asesinato ocurrió hace veintidós años.   Sí   No

4. El guardia de un banco oyó una alarma mientras leía una novela.   Sí   No

5. Alguien atacó al guardia a las tres de la mañana.   Sí   No

6. El ladrón salió con las manos arriba.   Sí   No

7. El sospechoso que corrió del lugar de los hechos era un gato. Sí   No

8. Una explosión mató a unas veinte personas en una fábrica.   Sí   No

9. Unos terroristas secuestraron a tres rehenes durante la explosión. Sí   No

10. Los terroristas pidieron como rescate la libertad de otros terroristas. Sí   No

B. *(10 points)*

1. Según el primer estudiante,
   a. los accidentes de coche son la mayor causa de muerte entre los jóvenes.
   b. los asesinatos son la mayor causa de muerte entre los jóvenes.

2. El primer estudiante
   a. está a favor de imponer la censura para evitar tanta violencia.
   b. no se preocupa de los videojuegos como causa de la violencia.

3. El segundo estudiante
   a. no cree que el número de asesinatos sea tan grande.
   b. no cree que los programas de la televisión sean la causa del problema.

4. Al segundo estudiante le molesta que
   a. impongan censura.
   b. pongan tanto énfasis en las causas de la violencia.

5. Los dos estudiantes están de acuerdo en que el número de asesinatos
   a. es alarmante.
   b. es muy bajo.

II. Reading Comprehension *(20 points)*

1. Una manera de reducir el problema de la violencia en las escuelas es
   a. entrenar a los estudiantes para que sepan resolver sus propias situaciones de conflicto.
   b. no permitir que los estudiantes hablen con otros cuando tengan un conflicto.
   c. no darles a los jóvenes la responsabilidad de resolver sus propios conflictos.

2. Según este folleto,
   a. se puede acabar con la violencia si se eliminan las armas.
   b. es posible que los jóvenes tengan confianza en otros jóvenes para explicarles sus problemas y tratar de resolverlos sin violencia.
   c. es mejor que la escuela recurra a la presencia de guardias y detectores de metal para acabar con la violencia.

3. La escuela del folleto
   a. es la primera en organizar este tipo de programa para reducir los conflictos entre estudiantes.
   b. es una entre otras escuelas que está tratando de resolver el problema de la violencia.
   c. teme que el programa no tenga éxito.

4. Este programa tiene éxito porque depende mayormente de
   a. jóvenes de la misma escuela que se entrenan para ser mediadores.
   b. psicólogos entrenados en el mundo de la violencia.
   c. policías expertos en resolver conflictos entre jóvenes.

III. Writing Proficiency *(20 points)*

_____

_____

_____

_____

_____

_____

IV. Cultural Knowledge *(20 points)*

_____

_____

_____

_____

_____

_____

V. Speaking Proficiency *(20 points)*

A Una amiga te está mostrando unas fotografías que sacó cuando estuvo de vacaciones en España. Subraya las palabras que correspondan a las "fotografías." *(60 puntos)*

1. Los (rasgos / reyes) vivían en (esta mezquita / este castillo).

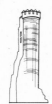

2. Me gustó mucho (este techo / esta torre) con su (balcón / rasgos) con rejas.

3. Descansábamos cerca de (este puente / esta fuente), que está enfrente de

(una sinagoga / unos azulejos).

B Estás leyendo un folleto sobre España porque quieres saber más de su historia antes de visitarla este verano. Escoge la letra de la palabra que mejor complete cada frase en el folleto y escríbela en el espacio en blanco correspondiente. *(40 puntos)*

a. judíos	**e.** influencia	**i.** batallas
b. diversidad	**f.** musulmanes	**j.** cristianos
c. fundarla	**g.** mezquitas	
d. conquistarla	**h.** la región	

1. En el año 711 los ____ llegaron a España con la intención de ____ .

2. Su ____ se ve principalmente en ____ del sur de España.

3. En el siglo XII los ____ construyeron sinagogas, que hoy vemos al lado de las ____

y las iglesias.

4. En 1492 los ____ reconquistaron el país después de casi ochocientos años de ____

contra su enemigo.

A Tu mamá te dio un folleto con fotografías de los lugares de interés que ella visitó cuando fue a España hace unos años. Tú quieres hacer una lista de lo que quieres ver en ese país este verano. Escribe la palabra que corresponda a cada "fotografía." *(50 puntos)*

1. Me gustaría visitar _____ .

2. ¡Qué genial será comer en un restaurante con una _____ en

el patio y _____ en las ventanas!

3. Es necesario que visite _____ en Córdoba.

4. También tendré que sacar fotos de la catedral en Granada, la favorita de _____

Fernando e Isabel.

B Unos amigos tuyos te pidieron que les ayudes a estudiar para el examen de historia de España. Escribe la palabra que mejor complete cada espacio en blanco en sus apuntes. *(50 puntos)*

continente   reconquistarla   cristianos   fundaron   rasgos   región

musulmanes   conquistarla   influencia   mezquita   alcázares   judíos

Los _____ vinieron del _____ que está al sur de Europa. Después de

_____ , vivieron en la península ibérica casi ochocientos años y _____

muchas ciudades y pueblos. Actualmente en España quedan muchos _____ de la

_____ de su cultura. Fueron muy tolerantes, pues permitieron que los

_____ practicaran su religión en sus iglesias y que los _____ practicaran

la suya en sus sinagogas. La _____ de Córdoba, donde ellos practicaban su religión,

es un ejemplo de arquitectura maravillosa. Otros ejemplos son los _____ , donde se

protegían de sus enemigos.

A Antes de empezar a escribir un informe para su clase de español, Ana María está leyendo sobre la historia del Nuevo Mundo. Subraya las palabras que mejor completen la información que ella lee. *(80 puntos)*

1. Hernán Cortés y otros (encuentros / conquistadores) (mezclaron / trajeron) a México su cultura en 1519.

2. (El resultado / La mayoría) de ese evento histórico fue la (extensión / creación) de una cultura nueva.

3. (A través de / El encuentro) los españoles, su religión y su (lengua / mezcla) se impusieron en el Nuevo Mundo.

4. También (propusieron / establecieron) (productos / colonias) en muchas partes del continente americano.

B En la biblioteca pública encontraste el diario de un escritor español que vivió en México durante el siglo XVI. Escoge de la lista la palabra o palabras que correspondan a cada descripción en el diario y escribe la letra correspondiente en el espacio en blanco. En algunos casos puedes escoger más de una palabra. *(20 puntos)*

a. fusión   **d.** productos indígenas   **g.** rebelarse

b. mestizo   **e.** morir   **h.** proponer

c. injusticia   **f.** esclavos

____ 1. De las muchas cosas que descubrimos cuando llegamos, la papa y el maíz han influido mucho en la comida de los europeos.

____ 2. A través de los años nacen más y más hijos de padres indígenas y españoles. Una nueva raza se está formando.

____ 3. Recientemente han traído africanos para trabajar en los campos y me parece que pasarán muchos años antes de que los pongan en libertad.

____ 4. Algo está ocurriendo en estos últimos años. Algunos aspectos de la cultura nuestra se han combinado con la suya con respecto a la religión, la música y el arte.

____ 5. Me sorprende que los indígenas no se quejen del maltrato y quieran escapar.

Nombre _____

CAPÍTULO 11

Fecha _____

Prueba **11-4**

Tienes la oportunidad de hacerle una entrevista imaginaria a Hernán Cortés. Escoge de la lista las palabras o expresiones que mejor completen sus respuestas a tus preguntas. Recuerda que las respuestas deben reflejar el punto de vista de Cortés, no el tuyo. *(100 puntos)*

la fusión de tres continentes	establecer colonias	la papa y el maíz
un encuentro de culturas	la lengua española	la raza mestiza
proteger a los indígenas	fundar ciudades	propusimos
el chocolate y la rumba	el oro y la plata	esclavizar

1. —Señor Cortés, de todos los aspectos culturales que Uds. trajeron a las Américas,

    ¿cuál tuvo mayor importancia?

    —Yo digo que la difusión de _____ fue lo más importante.

2. —¿Cuál fue el resultado de la combinación de las dos culturas?

    —Pues, sin duda alguna, nació _____ .

3. —¿No cree que fue una injusticia traer esclavos africanos al nuevo mundo?

    —Es posible que vosotros lo veáis así. Nosotros sólo queríamos

    _____ .

4. —Pero, señor Cortés, los españoles se impusieron sobre los indígenas a través de otra

    injusticia, ¿no está de acuerdo?

    —¡Claro que no! Joven, permítame recordarle que en aquella época era aceptable

    _____ al lado que perdía la guerra. Nosotros

    _____ una alternativa a la extinción del indígena.

5. —¿Qué productos americanos contribuyeron más al mundo como resultado de la presencia

    española en el nuevo mundo?

    —A ver… hubo tantos. ¡Ah, claro! _____ .

6. —¿Qué querían los reyes españoles que hicieran los conquistadores en América?

    —Nuestra meta era _____

    y _____ .

7. —En su opinión, ¿qué es América?

    —América es _____ en uno, el resultado de

    _____ .

Vas a escribir un informe sobre la historia de California durante el siglo XVIII. Para completar tus apuntes, escribe cada verbo entre paréntesis en la forma correcta del imperfecto del subjuntivo. *(100 puntos)*

1. Los españoles fundaron las primeras misiones en el sur de California. Querían que los indígenas _____ allí para que _____ una vida mejor. (vivir / tener)

2. Para evitar las enfermedades causadas por la suciedad, los misioneros preferían que los indígenas _____ sandalias y que no _____ con ropa de cuero. (llevar / vestirse)

3. Los misioneros les exigían a los indígenas que les _____ a construir las misiones y que _____ en todo. (ayudar / obedecer)

4. Los misioneros insistían en que los indígenas _____ a hablar español porque no querían que _____ sus propias lenguas. (aprender / hablar)

5. Ellos esperaban que algún día los indígenas _____ a sus pueblos para que _____ todo lo que habían aprendido con otros indígenas y los _____ a seguir las costumbres españolas. (volver / compartir / influir)

6. Los españoles no permitían que los indígenas _____ sus propias costumbres y que no _____ las suyas. (mantener / aceptar)

7. Los misioneros también les daban clases de religión católica a los indígenas y les exigían que _____ al cristianismo y que no _____ su religión indígena. (convertirse / practicar)

8. También les sugerían que _____ sus nombres por nombres cristianos y que no _____ más sus nombres indígenas. (cambiar / usar)

9. Es muy posible que los indígenas del sur de California _____ seguir viviendo su vida como siempre lo habían hecho, pero la llegada de los españoles cambió todo. (preferir)

10. Los misioneros no creían que era una injusticia hacer que los indígenas _____ y _____ una cultura que no era la suya. (adoptar / seguir)

A Estás hablando con unos amigos de su vida cuando eran pequeños. Subraya el verbo en el tiempo verbal que mejor complete la conversación. *(50 puntos)*

1. —Recuerdo que mis padres siempre insistían en que yo (era / fue / fuera) cortés con todos.

2. —Mi madre dudaba que mi hermano y yo (dijéramos / dijimos / decíamos) mentiras.

3. —Olivia, yo recuerdo que tu hermano siempre quería que tú (vienes / venías / vinieras)

   con nosotros a las clases de artes marciales.

4. —Sí, pero yo siempre te pedía que le (dices / dijeras / decías) que no. ¡No me gustaba ir!

5. —Mis padres siempre querían que mis hermanas y yo (hiciéramos / hacíamos / hicimos)

   los quehaceres en vez de ver tanta televisión. Por eso sacábamos buenas notas.

B Leíste un libro escrito por conquistadores españoles sobre los hechos de la exploración y conquista de México. Después, hiciste apuntes porque tienes que escribir un informe para la clase de historia. Completa tus apuntes con la forma correcta del imperfecto del subjuntivo o, cuando sea apropiado, el imperfecto del indicativo de los verbos entre paréntesis. *(50 puntos)*

1. Nos parecía increíble que la capital de los aztecas _____ tan enorme. (ser)

2. Nos sorprendió que ellos _____ construido canales para pasear en canoa.

   (haber)

3. Era increíble que la ciudad _____ sobre un lago. (estar)

4. Nos parecía imposible que los indios _____ cultivar tantas variedades de

   plantas. (saber)

5. Era impresionante que el templo, en el centro de la ciudad, _____ estatuas tan

   grandes. (tener)

6. Todos dudábamos que alguien _____ salir de aquella ciudad sin aprender más

   sobre sus habitantes. (querer)

7. Era evidente que los aztecas _____ muchos talentos artísticos. (tener)

8. Le pedí a Hernán Cortés que nosotros les _____ regalos a los aztecas y que se

   los _____ para ganar su confianza. (traer / dar)

9. No creíamos que (nosotros) _____ comunicarnos fácilmente con los indios.

   (poder)

Tus amigos han escrito un drama para presentarlo en la clase de historia, pero están un poco desorganizados antes de la presentación. Según sea necesario, escribe la forma correcta del subjuntivo o del infinitivo de los verbos entre paréntesis. ¡Ojo! Vas a escribir los verbos en diferentes tiempos. *(100 puntos)*

1. —Marcos se parece más a Colón que Pascual. Por eso yo lo escogí, para que

_____ nosotros un Cristóbal Colón más realista. (tener)

2. —Yo invité a los estudiantes de la clase de español avanzado para que _____

nuestra producción, pero ¡todavía no estamos organizados! (ver)

3. —Tenemos que practicar más para _____ al profesor. Queremos que nos dé

una buena nota en nuestro proyecto. (impresionar)

4. —Manuela, ¿qué haces con ese disfraz de indígena? Yo se lo di a Marta para que ella lo

_____ arreglar. (poder)

5. —Georgina y Fela, pónganse los disfraces ahora para _____ cómo les quedan

esos trajes. (ver)

6. —Joaquín y Gustavo, ¿ya se aprendieron sus líneas para _____ luego? (decir)

7. —¡Ay, Delia, aquí estás! Yo te esperé media hora esta mañana para que me

_____ los instrumentos musicales. (traer)

8. —Aquí está el disfraz de Cortés para que Lucho _____ ahora. (vestirse)

9. —¡Ay, Francisco, yo te di el guión para que tú _____ lo que está pasando y ahora

me dices que lo perdiste! (saber)

10. —Creo que necesitamos un descanso de quince minutos para que yo no _____

loca. (volverse)

CAPÍTULO 11

Prueba cumulativa

A Tu profesor de español dividió la clase en grupos para que los estudiantes hagan diferentes proyectos sobre España. Tu grupo va a diseñar un folleto con fotos e información histórica. Escoge de la lista las palabras que falten en las oraciones del folleto y escribe la palabra o palabras que correspondan a las "fotos." *(40 puntos)*

los hispanohablantes	reconquistaron	las rejas	batallas
reconquistarla	los musulmanes	los judíos	mezclarla
los cristianos	conquistaron	los reyes	alcázares

1. _____ llegaron a España en 711. Construyeron _____ en las ciudades

   que _____ .

2. _____ que vivieron en Toledo construyeron sinagogas con bellos

   _____ en el suelo y en el _____ .

3. _____ que _____ España en el siglo XV, destruyeron muchas

   _____ musulmanas.

4. Éstos son _____ católicos, Fernando e Isabel.

B Judit está escribiendo un informe sobre sus antepasados, que vivieron en España hace muchos siglos. Escoge de la lista las palabras o expresiones que mejor completen su informe. *(20 puntos)*

se establecieron	poesía	propuso	cristiana	había
descendencia	trajeron	lengua	creación	hubo
a través de	injusticia	combinó	hubiera	rasgo

Mis antepasados eran sefarditas, judíos nacidos en España, que sufrieron una gran __1__

cuando fueron expulsados en 1492. Después de 1492, __2__ en otros países del mundo.

Contribuyeron mucho a la vida cultural de España, por ejemplo en la __3__ y la literatura en general. Entre varios sefarditas notables e intelectuales se distinguen Moisés Maimónides y Abraham Zacuto. Maimónides __4__ todo lo que sabía de astronomía, medicina, matemáticas y filosofía para resolver los conflictos entre la religión __5__ y la judaica. En su obra, él __6__ cómo armonizar la filosofía de las dos religiones para que no __7__ conflicto. Antes de hacer sus viajes históricos por mar, Cristóbal Colón y Vasco de Gama leyeron las obras del astrónomo Zacuto, que construyó el astrolabio metálico. Cuando pienso en mi __8__ sefardita, también pienso en la __9__ que ellos __10__ de España. Su idioma es una mezcla de hebreo y español antiguo que se llama *ladino*.

C Marcela está hablando a su clase sobre un libro que leyó de la historia del Nuevo Mundo. Para completar su informe oral, escoge de la lista las palabras que falten y escribe la forma correcta del subjuntivo de los verbos entre paréntesis. *(40 puntos)*

conquistador	indígenas	culturas	influencia	mezcla	poesía	colonias
encuentro	injusticia	mestizos	esclavos	europeos	mundo	

Pedro Alonso O'Crouly escribió en 1774 sobre la historia y las __1__ que se establecieron en la Nueva España, el nombre que le daban a México en esos tiempos. No me sorprendió que él (**2.** escribir) un libro sobre los españoles e __3__ , porque sus padres habían escapado de los ingleses en Irlanda. Se fueron a España para que sus hijos (**4.** poder) tener una vida mejor. O'Crouly no sólo escribió del __5__ entre las __6__ española e india, sino también de la __7__ que tuvo en todo el __8__ . Sobre Cortés, el __9__ de México, aprendí cosas fascinantes. Es increíble que Cortés (**10.** ganar) contra los indios en su primera __11__ con sólo 400 soldados, 16 caballos y 6 piezas de artillería.

De la __12__ de razas que ya existía en 1774, a O'Crouly no le gustó que los españoles (**13.** esclavizar) a los africanos y trataran mal a los __14__ . Le molestaba que (**15.** haber) tanta __16__ con los __17__ que trabajaban en los campos. También escribió que era asombroso que los españoles (**18.** acostumbrarse) al clima y condiciones difíciles del nuevo mundo, y que era impresionante que (**19.** encontrarse) tantos minerales, animales y vegetales que los __20__ no conocían. Es evidente que O'Crouly tenía otro punto de vista porque sus antepasados también habían sido víctimas de otras culturas.

Paso a paso 3

Nombre _____

CAPÍTULO 11

Fecha _____

Hoja para respuestas
Prueba cumulativa

A *(40 puntos)*

1. _____
2. _____
3. _____
4. _____

B *(20 puntos)*

1. _____   6. _____
2. _____   7. _____
3. _____   8. _____
4. _____   9. _____
5. _____   10. _____

C *(40 puntos)*

1. _____   11. _____
2. _____   12. _____
3. _____   13. _____
4. _____   14. _____
5. _____   15. _____
6. _____   16. _____
7. _____   17. _____
8. _____   18. _____
9. _____   19. _____
10. _____   20. _____

CAPÍTULO 11

I. Listening Comprehension *(20 points)*

A. Estos estudiantes de español están contestando una pregunta que el profesor les hizo. Escucha lo que dice cada uno y luego indica con *Sí* las oraciones correctas y con *No* las oraciones incorrectas.

B. Rodolfo está presentando un informe oral en la clase de historia. Escucha su informe y luego escoge la letra de la frase que mejor complete cada oración.

II. Reading Comprehension *(20 points)*

A Guille le fascina la historia, por eso ha escrito un informe detallado para su clase de español. Léelo y luego escoge la letra de la frase que mejor complete cada oración.

La reconquista de España por parte de los cristianos duró casi ochocientos años. Cuando los moros, un pueblo árabe que practicaba la religión musulmana, llegaron a la península ibérica en 711, los cristianos no pudieron defenderse contra sus armas y organización superiores. Sin embargo, en 718 el pueblo de Covadonga, en el norte de España, opuso resistencia y así comenzó la reconquista. Aunque conquistaron las tres ciudades principales del sur, Córdoba, Sevilla y Granada, los moros permitieron que los cristianos y los judíos practicaran su religión y mantuvieran sus derechos de propiedad. Mientras el resto de Europa sufría las dificultades de la Edad Media, los moros desarrollaron la industria, la agricultura y el comercio. La ciudad de Córdoba fue, gracias a los musulmanes, uno de los centros intelectuales más importantes de Europa. Es impresionante que todavía haya imponentes ejemplos de su arquitectura, como la mezquita de Córdoba, la torre de la Giralda en Sevilla, y el alcázar de la Alhambra en Granada. Siglos después, rasgos de su bella arquitectura reaparecieron en el Nuevo Mundo en la forma de patios con fuentes azulejadas y balcones con rejas.

III. Writing Proficiency *(20 points)*

Quieres participar en el concurso de escritura sobre culturas internacionales de tu escuela. Es necesario que escribas sobre una cultura interesante. Escoge tu propia cultura u otra cualquiera e incluye la siguiente información en tu informe:

- las características sociales, religiosas, artísticas e intelectuales de la cultura
- la influencia que haya tenido la geografía sobre la cultura
- las circunstancias históricas o políticas que trajeron cambios a la cultura
- los problemas que han resultado de esos cambios
- cómo esa cultura se beneficia de la fusión con otra(s) cultura(s)

CAPÍTULO 11

Examen de habilidades

Lee tu informe de nuevo antes de entregarlo. ¿Escribiste las palabras correctamente? Revisa las terminaciones de los adjetivos y los verbos. ¿Usaste los tiempos apropiados del indicativo y del subjuntivo? ¿Escribiste sobre todas las ideas? ¿Incluiste una variedad de vocabulario y expresiones en tu informe? Haz cambios si es necesario.

IV. Cultural Knowledge *(20 points)*

Contesta en español según lo que hayas aprendido en el *Álbum cultural*.

Describe algunos festivales que los hispanos celebran aquí y en sus países.

V. Speaking Proficiency *(20 points)*

Es posible que tu profesor(a) te pida que hables sobre uno de estos temas.

A. Soy de otro país y sé muy poco de la gente y la cultura de Estados Unidos. En tu conversación conmigo, quisiera que me hablaras sobre:

- la influencia de las diferentes culturas que forman tu país
- las circunstancias históricas o políticas que influyeron sobre cada una
- los problemas que han tenido y cómo se resolvieron
- los beneficios que una cultura contribuye a las otras

B. Quisiera saber más de ti y de la cultura de tu familia. Dime algo sobre tus antepasados. ¿Por qué y cuándo vinieron a este país? ¿Cuáles son las características sociales y religiosas de tu cultura? ¿Cómo ha cambiado tu cultura a través de los años? ¿Cuáles son las contribuciones de tu cultura a otras?

Si prefieres no hablar de tu cultura, háblame de otra que te parezca interesante.

Paso a paso 3

Nombre

CAPÍTULO 11

Fecha

Hoja para respuestas 1
Examen de habilidades

I. Listening Comprehension *(20 points)*

A. *(10 points)*

1. El profesor quiere que los estudiantes hablen sobre
la combinación de rasgos culturales.   Sí   No

2. Los ritmos de la música puertorriqueña tienen influencia africana.   Sí   No

3. La joven de Nueva York está perdiendo su lengua natal.   Sí   No

4. Algunas comidas de España, como la tortilla de huevos, son picantes.   Sí   No

5. El aceite de oliva y el ajo son ingredientes comunes
de los platos mexicanos.   Sí   No

6. El guacamole se compone de aguacate y otros ingredientes.   Sí   No

7. La lengua de las Filipinas es una fusión de varios
idiomas, incluso el japonés.   Sí   No

8. España estableció una colonia en las Filipinas en 1898.   Sí   No

9. El *rap,* la música que tocan y cantan algunos jóvenes en Japón, y la
música de los *Gipsy Kings* tienen un rasgo en común: todas representan
la influencia de una cultura sobre otra.   Sí   No

10. El *francophone* es la mezcla de lenguas africanas y el francés.   Sí   No

B. *(10 points)*

1. Los indígenas
  a. fundaron las misiones en California.
  b. ayudaban a construir las misiones y los presidios.
  c. no podían entrar en las misiones porque no eran cristianos.

2. Los misioneros
  a. querían que los indígenas preservaran su cultura original.
  b. preferían que cambiaran rasgos importantes de su cultura, como su nombre.
  c. no permitían que los indígenas se vistieran con la ropa europea.

3. Los indígenas de California
  a. se rebelaban constantemente contra los misioneros.
  b. todavía mantienen su lengua y rasgos importantes de su cultura.
  c. adoptaron la nueva vida que les impusieron los misioneros.

4. Para los misioneros era importante que
  a. los indígenas mantuvieran sus nombres indios.
  b. los indígenas se convirtieran a la religión de los españoles.
  c. los indígenas vivieran como esclavos.

5. Los misioneros se preocupaban de que

   a. se enfermaran los indígenas a causa de la ropa que usaban.

   b. los indígenas no hicieran su trabajo en la misión.

   c. los indígenas no aprendieran a construir edificios.

II. Reading Comprehension *(20 points)*

1. Los moros

   a. salieron de África.

   b. pasaron al norte de Francia.

   c. regresaron a su pueblo en 718.

2. Otros países europeos de esa época

   a. no conocían las ciencias.

   b. aprendieron de los moros intelectuales.

   c. ayudaron a los cristianos.

3. La reconquista

   a. ocurrió entre 711 y 1769.

   b. ocurrió entre 718 y 1492.

   c. comenzó en 1492.

4. Los moros no permitieron

   a. la intolerancia entre culturas y religiones.

   b. que los cristianos vivieran.

   c. que los judíos vivieran.

5. Es posible ver rasgos de la cultura musulmana

   a. en el nuevo mundo a través de la fusión de culturas.

   b. sólo en Córdoba, Sevilla y Granada.

   c. sólo en el norte de España.

III. Writing Proficiency *(20 points)*

_____

_____

_____

_____

IV. Cultural Knowledge *(20 points)*

_____

_____

_____

_____

_____

V. Speaking Proficiency *(20 points)*

A Tus amigos han ido a la oficina de sus consejeros para hablar sobre trabajos para el futuro. Escoge la letra del dibujo que corresponda a la palabra o expresión subrayada en cada oración. *(70 puntos)*

a   c   e   g

b   d   f   h

_____ **1.** —Milagros, ¿te gustaría ser <u>periodista</u>?

_____ **2.** —Sí, pero preferiría ser <u>redactora</u>.

_____ **3.** —Rogelio, para <u>hablar por señas</u> tienes que estudiar el lenguaje por señas.

_____ **4.** —Me gustaría mucho aprenderlo. También me interesaría ser <u>traductor</u>.

_____ **5.** —Cachita y Alejandro, ¿les gustaría ser <u>contadores</u>?

_____ **6.** —A mí no. Prefiero ser <u>bibliotecaria</u>.

_____ **7.** —Pues, a mí sí. Posiblemente seré <u>banquero</u>.

B Yolanda está hablando con su consejera también. Subraya la palabra o expresión que mejor complete cada oración. *(30 puntos)*

1. —Yolanda, dijiste que te gustaría (seguir una carrera / confundirte) ayudando a otras

personas que (hacen falta / tengan dificultad) para (defenderse / cometerse).

2. —Creo que sí. Me gustaría mucho ayudar a (los agentes de ventas / los sordos). Ya sé una

(lengua extranjera / estudiante de intercambio) y (me confundo con / sueño con) usarla en

un trabajo que ayude a muchas personas.

A Tu consejera te está describiendo los trabajos que vio en un folleto. Escribe la palabra que corresponda a cada "fotografía" del folleto. *(50 puntos)*

1. Si te gusta leer y estudiar diferentes materias, recomiendo que seas

   _____ .

2. Aquí hay información sobre el trabajo de _____ .

   Es necesario que te guste trabajar con números.

3. Si te interesa viajar y eres bilingüe, otra posibilidad es ser

   _____ .

4. Para ser _____ no es necesario ser bilingüe,

   pero sería una ventaja.

5. Ahora que hay más negocios en otros países, es posible que

   te interese ser _____ internacional.

B Joel está hablando con sus compañeros de clase sobre una buena experiencia que él ha tenido en el mundo del trabajo. Escoge y escribe en los espacios en blanco la palabra que mejor complete lo que Joel les está diciendo. *(50 puntos)*

el lenguaje por señas	tengo facilidad	hacen falta	dominar
hablar por señas	viajar	errores	cometí
me confundí	sueño con	carrera	sorda

Cuando empecé a trabajar con Mercedes, _____ muchos

_____ porque no sabía _____ con ella. Después

de unas semanas de clase y de practicar, finalmente lo pude _____ .

Muchas personas no saben que _____ se considera un segundo idioma.

Ahora que _____ para hablarlo, _____ ayudar

a la gente _____ . Creo que _____ personas que

lo puedan hacer. Por eso lo estoy considerando como una _____ .

A El profesor de sociología invitó a un agente de empleos para que le hable a tu clase sobre los trabajos del futuro. Escoge la letra de la palabra que mejor complete su informe y escríbela en el espacio en blanco. *(60 puntos)*

1. Como actualmente hay más contacto con otros países y culturas, lo primero que les quiero

   recomendar es que aprendan a ___ bien en una lengua extranjera.
   a. convivir   **b.** expresarse   **c.** interpretarse

2. Para la mayoría de los trabajos que se anuncian en nuestra agencia, hablar bien otro idioma

   es muy ___ .
   a. mundial   **b.** oficial   **c.** útil

3. Muchas personas en nuestro país tienen la ventaja de hablar inglés y su ___ .
   a. lengua materna   **b.** lengua oficial   **c.** modismo natural

4. Sin embargo, a veces no es suficiente sólo hablar una lengua extranjera. Hace falta conocer

   bien la cultura y saber cómo ___ .
   a. apreciarla   **b.** dominarla   **c.** diversificarla

5. Se lo digo porque hay compañías que quieren que sus empleados viajen y tengan ___

   con otras culturas.
   a. mundial   **b.** contacto   **c.** inmigrante

6. Y para los que no tengan interés en viajar, deben recordar que nuestra sociedad está

   ___ mucho y eso crea más y más oportunidades de empleo.
   a. confundiéndose   **b.** suponiéndose   **c.** diversificándose

B Es domingo y estás leyendo los anuncios en el periódico. Subraya la palabra que mejor complete cada anuncio. *(40 puntos)*

1. "Compañía de computadoras situada en la (frontera / fuente) entre Estados Unidos y México

   busca empleados bilingües."

2. "Clases privadas para ayudarles a (aumentar / suponer) su posibilidad de resultados más

   altos en los exámenes de S.A.T."

3. "Negocio a nivel (frontera / mundial) ofrece trabajo de tiempo completo. Sería (apreciado /

   útil) tener preparación académica y experiencia en los medios de comunicación."

A Tus amigos forman un grupo de culturas diversas. Hoy están hablando de lo importante que es hablar un segundo idioma. Escoge y escribe en los espacios en blanco la palabra o expresión que sea sinónima con la parte subrayada de cada oración. *(60 puntos)*

el barrio multicultural	modismos	suponer
su lengua materna	aumentar	mundial
la inmigración	el contacto	sería útil

_____ 1. —Rosario ya tiene la ventaja de hablar español, <u>el idioma de sus padres</u>.

_____ 2. —Creo que <u>la diversificación del ambiente</u> en el cual vivo me ha ayudado a comprender mejor a otra gente y ¡claro!, a aprender más vocabulario.

_____ 3. —Hay estudiantes que creen que son bilingües, pero la verdad es que no conocen muy bien las <u>expresiones idiomáticas</u> que forman gran parte de la lengua.

_____ 4. —Como hablo japonés, quisiera seguir una carrera en el mercado <u>global</u>.

_____ 5. —Mucha gente sabe que un segundo idioma podría ayudarles a <u>multiplicar</u> las ventajas de encontrar un buen empleo.

_____ 6. —<u>Podríamos</u> continuar con nuestra clase de español el año siguiente para tener resultados más altos en el examen de S.A.T.

B Vas en tu coche a la playa y escuchas este anuncio comercial en la radio. Escoge y escribe en los espacios en blanco las palabras que mejor completen el anuncio. *(40 puntos)*

multicultural   beneficiarse   inmigrante   dominar   apreciaría   inmigración

¿Quisiera comunicarse mejor en una lengua extranjera? ¿Le gustaría poder _____

mejor el español, el japonés o el chino? ¿Es usted _____ reciente de otro país y le

gustaría mejorar su inglés? IDIOMAS S.A. le ofrece una excelente oportunidad de aprender

fácilmente con el fin de _____ más en el trabajo o en sus estudios académicos. Creo

que Ud. _____ nuestros precios baratos. Llámenos al 1-800-IDIOMAS.

CAPÍTULO 12

Estos jóvenes van a trabajar como consejeros en un campamento durante el verano. Los directores quieren prepararlos para las diferentes situaciones o emergencias que puedan ocurrir. Completa cada respuesta escribiendo el verbo entre paréntesis en la forma correcta del condicional. *(100 puntos)*

DIRECTOR Aunque los escogimos porque ya sabemos que tienen muchas habilidades y que son muy responsables, a veces hay emergencias y es mejor que estén preparados. Quiero que ustedes me digan qué harían en cada situación que voy a describir. A ver, Antonia. Llegan al campamento y sospechan que hay osos muy cerca. ¿Qué harías?

ANTONIA Pues, yo _____ la comida en un árbol para que los

animales no pudieran alcanzarla. (colgar)

DIRECTOR Domingo y Octavio, un joven no quiere participar en ninguna actividad y está aburrido con todo.

DOMINGO Creo que Octavio y yo lo _____ en la posición de líder de un grupo

de jóvenes para que tuviera más responsabilidad. (poner)

DIRECTOR Aida, alguien se cae y se rompe la pierna.

AIDA Creo que primero lo _____ en una posición inmóvil y luego, con dos

palitos, _____ una tablilla *(splint)* para protegerle los huesos.

(mantener / hacer)

DIRECTOR Álvaro y Lino, un joven sufre una picadura fuerte y seria.

ÁLVARO Nosotros nunca _____ del campamento sin el equipo de primeros

auxilios. (salir)

LINO Siempre _____ las medicinas necesarias antes de salir. (obtener)

DIRECTOR Juliana, hay un joven sordo en el grupo. ¿Qué harías?

JULIANA Pues, yo sé que tú le _____ hablar por señas porque yo no sé cómo

hacerlo todavía. Yo _____ que aprender de ti. (poder / tener)

DIRECTOR Edmundo, un joven siempre se pierde del resto del grupo.

EDMUNDO Yo sé que Felipe y Conchita le _____ algo simpático porque ellos son

muy graciosos. (decir)

LINO Yo _____ con él para enseñarle cómo usar un mapa y reconocer las

señas del bosque que indican dónde está la persona. (ir)

Unos amigos tuyos están un poco nerviosos porque tienen que tomar un examen. Por eso están hablando de situaciones que en este momento no son posibles ni probables. Subraya el tiempo verbal que mejor complete su conversación. *(100 puntos)*

1. —Si (tengo / tuviera / tenga) mucho dinero, (voy / fuera / iría) a viajar por todo el mundo.

2. —Mis amigos y yo (podríamos / podemos / podremos) trabajar para una compañía que paga bien si (hablamos / habláramos / hablaríamos) japonés.

3. —Si un mayor número de los estudiantes de nuestra escuela (hablaran / hablen / hablarían) una lengua extranjera, (tuvieran / tendrían / tengan) más ventajas en el mundo del trabajo.

4. —Creo que si la mayoría de la gente (quisiera / querría / quiere) vivir en armonía, (es / sería / sea) posible.

5. —Mateo, ¿(eres / fueras / serías) corresponsal internacional si (pudieras / puedes / puedas)?

6. —Lo dudo mucho, pero sé que (me gustará / me gustaría / me guste) viajar más si (había / hubiera / haya) más oportunidad.

7. —Tengo deseos en este momento de tomar un café expreso. Si (supiera / sabría / sabía) cómo pilotar un avión, (llevaría / llevara / llevaré) a mis amigos a Italia.

8. —Julio está molestando a Antonio de nuevo. No sé lo que él (hiciera / haría / hacía) si Antonio no lo (querría / quisiera / quiere) ayudar con la tarea.

9. —¿Qué te parece, Ramón? Si nosotros (pongamos / pondríamos / pusiéramos) todo nuestro dinero en un banco, ¿crees que (haríamos / hacemos / hiciéramos) lo mejor posible?

10. —Lo que creo es que si todos (soñaran / soñarían / soñarán) menos con lo imposible y más con prepararnos para el examen, ¡(sabíamos / supiéramos / sabríamos) más sobre el álgebra!

Es la hora del almuerzo y algunos estudiantes están conversando en la cafetería sobre su vida personal y las cosas que les gustaría hacer si pudieran. Escribe cada verbo entre paréntesis en la forma correcta del subjuntivo o del condicional para completar la conversación. *(100 puntos)*

1. —David, ¿vives en un barrio bilingüe?

   —No, pero _____ en uno si _____ . Quiero aprender más sobre otras culturas y no sólo de los libros que leo. (vivir / poder)

2. —¿Cuántas lenguas hablas, Víctor?

   —Sólo el inglés, pero si _____ posible, yo _____ trilingüe. (ser / ser)

3. —Lupita y Serafina, ¿por qué no hay armonía en el mundo?

   —Hay muchas razones, pero si nosotras _____ el poder, _____ algo para crear más armonía entre la gente. (tener / hacer)

4. —Jacinto, ¿sabes ya qué carrera te interesa?

   —No, pero si tú lo _____ , ¿cuál _____ tú? (saber / seguir)

5. —Lina, ¿crees que los jóvenes somos demasiado idealistas?

   —Ser realista es importante, pero nosotros nunca _____ cambiar la sociedad si no _____ idealismo entre los jóvenes. (poder / haber)

CAPÍTULO 12

Prueba cumulativa

A Tu consejera te quiere explicar algunas posibilidades de trabajo que hay en el mundo. Escoge de la lista la palabra o expresión que falte en cada oración y también escribe la palabra que corresponda a cada dibujo. *(40 puntos)*

lengua extranjera	defenderse	traductor	traducir
corresponsal	contador	dominar	sorda

1. —Para ser _____ , es importante que tengas

    experiencia de _____ .

2. —Si tienes interés en ser _____ , sería una ventaja si

    supieras _____ varios idiomas.

3. —Si supieras _____ , podrías ayudar a mucha

    gente _____ .

4. —Si te gusta la carrera de _____ , sería muy útil si

    aprendes a _____ del español al inglés.

5. —Si quieres ser _____ , también podrías ser

    _____ internacional.

B Tu escuela ha dedicado un día para celebrar la importancia de saber otro idioma. Parte del programa es una presentación que hace un ex-estudiante. Escoge de la lista las palabras o expresiones que mejor completen su presentación a los estudiantes. *(30 puntos)*

lengua extranjera	completamente	soñando con	aprendizaje	académica
seguir una carrera	tenía facilidad	confundido(a)	útil	en realidad
lengua materna	inmigrantes	depender de	mundiales	bilingüe

Muchas gracias por la oportunidad de hablarles hoy sobre la importancia de saber una __1__ . Cuando me gradué hace diez años, estaba __2__ sobre mi futuro. Quería __3__ que me pagara bien, pero __4__ no tenía los requisitos necesarios para matricularme en la universidad ni la preparación __5__ que se necesita para obtener un buen trabajo. Decidí que ya no quería __6__ mis padres y me pasé un año cambiando empleos, siempre esperando encontrar algo __7__ que no me aburriera. Entonces, algo __8__ inesperado ocurrió. Me ofrecieron un trabajo como recepcionista en una compañía de importación y exportación porque soy __9__ . Mi __10__ es el español. Mis padres son __11__ de Centroamérica. Saber otro idioma me abrió la puerta mágica. Descubrí que __12__ para los negocios. Hace cinco años, la compañía, que tiene contactos __13__ , me mandó a otros países, donde aprendí dos idiomas más, el alemán y el italiano. No todos ustedes tendrán la suerte que tuve yo, pero sigan __14__ obtener lo que quieren y algún día lo tendrán. El __15__ de un segundo idioma es a veces difícil, pero les dará una gran ventaja. Y ahora, si tienen preguntas…

C Estás conversando con otros estudiantes sobre las posibilidades de trabajo para el verano. Para completar la conversación, escribe cada verbo entre paréntesis en la forma correcta del subjuntivo o en el condicional. *(30 puntos)*

1. —Rosalía, tengo que encontrar un trabajo este verano. ¿Qué me sugieres que haga?

   —Yo _____ bien para la entrevista y les _____ que no me dan miedo las tareas difíciles. (vestirse / decir)

2. —Clemente, no tengo experiencia con la computadora y ayer me ofrecieron un trabajo.

   —Si yo _____ tú, yo _____ una clase inmediatamente. (ser / tomar)

3. —Marta y Paco, ¿qué _____ ustedes si dos compañías les _____ el mismo trabajo? (hacer / ofrecer)

   —Pues, aceptar el trabajo que pague mejor.

4. —Andrea, ¿qué le dijiste a la señora que te ofreció el trabajo como intérprete?

   —Le dije que lo _____ si yo _____ trabajar tiempo parcial. (aceptar / poder)

5. —Federico, parece que todos tienen un trabajo menos yo.

   —¡Pues, los trabajos no caen del cielo! Si nosotros _____ los tres idiomas que hablas tú, nosotros ya _____ encontrado varios trabajos. (saber / haber)

CAPÍTULO 12

A *(40 puntos)*

1. _____
2. _____
3. _____
4. _____
5. _____

B *(30 puntos)*

1. _____
2. _____
3. _____
4. _____
5. _____
6. _____
7. _____
8. _____
9. _____
10. _____
11. _____
12. _____
13. _____
14. _____
15. _____

C *(30 puntos)*

1. _____
2. _____
3. _____
4. _____
5. _____

CAPÍTULO 12

Examen de habilidades

I. Listening Comprehension *(20 points)*

A. Alejandro y Verónica fueron a una agencia de empleos para hablar de futuros trabajos. Indica con *Sí* las oraciones correctas y con *No* las oraciones incorrectas.

B. Armando y Marcela están conversando después de recibir los resultados de un examen. Escucha su conversación y luego escoge la letra de la frase que mejor complete cada oración.

II. Reading Comprehension *(20 points)*

Tienes que escribir un informe para tu clase de economía. Lee este artículo y luego escoge la letra de la frase que mejor complete cada oración.

Hay gente que todavía supone que saber una lengua extranjera no sirve para mucho. Ignoran que, para finales del siglo XX, casi un 90% de los trabajadores de Estados Unidos serán mujeres, afroamericanos, gente de origen hispano o asiático, y nuevos inmigrantes. Con la rapidez con que aumenta la comunicación mundial gracias a la tecnología, las fronteras comerciales están desapareciendo. Aunque el inglés ha sido la lengua más usada en el comercio internacional, su uso no es universal. Muchos negocios internacionales dependen de intérpretes y traductores. Saber una segunda lengua les sería útil. Un negocio, sea pequeño o grande, no puede ignorar al resto del mundo.

Además de dominar lenguas extranjeras, en el ambiente multicultural en el que vivimos hace falta reconocer y respetar los requisitos culturales y sociales de cada país. Hay que aprender los modismos, a saludar y despedirse correctamente para evitar gestos con la mano que podrían ofender y saber expresarse según la ocasión, porque hay culturas en las que nunca se revelarían emociones ni secretos personales.

III. Writing Proficiency *(20 points)*

Alguien escribió una carta al periódico que dice que el inglés debería ser la única lengua que se enseñe en las escuelas. La persona que escribió la carta no ve el valor ni la necesidad de hablar una segunda lengua porque cree que causa problemas en la sociedad. Tú quieres escribir una carta al periódico para expresar tus ideas a favor de las lenguas extranjeras. Incluye la siguiente información:

- las ventajas personales de dominar una lengua extranjera
- cómo se beneficia una sociedad que tiene ambiente bilingüe y multicultural
- en qué trabajos o carreras se exige saber otra lengua
- cuáles son los beneficios económicos para una compañía o negocio

CAPÍTULO 12

Examen de habilidades

Lee tu carta de nuevo antes de entregarla. ¿Escribiste las palabras correctamente? Revisa las terminaciones de los adjetivos y los verbos. ¿Usaste los tiempos apropiados del indicativo, del condicional y del subjuntivo? ¿Escribiste sobre todas las ideas? ¿Hay una variedad de vocabulario y expresiones en tu carta? Haz cambios si es necesario.

IV. Cultural Knowledge *(20 points)*

Contesta en español según lo que hayas aprendido en el *Álbum cultural*.

¿Cuáles son las ventajas de saber otro idioma?

V. Speaking Proficiency *(20 points)*

Es posible que tu profesor(a) te pida que hables sobre uno de estos temas.

A. Tu escuela quiere eliminar la enseñanza de lenguas extranjeras. Yo represento a la administración y tú quieres defender los cursos de idiomas porque piensas que son esenciales para una educación académica. En nuestra conversación, quisiera que me explicaras:

- las ventajas de incluir una segunda lengua en el *curriculum*
- los beneficios personales para los estudiantes y la sociedad
- cuál sería el resultado si la escuela no ofreciera lenguas extranjeras

B. Eres un(a) consejero(a). Yo soy un(a) estudiante que no sabe qué trabajo ni carrera seguir en mi futuro. Necesito consejo. Dime qué trabajos o carreras me recomiendas y las habilidades necesarias para cada uno. ¿Qué preparación hace falta? ¿Dónde podría trabajar? ¿Con quiénes trabajaría?

I. Listening Comprehension *(20 points)*

A. *(10 points)*

1. Alejandro no sabe comunicarse en otra lengua.   Sí   No

2. Alejandro trabajaría con sordos, entre otros clientes.   Sí   No

3. A Alejandro le hace falta experiencia en este tipo de trabajo.   Sí   No

4. Para el trabajo en el periódico hace falta dominar una lengua extranjera.   Sí   No

5. Alejandro quisiera trabajar más de cuarenta horas.   Sí   No

6. Alejandro no domina el lenguaje de computadoras.   Sí   No

7. Verónica no tiene ninguna experiencia de redacción.   Sí   No

8. Verónica no debería trabajar en el periódico porque no podrá seguir una
carrera hasta después de sus estudios en la universidad.   Sí   No

9. Para los dos trabajos que ofrece esta agencia, la experiencia era
un requisito.   Sí   No

10. El trabajo que le ofrecen a Verónica tiene como requisito comprender
tres lenguas extranjeras.   Sí   No

B. *(10 points)*

1. Armando y Marcela están conversando sobre
   a. el examen de historia que tomó Armando.
   b. un examen que los dos tomaron.

2. Según el examen para analizar habilidades,
   a. sería mejor si Marcela fuera abogada.
   b. Armando tendría éxito si siguiera la carrera de técnico.

3. Según Armando y Marcela, los dos
   a. quisieran seguir la carrera que sus padres les escogieron.
   b. preferirían carreras en el extranjero.

4. Los resultados del examen muestran que
   a. los dos podrían seguir carreras que normalmente no escogerían.
   b. a Marcela le gusta trabajar con las manos.

5. Según esta conversación,
   a. Armando es bilingüe.
   b. Armando sabe más de dos lenguas.

II. Reading Comprehension *(20 points)*

1. En el año 2000 sería beneficioso saber otra lengua porque
  a. no habrá un aumento en la inmigración a este país.
  b. se crearán más y más fuentes de trabajos para los bilingües.
  c. habrá menos diversificación en nuestra población.

2. El aprendizaje de otro idioma
  a. sólo les importa a las compañías con negocios en la frontera.
  b. tiene poca importancia para las compañías extranjeras.
  c. podría aumentar los beneficios económicos de cualquier negocio.

3. Las fronteras mundiales están desapareciendo
  a. gracias a los inmigrantes.
  b. gracias a la rapidez de los medios de comunicación.
  c. políticamente.

4. Si más gente hablara otra lengua y comprendiera la cultura de su gente,
  a. habría menos armonía a causa de la diversificación.
  b. haría falta más tecnología para que no se confundieran comunicándose.
  c. la sociedad se beneficiaría económica y socialmente.

III. Writing Proficiency *(20 points)*

_____ :

_____

_____

_____

_____

                                _____

IV. Cultural Knowledge *(20 points)*

_____

_____

_____

_____

V. Speaking Proficiency *(20 points)*

Bancos de ideas

CAPÍTULOS 1-6

I. Listening Comprehension *(10 points each)*

A. Tus amigos están leyendo una revista que tiene fotografías y artículos de personas famosas. Escucha sus comentarios y luego empareja cada descripción con el nombre correspondiente.

B. El doctor Claudio tiene un programa en la radio para ayudar a los jóvenes con sus problemas. Escucha cada conversación y luego indica con *Sí* las oraciones correctas y con *No* las oraciones incorrectas.

C. Un grupo de amigos ha ido a un museo. Escucha las conversaciones y luego escoge la letra del dibujo que corresponda a cada diálogo.

D. Tus amigos están describiendo el lugar donde pasaron su infancia. Escucha cada descripción y luego empareja el nombre de la persona que habla con la frase que le corresponda.

E. Dolores y Francisco quieren hacer llamadas por teléfono, pero tienen problemas. Escucha la conversación de cada uno y luego indica con *Sí* las oraciones correctas y con *No* las oraciones incorrectas.

II. Reading Comprehension *(10 points each)*

A. En una encuesta que hizo tu periódico escolar, unos amigos se describieron a sí mismos y hablaron sobre los lugares donde prefieren vivir. Lee el comentario de cada estudiante y luego empréjalo con la descripción que mejor le corresponda en la hoja para respuestas.

a. "Quisiera tenerlo todo al alcance de la mano, los cines, el metro y los almacenes, pero también me gusta el ambiente privado de nuestro apartamento donde nadie nos conoce. Voy a la escuela en el metro."

b. "Soy miembro de una banda de música rock y este sábado nos van a grabar. Me encanta vivir cerca de un lugar tan animado donde hay tanta tecnología moderna."

c. "Prefiero la vida de un barrio donde toda la gente se apoya aunque sea un ambiente urbano. No me gusta el campo. Paso mi tiempo libre cuidando a los niños de las diferentes familias que viven en nuestra calle."

d. "Mientras hago los quehaceres me escapo de las presiones mirando por la ventana los árboles y el bosque que está al lado de nuestra granja."

e. "Nunca viviré lejos de la ciudad y el teatro porque me interesa mucho la vida profesional de los actores. Algunos dicen que soy una persona vanidosa por querer estar siempre enfrente de otros, pero yo creo que no."

f. "Me gustaría vivir siempre rodeada de los amigos y de la familia, no me importa dónde. Este fin de semana mi primo me va a enseñar a montar a caballo. Tiene cuatro."

g. "Me molesta que estemos contaminando los campos y las ciudades. No me gusta que la televisión les haga daño a los jóvenes con sus programas violentos. No importa dónde vivamos, las acciones negativas nos influyen a todos. Por eso pienso quedarme aquí en la ciudad y seguir una profesión que pueda ayudar al medio ambiente."

h. "Me gusta vivir en un ambiente seguro y sin conflictos, y siempre estar entre amigos con quienes tenga algo en común. Me han dicho que tengo un buen sentido del humor y creo que por eso puedo mantener mis amistades. Vivimos ahora en un condominio en un pueblo y como no tengo que depender del transporte público, puedo visitar a todos mis amigos a cualquier hora."

i. "Me enoja la idea de depender siempre del transporte público y oír el ruido diario de los atascos. No es sano estar siempre en un ambiente tan rápido. Generalmente no me quejo tanto, pero el otro día alguien me robó treinta dólares de la mochila. En este momento quisiera escaparme a un lugar aislado. Desafortunadamente, mis padres trabajan aquí y no será posible mudarnos por mucho tiempo."

j. "Me encanta escribir y creo que para hacerlo es necesario observar mucho a la gente. Por eso me gusta perderme entre los peatones de la ciudad o los pasajeros del metro observándolos: cómo se visten, qué dicen, por qué hacen lo que hacen. Por esa razón creo que no me podría entretener mucho en un ambiente rural."

B. Tienes que escribir un informe para la clase de arte. Antes de escribirlo, encuentras un breve artículo que te puede ayudar. Léelo y luego indica con *Sí* las oraciones correctas y con *No* las oraciones incorrectas.

Pablo Picasso creó una enorme variedad de cuadros en diferentes estilos artísticos. No sólo nos comunicó su punto de vista con el realismo, sino también con los movimientos que lo hicieron famoso: el cubismo y el arte abstracto. Su cuadro titulado *Guernica* es un ejemplo del período abstracto. En 1937, casi un año después del comienzo de la Guerra Civil en España, el pueblo de Guernica fue destruido por un bombardeo aéreo. Muchas víctimas inocentes murieron. Antes de terminar esa misma semana, Picasso ya había empezado a pintar su famoso cuadro en blanco, gris y negro. Aunque es abstracto en su estilo, el mensaje del pintor expresa el realismo de la guerra. La figura central es un caballo herido. Arriba de la cabeza del animal se ve una bombilla de luz que simboliza el sol. A la izquierda del caballo un toro mira hacia la distancia. Bajo el toro una mujer con su niño muerto grita al cielo. A la derecha una mujer se cae de una casa tratando de escapar un incendio. Otra corre sin saber adónde. La tercera mujer extiende una lámpara hacia el centro del cuadro. Según Picasso mismo, el toro simboliza la brutalidad y la oscuridad. El caballo representa a la gente. La Guerra Civil terminó en 1939. El cuadro de *Guernica* sigue siendo un símbolo de la destrucción y el terror de las guerras.

C. Mientras esperabas en el consultorio del dentista, encontraste una revista que contiene información sobre civilizaciones del pasado. Lee los párrafos y luego escoge la letra que mejor complete cada frase.

Altamira

En el norte de España hay una cueva situada en lo que antes era la tierra de un noble, arqueólogo de profesión. Un día, mientras un cazador y su perro caminaban por las colinas del campo, el perro desapareció entre unas piedras. El cazador podía oír al perro, pero no lo podía ver. Le parecía que estaba directamente bajo sus pies. Después de quitar unas piedras, el cazador descubrió con gran sorpresa que el perro había entrado a una cueva que las piedras bloqueaban. Sin embargo, no fue hasta 1879 que el arqueólogo empezó a excavar en su propia tierra. Su pequeña hija María le acompañaba en sus exploraciones. Un día, mientras su padre excavaba cerca de la entrada de la cueva, encontrando varios objetos y huesos de animales, María se paseó felizmente por la cueva. De repente, su padre oyó que gritaba: "¡Toros pintados!" María había hecho uno de los descubrimientos más importantes hasta entonces en Europa. En las paredes de la cueva se veían figuras realistas de bisontes, caballos, venados y otros animales pintadas en negro, rojo y amarillo.

La piedra Rosetta

Los egipcios comenzaron a escribir en jeroglíficos alrededor del año 3000 a.C. Escribían sobre piedras y papiro, un tipo de papel hecho de las plantas de papiro que crecían en abundancia a lo largo del río Nilo. Desafortunadamente, cuando esa gran civilización desapareció, el uso activo de jeroglíficos desapareció gradualmente. Felizmente, alrededor del año 196 a.C., durante el reinado del rey Ptolomeo V, algún escriba desconocido escribió un documento trilingüe en una piedra de basalto de unos ciento veintidós centímetros de alto y casi treinta centímetros de grueso. Esta piedra, ahora conocida como la piedra Rosetta, es uno de los descubrimientos más importantes que se haya hecho en Egipto. El mensaje de la piedra no es tan importante. Lo que es más importante es que el mismo mensaje haya sido repetido en tres idiomas: jeroglíficos, escritura demótica y griego. La piedra ofrecía la oportunidad de interpretar idiomas desconocidos con la ayuda de uno conocido, el griego. Lo irónico es que la piedra se perdió por mucho tiempo y no sería hasta 2,000 años más tarde que la podrían estudiar. Cuando las tropas de Napoleón invadieron Egipto en 1798, un soldado francés descubrió la piedra en la ciudad de Rosetta, cerca del delta del Nilo. Cuatro años más tarde, cuando los británicos derrotaron a los franceses, capturaron la piedra y la enviaron por barco al Museo Británico, donde ha estado desde 1802. Gracias a esta piedra hemos aprendido muchos aspectos significativos de la historia egipcia y de sus costumbres, creencias religiosas y hasta los aspectos económicos de su cultura.

D. Lee estos artículos que encontraste en una revista sobre la electrónica. Luego, escoge la respuesta que mejor complete cada frase.

ESCALA

¡Todo el globo está al alcance de su mano! Con ESCALA tendrán contacto con diferentes países. Cada día el Canal 202 transmite programas que incluyen noticieros y otros programas de más de treinta países. Verán una gran variedad de programación que incluye documentales, programas para niños, películas, telenovelas y programas de concursos o de entrevistas. Hay que tener una antena parabólica que reciba la televisión por satélite. Cada mes ESCALA les enviará una guía con el horario completo. Para más información, escríbannos a ESCALA, P.O. 444, Pueblo Satélite.

Para tecnófobos

¿Es usted un tecnófobo? ¿Le da miedo sólo ver una computadora? ¿Le molestan las luces de los números en la videocasetera? Una encuesta publicada recientemente indica que más de la mitad de los estadounidenses se sienten incómodos con los aparatos electrónicos, sea un contestador, un fax o un teléfono celular. El miedo que produce la tecnología bien podría ser el mayor miedo de los años noventa, se ha reportado después de entrevistar a más de 1,400 adultos. Sin embargo, no tiene que ser un problema. Primero hay que decidir qué tipo de tecnología es apropiada para su uso personal y qué tipo de trabajo requiere esa tecnología. Simplemente, la tecnología tiene que servirle a usted y no al contrario.

E. Hoy eres la única persona en la oficina donde trabajas. Antes de salir quieres dejarle un mensaje escrito al señor Romero, el gerente del negocio. Empareja cada oración de tu mensaje con la letra del dibujo correspondiente.

Señor Romero, aquí tiene usted unos problemitas que encontré en la oficina hoy:

1. No es posible recibir recados por teléfono porque el contestador no funciona. Llame usted a alguien mañana para que lo repare.

2. No tenemos electricidad. Necesitará usar otro teléfono en vez de este teléfono inalámbrico.

3. Hoy el correo devolvió todas las cartas que enviamos la semana pasada. Alguien escribió California en vez de Chicago en el destinatario.

4. También, si queremos enviar más cartas mañana hay que tener algo en que mandarlas. Ya no tenemos más. Pida como doscientos más de la librería, si puede.

5. Ah, también alguien escribió mal su nombre en el remitente. En vez de escribir José Romero, escribó Rosé Jomero. Sugiero que usted mismo escriba su nombre para evitar errores.

6. Su tía llamó. Quería saber si recibió lo que le envió hace dos días. Le envió una caja de chocolates y tres novelas de su escritor favorito.

7. Señor Romero, dígale a su hijito que no conteste más el teléfono en su casa. Descuelga el teléfono, pero no dice nada. Lo deja sobre la mesa mientras juega con su osito de peluche. Y claro, no se puede volver a llamar hasta que él lo cuelgue.

8. No sé qué pasó, pero no encuentro el teléfono celular de mi padre. Alguien me lo robó de la oficina. ¿Sabe usted algo?

9. Llame a la oficina de correos mañana. La joven que generalmente nos trae el correo me dijo que el perro de enfrente le da miedo y no nos quiere entregar el correo mañana.

10. Y una cosa más, señor Romero, los nuevos formularios que pidió usted hace tres semanas llegaron, pero todos tienen el año equivocado. Hay que pedirle a la librería que lo cambien.

III. Writing Proficiency *(10 points each)*

A. Tu nuevo(a) amigo(a) por correspondencia te escribió una carta porque quiere saber más sobre ti. Contéstale la carta con esta información:

- dale una descripción de tu personalidad: tus características positivas y negativas
- explícale por qué piensas que eres buen(a) amigo(a)
- dile lo que haces para cultivar la buena amistad y lo que no te gusta de tus amigos

B. Unos estudiantes de otro país quieren visitar tu escuela. Antes de venir, quieren saber más sobre la escuela y los estudiantes. Escríbeles una carta que incluya:

- cómo son los estudiantes de tu escuela
- qué actividades extracurriculares ofrece tu escuela
- otras actividades que hacen los estudiantes después de sus clases
- qué tipo de trabajo hacen algunos para ganar dinero
- los servicios de la comunidad en los cuales participan algunos estudiantes

C. Tu clase de sociología tiene que diseñar modelos de comunidades ideales en diferentes lugares. Tu responsabilidad en el proyecto es escribir un informe en el que describas las ventajas y desventajas de vivir en cada lugar. En tu informe:

- haz una descripción de la vida urbana y otra de la vida rural
- también describe cómo es la vida en las afueras
- explica las ventajas y desventajas de vivir en cada lugar
- describe cómo será la comunidad ideal del año 2050

D. Tu escuela celebra cada año una semana internacional. El/La profesor(a) de historia quiere que los estudiantes escriban sobre sus antepasados y cómo eran de joven. En tu informe incluye:

- una descripción del lugar donde él o ella vivía

- qué le gustaba o no le gustaba del lugar

- lo que hacía allí (juegos, trabajo, escuela)

- las oportunidades de trabajo que había

- cuáles eran las ventajas o desventajas de vivir en ese lugar

- por qué se mudó o no se mudó del lugar

E. En tu clase de arte tienes que escribir sobre diferentes estilos de arte y tu opinión personal de cada uno. En tu descripción incluye información sobre:

- los pintores que te gustan o no te gustan y explica por qué

- los diferentes estilos que usaban esos pintores y los temas de sus pinturas

- qué o quiénes les influyeron

- qué han contribuido esos pintores a la sociedad

F. Escribes una columna para tu periódico escolar. Esta semana quieres criticar algunos programas de televisión que viste recientemente. En tu artículo incluye esta información:

- una descripción de los programas que viste

- cuáles te parecieron positivos o negativos y explica por qué

- la influencia que tiene la televisión sobre la gente

- cómo podrá la sociedad controlar lo que se ve en la televisión

- tu opinión sobre los derechos del individuo y la censura

- tus recomendaciones a los estudiantes sobre esos programas

G. Eres un(a) arqueólogo(a) muy conocido(a) y acabas de descubrir algo muy importante de una civilización antigua. El periódico quiere que escribas un artículo sobre tu descubrimiento. En el artículo describe:

- lo que descubriste, dónde estaba y para qué servía

- la civilización antigua que lo creó y lo que se sabe de su vida religiosa y de su estructura social y política

- cuáles fueron sus contribuciones importantes

- cuál es el significado de tu descubrimiento hoy en día

H. Una tienda que vende equipo para oficinas anuncia un concurso para sus clientes. Para ganar un premio en el concurso, tienes que hacer una descripción escrita de la oficina ideal del futuro. Escribe sobre:

- los diferentes medios de comunicación que habrá

- cómo los empleados se comunicarán con los clientes

- qué tendrán que saber para trabajar en esta oficina

- cómo podrá esta oficina ideal ganar más dinero para el negocio

IV. Cultural Knowledge *(10 points each)*

A. Un amigo tuyo quiere pasar un año estudiando en Hispanoamérica, pero no sabe mucho de la cultura hispana. Te hace esta pregunta: ¿Cómo se relacionan los adolescentes hispanos con los amigos y la familia?

B. ¿Cómo se compara la vida de la ciudad con la vida del campo en algunos países hispanoamericanos?

C. Hay una exhibición de arte en el museo principal de tu ciudad donde trabajas como guía. La exhibición incluye obras de artistas latinoamericanos del siglo XX. Antes de hablarle al público, prepara unos apuntes sobre tres artistas en la exhibición.

D. Tu amiga Celia quiere saber cómo es la televisión en los países latinoamericanos y qué tipo de programas ve la gente. Explícale lo que sepas sobre este tema.

E. Una abuela maya le está explicando a su nieto el rico legado de sus antepasados. ¿Qué crees que le dice la abuela a su nieto sobre su antigua civilización y las tradiciones que todavía practican?

F. Tienes un abuelo que no quiere adaptarse a la nueva tecnología y prefiere vivir en el pasado. Explícale las ventajas de los nuevos aparatos electrónicos.

V. Speaking Proficiency *(10 points each)*

A. Explícame lo que se necesita para tener una buena amistad. Yo quisiera saber:

- cuáles son las características de un buen amigo o una buena amiga
- qué se debe hacer para cultivar una buena amistad
- qué no debería ser el buen amigo o buena amiga
- cuáles son tus características personales que contribuyen a la buena amistad

Ahora pregúntame a mí algo sobre la amistad.

B. Soy de México y voy a pasar el año escolar contigo. Quisiera saber más de tu escuela y qué se hace después de las clases. En tu descripción quisiera que me digas:

- en qué actividades escolares y extracurriculares podré participar
- qué oportunidades hay para trabajar ayudando a otras personas
- cómo podría mejorar y practicar mi inglés
- por qué crees que me llevaré bien contigo y con tu familia

Pregúntame algo sobre mi escuela en mi país.

C. Quieres venderme una casa, pero yo no sé todavía dónde quisiera vivir. En tu conversación conmigo dime:

- las ventajas de vivir en la ciudad
- por qué piensas que debería vivir en las afueras

- lo bueno de vivir en el campo
- las desventajas de vivir en esos tres lugares

Hazme preguntas sobre mis preferencias personales.

D. Tú y yo estamos hablando de nuestra vida de pequeños(as). En nuestra conversación quisiera oírte hablar sobre:

- el lugar donde vivías de pequeño(a)
- lo que te gustaba o no te gustaba de ese lugar
- lo que hacían tú y tu familia allí
- las oportunidades culturales que había
- cuáles eran las ventajas o desventajas de vivir allí

E. Fuiste a ver una exhibición de pinturas en una galería. Háblame de una de las pinturas que viste. Yo quisiera saber:

- cuál era el tema o mensaje de la pintura
- algo del (de la) pintor(a) y de su estilo
- por qué te gustó o no te gustó la pintura
- qué contribuyen las obras de este(a) artista a la sociedad
- qué estilos de arte prefieres y por qué

F. Somos estudiantes en la clase de sociología y estamos participando en un debate sobre la influencia de la televisión. En nuestro debate vas a defender lo positivo o atacar lo negativo de estos puntos:

- las influencias positivas o negativas de la televisión
- qué programas son ejemplos de esa influencia y por qué
- qué evidencia hay para comprobar tu posición
- cómo se puede mejorar los programas de televisión

Pregúntame algo sobre el tema de la televisión.

G. Viste una película en tu clase de historia sobre una civilización antigua. Dime todo lo que recuerdas de ella, por ejemplo:

- una descripción de la civilización, cuándo y dónde existió
- qué sabes de su estructura social, religiosa y política
- cuáles fueron sus contribuciones significativas
- qué circunstancias históricas influyeron en esta civilización

H. Eres un(a) inventor(a) muy famoso(a). Quieres mejorar los medios de comunicación. Soy millonario(a) y tengo el dinero para ayudarte. En tu conversación conmigo, dime:

- qué piensas de los medios de comunicación actuales
- cuáles son los aspectos negativos o positivos de cada uno

- qué harás para mejorar esos medios de comunicación

- cómo nos comunicaremos en el futuro

- por qué será mejor mi vida en el futuro debido a tus invenciones

I. Soy un(a) niño(a) de siete años y quiero mandar un paquete de mucho valor a mis primos. También quiero escribirles una carta y luego enviarla, pero separada del paquete. Es la primera vez que lo he hecho y no estoy seguro(a) de qué debo hacer. Tú y yo estamos en casa. Explícame todos los detalles. Primero, dime lo que hago con el paquete. Luego, explícame lo que escribo en la carta y qué hago con ella después.

J. Tú vives en España y yo soy de Estados Unidos. Estamos en el centro de Madrid. Tengo que hacer una llamada importante a mis padres en Nueva York, pero no sé cómo usar el teléfono público. Explícame todos los detalles. Primero, dime lo que necesito hacer para empezar. Luego, explícame las diferentes posibilidades que pueden ocurrir antes de comunicarme con mis padres.

CAPÍTULOS 1-6

Fecha

I. Listening Comprehension *(10 points each)*

A. Personas famosas

    a. Karla Rey   **b.** José Ramón   **c.** Sergio   **d.** Fernando José

____ **1.** Esta persona famosa es popular porque respeta a los demás.

____ **2.** Vivió entre gente incomprensiva cuando era joven.

____ **3.** Es una persona vanidosa.

____ **4.** Va de la ciudad al campo frecuentemente.

____ **5.** Sus admiradores le respetan por lo que hace por otros.

____ **6.** No sabe llevarse bien con otra gente.

____ **7.** No le apoyaron mucho en el orfanato.

____ **8.** Parece que esta persona no le hace caso a sus admiradores.

____ **9.** Contribuye a lugares como orfanatos o asilos.

____**10.** Muchas veces prefiere la tranquilidad del campo.

B. Doctor Claudio

DIÁLOGO 1

1. El doctor Claudio
    a. le sugiere a Amelia que le dé clases particulares de esgrima a su novio.
    b. no puede darle consejos a Amelia.
    c. recomienda que Amelia aprenda la esgrima.

2. El novio de Amelia
    a. no se lleva muy bien con ella.
    b. no le está haciendo mucho caso.
    c. la invitó a inscribirse en una clase de esgrima.

3. Según Amelia,
    a. Andrés y ella compartían mucho antes.
    b. Andrés es el mejor jugador del equipo de básquetbol.
    c. Andrés no es aficionado al tenis.

4. El doctor Claudio
    a. piensa que es mejor que los novios no tengan tanto en común.
    b. recomienda que Amelia se queje más de lo que está haciendo su novio.
    c. quiere que Amelia se dedique a sus propios intereses también.

5. Según los consejos que le da el doctor Claudio a Amelia,
    a. los novios pueden cultivar más la amistad si tienen intereses en común.
    b. los novios no deben practicar el mismo deporte.
    c. los novios tienen que discutir más.

Paso a paso 3

Nombre _____

CAPÍTULOS 1-6

Fecha _____

Hoja para respuestas 2
Banco de ideas

DIÁLOGO 2

1. Según Ricardo, su hermana
   a. es mayor que él.
   b. se comporta muy mal con él.
   c. se queja de todo.

2. Beatriz
   a. tiene buen sentido del humor.
   b. se muda con la familia a la universidad.
   c. debe tener unos diez u once años.

3. La hermana de Ricardo
   a. le deja muchos recados por teléfono.
   b. nunca le da los recados que su hermano ha recibido por teléfono.
   c. siempre contesta el teléfono diciendo que Ricardo no está.

4. La verdad es que
   a. Beatriz no quiere que su hermano se vaya, pero no sabe decírselo.
   b. Ricardo es vanidoso y nunca piensa en los demás.
   c. los dos hermanos son incomprensivos y no quieren una amistad.

5. Según el doctor Claudio,
   a. Ricardo podrá resolver el problema haciéndole más caso a su hermana.
   b. no le dará consejos porque Ricardo es demasiado incomprensivo.
   c. Ricardo debería enojarse con Beatriz para convencerla de que ella es muy traviesa.

C. Museo

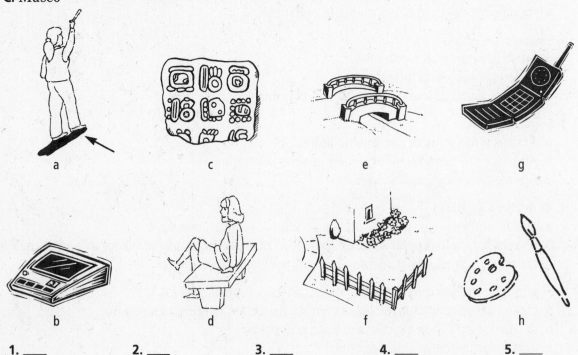

a   c   e   g

b   d   f   h

1. ___   2. ___   3. ___   4. ___   5. ___

Paso a paso 3

Nombre

CAPÍTULOS 1-6

Fecha

Hoja para respuestas 3
Banco de ideas

D. Lugares de infancia

   a. Diana   **b.** David   **c.** José Emilio   **d.** Virginia

____ **1.** Cuando era joven a veces vivía lejos de su casa.

____ **2.** Tiene malos recuerdos del lugar donde vivió primero.

____ **3.** Vivió en un ambiente tranquilo y rural mientras era joven.

____ **4.** Su familia dejó la ciudad pero mantuvo contacto con ella gracias al transporte moderno.

____ **5.** Desde el lugar donde vivía se veía un bello paisaje.

____ **6.** Recuerda las presiones de una vida llena de ruido, coches y peatones.

____ **7.** Vivió en lugares muy interesantes y fascinantes.

____ **8.** Su vida de joven no tiene mucho en común con la de los otros tres jóvenes.

____ **9.** Disfrutaba de las ventajas de la ciudad aunque vivía en una casa que quedaba lejos de las desventajas de la ciudad.

____**10.** Cultivaba verduras en su jardín.

E. Problemas telefónicos

Dolores

1. Con esta llamada Dolores usó todas las fichas que tenía.   Sí   No

2. Dolores no recuerda el número de la casa de sus padres.   Sí   No

3. El operador colgó y Dolores no pudo completar su llamada.   Sí   No

4. Dolores tendrá que buscar en la guía telefónica el número de la casa de su tía.   Sí   No

5. El operador esperará a Dolores medio minuto, pero ni un segundo más.   Sí   No

Francisco

6. Francisco llamó a Carolina para invitarla a cenar.   Sí   No

7. Francisco está en Barcelona ahora sin mucho dinero.   Sí   No

8. El hotel le enviará a Francisco una carta por correo urgente.   Sí   No

9. Carolina hará el favor que Francisco le pidió.   Sí   No

10. El hotel no podrá enviarle a Francisco los cheques de viajero.   Sí   No

Paso a paso 3

Nombre _____

CAPÍTULOS 1-6

Fecha _____

Hoja para respuestas 4
Banco de ideas

II. Reading Comprehension *(10 points each)*

A. Encuesta

____ **1.** Soy Elena y me encanta que todos los vecinos de nuestra calle nos conozcamos. También me gusta la ventaja de vivir media hora del centro de la ciudad. La vida de la granja me hace bostezar.

____ **2.** Me llamo Isabel. Aunque soy una persona muy tranquila, me encanta un ambiente animado porque todo aspecto de la vida urbana me fascina. Hay tanto que ver y contemplar. Este ambiente me ayuda a cultivar mi imaginación. La semana pasada escribí tres poemas sobre personas que vi mientras estaba en el parque.

____ **3.** Soy Beto y prefiero vivir entre rascacielos. No me molestan ni los atascos ni el ruido del centro porque siempre puedo regresar a la soledad de nuestro apartamento, donde vivo muy tranquilo. Me encanta dibujar y quisiera cultivar más mi talento.

____ **4.** Me llamo María Luisa y cada día después de las clases voy con mis amigos a un café en el centro de la ciudad para charlar. Nos encanta darnos consejos los unos a los otros. Frecuentemente mi familia tiene una reunión en el campo. Me encanta mi familia y también los animales del campo.

____ **5.** Soy Aurora y no soy el tipo de persona que le gusta vivir bajo mucha presión. Gracias a mis amigos, mi familia y mis actividades escolares, puedo encontrar momentos tranquilos. Por otro lado, sé que mi vida urbana me ofrece abundantes oportunidades. Creo que en el futuro seré más positiva sobre la idea de vivir en la ciudad y de ir a la escuela en el autobús.

____ **6.** Mis amigos me llaman Timo. Tengo tres gatos, una vaca y un caballo. Paso los fines de semana ayudando a mi padre con la siembra o con la cosecha.

____ **7.** Soy Quique y me llevo bien con todos. Mis amigos me dicen que les hago reír siempre. Vivo en un lugar bello sin los problemas de la ciudad. Cada día llevo a mis amigos en mi coche para ir a la escuela conmigo.

____ **8.** Hola, soy Marisol. Necesito practicar mi guitarra pero no se puede en el apartamento donde vivo. Por eso practico en la sala de música de la escuela o en el estudio de música donde me dan clases particulares. En esas clases también estoy aprendiendo a usar la computadora para componer música.

____ **9.** Me llamo Antonio. Practico la esgrima y también doy clases particulares a jóvenes menores que yo. Mantengo un horario completo entre la escuela y el papel que hago en una obra teatral este mes.

____ **10.** Soy Raquel. Algunos piensan que soy demasiado comprensiva. Me enoja que no estemos ayudando a los menores que sólo se entretienen enfrente del televisor noche y día. Por eso me inscribí para ayudar en un orfanato los sábados. No es gran cosa, pero quiero ser más responsable.

Paso a paso 3

Nombre

CAPÍTULOS 1–6

Fecha

Hoja para respuestas 5
Banco de ideas

B. Guernica

1. El cuadro de *Guernica* critica a los responsables de la destrucción que causan las guerras. — Sí — No

2. Picasso pintó su obra unos años después de la Guerra Civil. — Sí — No

3. Este cuadro incluye solamente colores vivos. — Sí — No

4. El tema del cuadro es el toro como víctima inocente. — Sí — No

5. El estilo artístico de *Guernica* es el realismo. — Sí — No

6. El caballo simboliza a las víctimas inocentes. — Sí — No

7. Este cuadro sólo representa una etapa en la vida artística de Picasso. — Sí — No

8. Picasso es más conocido por sus cuadros al estilo cubista y al abstracto, pero se ha expresado en otros estilos también. — Sí — No

9. La Guerra Civil en España duró tres años. — Sí — No

10. El cuadro tiene figuras de mujeres y animales, pero no hay ningún hombre. — Sí — No

C. Arqueología

Altamira

1. El nombre de Altamira se refiere a
   a. un lugar donde descubrieron pinturas de animales prehistóricos.
   b. un tipo de animal que encontraron en la cueva.
   c. la niña que descubrió las figuras.

2. El cazador
   a. entró en la cueva y descubrió una tumba con vasijas y cuencos.
   b. perdió a su perro en la entrada de la cueva, pero no entró en ella inmediatamente.
   c. nunca encontró a su perro porque desapareció en la cueva.

3. El arqueólogo
   a. encontró huesos mientras excavaba en su propia tierra.
   b. le gritó a su hija que había visto figuras de bisontes y caballos.
   c. no le permitió a su hija entrar en la cueva.

4. La cueva de Altamira
   a. se descubrió en el primer siglo de nuestra época.
   b. se descubrió en este siglo.
   c. se descubrió al fines del siglo XIX.

5. Las figuras en la cueva de Altamira
   a. fueron dibujadas por bisontes.
   b. no son de colores apagados.
   c. fueron vistos por un cazador y su perro.

Paso a paso 3

Nombre

CAPÍTULOS 1-6

Fecha

Hoja para respuestas 6
Banco de ideas

La piedra Rosetta

1. La piedra Rosetta fue nombrada por
   a. un soldado francés que tenía el mismo nombre.
   b. la ciudad donde se redescubrió.
   c. el barco que la llevó al Museo Británico.

2. Lo más importante de la piedra Rosetta es
   a. que puede ayudarnos a interpretar un idioma desaparecido.
   b. el significado de su mensaje.
   c. su valor artístico.

3. La escritura de la piedra Rosetta es importante porque
   a. comunica información sobre la posición de las estrellas en la época de los egipcios.
   b. contiene información en tres idiomas, incluso uno conocido, el griego.
   c. es sagrada.

4. La piedra Rosetta está en Europa
   a. gracias al rey Ptolomeo V.
   b. gracias a la victoria de un país sobre otro.
   c. gracias a los egipcios.

5. Los jeroglíficos
   a. son dibujos que sólo sirven para expresar ideas religiosas.
   b. son estatuas que podrían revelarnos mucho sobre la cultura.
   c. son la escritura y el idioma de los egipcios antiguos.

D. Revista electrónica

1. Quisieras grabar información sobre un terremoto en Japón. Para hacerlo
   a. será posible si arreglas las luces de tu videocasetera.
   b. tendrás que comprar un disco compacto por satélite.
   c. hay que ponerse en contacto con ESCALA.

2. Muchas personas compran aparatos de comunicación y luego no los usan porque
   a. no son operadores.
   b. se sienten cómodos.
   c. les dan miedo.

3. Para disfrutar de los servicios de ESCALA hay que
   a. tener correo electrónico.
   b. comprar un fax.
   c. tener un televisor y una antena parabólica.

4. Según uno de estos artículos
   a. hay más o menos 1,900 personas a quienes les dan miedo los aparatos electrónicos.
   b. se puede saber lo que está pasando diariamente en 30 países del mundo.
   c. hay más o menos 1,400 personas que nunca querrán programar su videocasetera.

Paso a paso 3

Nombre

CAPÍTULOS 1-6

Fecha

Hoja para respuestas 7
Banco de ideas

5. Eres tecnófobo(a). Prefieres

    a. programar sin ayuda la videocasetera para tus programas favoritos.

    b. hacer funcionar cualquier invento tecnológico sin ayuda.

    c. llamar por teléfono en vez de comunicarte por correo electrónico.

E. Señor Romero

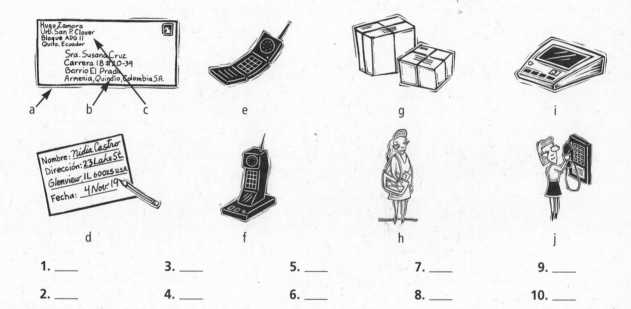

a   b   c   e   g   i

d   f   h   j

1. ____   **3.** ____   **5.** ____   **7.** ____   **9.** ____

2. ____   **4.** ____   **6.** ____   **8.** ____   **10.** ____

III. Writing Proficiency *(20 points each)*

    A. _____ :

_____

_____

_____

_____

_____

_____

_____

_____

Paso a paso 3

Nombre _____

CAPÍTULOS 1-6

Fecha _____

Hoja para respuestas 8
Banco de ideas

B. _____ :

_____

_____

_____

_____

_____

_____

                                    _____

                                    _____

C. _____

_____

_____

_____

_____

_____

_____

D. _____

_____

_____

_____

_____

_____

E. _____

_____

_____

_____

_____

_____

Paso a paso 3

Nombre _____

CAPÍTULOS 1-6

Fecha _____

Hoja para respuestas 9
Banco de ideas

F. _____
_____
_____
_____
_____
_____
_____

G. _____
_____
_____
_____
_____
_____
_____

H. _____
_____
_____
_____
_____
_____
_____

IV. Cultural Knowledge *(10 points each)*

A. _____
_____
_____
_____
_____
_____
_____
_____
_____

Paso a paso 3

CAPÍTULOS 1-6

Nombre _____

Fecha _____

Hoja para respuestas 10
Banco de ideas

B. _____

_____

_____

_____

_____

_____

_____

_____

C. _____

_____

_____

_____

_____

_____

_____

_____

_____

_____

D. _____

_____

_____

_____

_____

_____

_____

_____

E. _____

_____

_____

Paso a paso 3

CAPÍTULOS 1-6

Nombre

Fecha

Hoja para respuestas 11
Banco de ideas

F. _____

V. Speaking Proficiency *(10 points each)*

CAPÍTULO 7

I. Listening Comprehension *(10 points each)*

A. En su programa de radio *Toño te apoya,* Toño les ofrece ayuda a todas las personas que llamen por teléfono con un problema. Escucha los problemas del programa de hoy. Luego, empareja cada uno con el consejo apropiado que le da Toño a cada persona.

B. Tienes que ayudar a decidir quién debe ganar el debate en tu clase de economía. Escucha primero a Laura y luego a Enrique. Después, escoge la letra de la frase que mejor complete cada oración.

II. Reading Comprehension *(10 points each)*

A. Unos compañeros tuyos quieren tener más experiencia trabajando en la comunidad. Por eso, fueron a la oficina de consejeros de tu escuela donde hay una lista de algunos trabajos. Empareja los anuncios con la descripción personal que cada compañero o compañera le da al consejero.

1. "Buscamos jóvenes que puedan ayudar a los pacientes a hacer sus ejercicios en un centro de rehabilitación. Veinte horas por semana. Sueldo mínimo con aumento después de tres meses."

2. "Se necesitan personas para dar clases de ciudadanía todos los miércoles por la noche. Se paga un sueldo mínimo y también obtendrán el número de horas de servicio que necesitan para la graduación."

3. "Ancianos necesitan jóvenes que los lleven a diferentes lugares por la mañana o por la tarde. Sueldo negociable."

4. "Se necesitan varios voluntarios en el refugio para trabajar en el comedor de beneficencia todos los sábados."

5. "Con la ayuda de la Cruz Roja se juntaron muchos fondos y ahora es necesario que ayudemos a la gente sin hogar después del incendio."

6. "Candidatos políticos buscan jóvenes para repartir folletos por la ciudad. Será una buena oportunidad de aprender qué opina el público sobre los diferentes problemas que tenemos actualmente."

7. "Organización sin fines de lucro busca voluntarios para solicitar dinero para las olimpiadas de minusválidos."

8. "Mucha ropa fue donada para ayudar a los huérfanos. Se espera que algunos jóvenes nos puedan ayudar a repartirla a diferentes centros en la ciudad."

9. "Manifestación: Vamos a protestar contra la ley injusta que nos prohibe construir un refugio en el centro de la comunidad. Es importante que todos nos apoyen mañana en la plaza municipal."

10. "Se buscan voluntarios para ayudar a inscribir nuevos votantes. Es necesario que sean ciudadanos y que vivan en el distrito político donde la gente va a votar."

B. Diana trabaja de voluntaria en la escuela de noche para adultos. Allí ella ayuda a personas hispanas con sus tareas. Lee la descripción de un folleto que tiene Diana para ayudar a sus estudiantes. Luego, escoge la letra de la frase que mejor complete cada oración.

Algo que usted puede hacer por su país es votar. Es un deber muy importante porque el voto es la única forma de garantizar nuestra libertad. El voto es nuestra oportunidad de mantener el control del gobierno y de proteger nuestros derechos. Para votar usted tiene que inscribirse en la comunidad donde vive. Sólo necesita llenar la *Tarjeta de registración del votante.* Se puede hacer por correo o en persona. Además de incluir información personal, también hay que indicar a qué partido político pertenece. Si no lo quiere declarar, es su derecho no hacerlo. Pero sí hay que escribir algo, por ejemplo: "Niego declararlo." No deje nada en blanco en la tarjeta.

Además de votar, para ser un(a) ciudadano(a) responsable hay que estar bien informado(a) sobre lo que está sucediendo en la comunidad, la nación y el mundo. Debemos respetar los derechos de otros, obedecer las leyes y pagar impuestos a cambio de los servicios que recibimos del gobierno. El (La) buen(a) ciudadano(a):

- aprecia y es fiel a los ideales de la democracia

- reconoce la interdependencia que hay entre su familia, la escuela, la comunidad y las relaciones nacionales y mundiales

- toma la responsabilidad de tener metas altas de valores espirituales, éticos y morales

- usa su conocimiento y habilidades para tratar de comprender cómo funciona la sociedad, el gobierno y el sistema económico

- reconoce y respeta la herencia social que forma la base de nuestra nación

III. Writing Proficiency *(10 points each)*

A. Escribes para el periódico de tu escuela. Esta semana necesitas escribir un artículo sobre lo que pueden hacer los estudiantes por su comunidad. En tu artículo incluye la siguiente información:

- una descripción de diferentes trabajos voluntarios

- las organizaciones o programas que ofrecen ayuda al público

- lo que tiene que hacer el (la) estudiante en cada programa

- cómo se beneficia la sociedad

- cómo se beneficia el (la) estudiante

B. Tu escuela quiere hacer obligatorio el trabajo voluntario en la comunidad. Escribe una carta al periódico de tu escuela en favor o en contra de esa idea. En tu carta incluye:

- una descripción de lo que tu escuela propone hacer

- por qué debe o no formar parte del *curriculum*

- cómo se benefician o no se benefician los estudiantes ahora y para el futuro

- cómo pueden los estudiantes apoyar o protestar contra lo que la escuela propone

IV. Cultural Knowledge *(10 points each)*

A. ¿Cuáles son algunos trabajos voluntarios que podrías hacer en tu comunidad usando tu habilidad con el español y tu conocimiento sobre la cultura hispana?

B. Vives en una comunidad que no ofrece ayuda a la gente hispana y sus diferentes problemas. ¿Qué puedes pedirle al alcalde *(mayor)* o a la alcaldesa de la comunidad que haga para ayudar a la gente hispana?

V. Speaking Proficiency *(10 points each)*

A. Soy de Costa Rica. Hace varios años que vivo en Estados Unidos y quisiera hacerme ciudadano(a). Explícame lo que debo saber. Dime:

- cuáles son los requisitos para adquirir la ciudadanía
- cómo puedo prepararme
- dónde se puede conseguir ayuda
- cómo me beneficia ser ciudadano(a)
- cuáles son mis responsabilidades después de hacerme ciudadano(a)

Pregúntame algo sobre el tema de adquirir la ciudadanía.

B. Eres un(a) consejero(a) y yo soy un(a) estudiante que quisiera hacer algo por mi comunidad este verano. En tu conversación conmigo incluye la siguiente información:

- una descripción de las diferentes posibilidades para ayudar
- las organizaciones o programas que ofrecen ayuda a la comunidad
- cuáles serían mis responsabilidades
- cómo se beneficia la gente con esta ayuda
- cómo me beneficio yo al hacer este trabajo

Pregúntame algo sobre mis intereses personales relacionados al trabajo en la comunidad.

CAPÍTULO 7

Fecha

I. Listening Comprehension *(10 points each)*

A. Toño

a. Hay dos o tres organizaciones que pueden ayudarlos a adquirir los derechos que buscan. Ellos se ponen en contacto con los representantes del gobierno para influirlos a votar a favor de leyes que ayuden a los ancianos como ustedes. No hay que pagar nada porque son organizaciones sin fines de lucro. Lo único que piden es que los ayuden trabajando como voluntarios unas horas cada semana.

b. Recomiendo que protesten la injusticia contra los huérfanos y que organicen una manifestación pronto. ¡Es injusto! Si cierran el orfanato, ¿qué harán esos pobrecitos? Además de protestar, sugiero que escriban al periódico de la ciudad, exigiendo a los ciudadanos que muestren más interés en esta situación.

c. Es una lástima que nadie les haga caso. Les voy a dar el número de teléfono de un servicio social que se organizó hace poco para ayudar a toda la gente sin hogar. Además de colaborar con ustedes en esta situación, les ofrecerá su comedor de beneficencia que está abierto los siete días de la semana.

d. Aunque no tienen el derecho de participar en las elecciones todavía, ustedes sí pueden influir muchísimo a los candidatos. Ellos saben que los padres de ustedes sí pueden decidir sobre su futuro político. Por eso, tienen que organizarse: escribirles muchas cartas a los candidatos y también protestar en la radio, la televisión y el periódico de la ciudad. Recomiendo que digan cosas positivas, por ejemplo, las ventajas de que los jóvenes tengan un gimnasio y una piscina al alcance de la mano, además de las actividades positivas en las que participan gracias a ese lugar.

e. Obtenerla no es fácil, pero si ustedes dedican media hora cada noche a estudiar, verán su progreso. Les voy a dar el número de teléfono de una biblioteca donde varios voluntarios dan clases cada semana. No cuesta nada porque es un servicio organizado por la ciudad. Dicen que todos los que se presentaron el año pasado se beneficiaron porque obtuvieron la ciudadanía.

f. Hay un centro de la comunidad que siempre necesita jóvenes. Es un trabajo fácil para los que tengan paciencia con los mayores de edad o con los jóvenes que no sepan escribir ni leer. Hay que presentarse en persona en el centro para obtener más información. Sólo buscan personas que sean responsables y comprensivas.

g. Insisto en que ustedes llamen al número de teléfono que les voy a dar en un momento. Este servicio social existe para juntar fondos para luego ayudar a personas como ustedes. El año pasado presentaron cuatro olimpiadas de minusválidos y, con el dinero que juntaron, construyeron un nuevo gimnasio en el centro de rehabilitación. Es importante que se pongan en contacto con ellos esta semana porque creo que necesitan más participantes.

1. ___   **2.** ___   **3.** ___   **4.** ___   **5.** ___

Paso a paso 3

CAPÍTULO 7

Nombre

Fecha

Hoja para respuestas 2
Banco de ideas

B. Debate

1. Según Laura

  a. el trabajo voluntario debe ser obligatorio para graduarse.

  b. sólo el estudiante con experiencia en la comunidad debe explorar el campo de las leyes.

  c. es importante que todos trabajen de voluntario en el campo de la medicina.

2. Laura dice que

  a. para ser un buen estudiante hay que trabajar en la comunidad.

  b. sólo los estudiantes con experiencia en la comunidad serán aceptados en la universidad.

  c. los estudiantes que hayan sido voluntarios en la comunidad tienen ventaja cuando sea hora de recibir ayuda financiera en la universidad.

3. Según Enrique

  a. es justo exigir que los estudiantes hagan trabajo voluntario.

  b. el (la) estudiante debe tener el derecho de escoger si quiere o no ser voluntario(a).

  c. las universidades sólo buscan estudiantes que tengan buenas calificaciones.

4. Enrique cree que

  a. sólo la participación en algún deporte puede garantizarle al estudiante una posición en la universidad.

  b. la gente sin hogar o con SIDA no deberían trabajar con voluntarios.

  c. es injusto exigir que todos participen en el servicio social.

5. En este debate

  a. Laura dice que todo(a) ciudadano(a) debe trabajar como voluntario(a) en algún campo profesional.

  b. Enrique piensa que sólo los adultos deberían trabajar como voluntarios.

  c. ninguno de los dos está en contra del trabajo voluntario en general.

II. Reading Comprehension *(10 points each)*

A. Oficina de consejeros

a. Me encantan las causas para mejorar la sociedad. Creo que es necesario que hagamos algo por ayudar a los demás. Quisiera unirme a algún grupo de activistas.

b. Quisiera aprender sobre cómo una organización consigue apoyo financiero. No me gusta tanto ayudar a la gente con problemas físicos sino aprender cómo funciona una organización que beneficia a la sociedad.

c. Espero que pueda ayudar a los jóvenes o a los mayores con problemas físicos. No me interesa mucho el aspecto financiero de un negocio, pero sí me gustaría mucho trabajar en el campo de la terapia física después de graduarme.

d. Este año me hice ciudadano y quisiera aprender más del proceso electoral de la ciudad. ¿Podría trabajar como voluntario inscribiendo a otros o en algún lugar de votación?

e. Me encanta la historia de Estados Unidos y doy clases particulares a unos jóvenes de escuela primaria. También me gustaría ayudar a los adultos que estén estudiando para hacerse ciudadanos.

f. Quisiera inscribirme en el ejército. No tengo interés en ser voluntario después de graduarme ni interés en buscar algún trabajo porque todavía no sé qué quisiera hacer con mi vida. Sólo sé que en el ejército podría aprender mucho y también viajar.

g. ¡Qué lástima que haya tantos jóvenes sin padres! Me gustaría mucho ayudarlos.

h. El otro día vi a una familia de pobres que pasaron la noche en la calle. No tenían mucho para protegerse del frío de la noche. ¿Cómo podría ayudar a la gente pobre que no tiene dónde quedarse ni qué ponerse?

i. Me gusta trabajar con la gente mayor. Creo que tengo la habilidad de entenderla. Me da mucha satisfacción poder hacer algo por ellos. Podría llevarlos al centro comercial o a otros lugares para ayudarlos a resolver sus asuntos personales.

j. Me gustaría ser abogada porque me interesa mucho la política. Creo que es importante que tenga contacto con la gente de diferentes partidos políticos. Además, me encanta caminar y trabajar al aire libre.

k. Ya he decidido ser cocinero porque me encanta preparar todo tipo de comida, sea para una fiesta pequeña o para un grupo grande. Creo que tengo buenas ideas de cómo se puede alimentar bien a la gente pobre sin tener mucho dinero.

1. _____   **3.** _____   **5.** _____   **7.** _____   **9.** _____

2. _____   **4.** _____   **6.** _____   **8.** _____   **10.** _____

B. Escuela para adultos

1. Diana tiene información para ayudar a sus estudiantes a
   a. prepararse para ser candidatos de su partido político.
   b. prepararse para el examen de ciudadanía y para votar cuando sean ciudadanos.
   c. prepararse para conseguir un pasaporte.

2. Según este folleto,
   a. se puede votar en diferentes lugares, como en el correo.
   b. sólo puedes votar si has declarado cuál es tu partido político.
   c. uno se puede negar a declarar su partido político.

3. El (La) buen(a) ciudadano(a)
   a. sólo tiene derechos si vota en las elecciones.
   b. respeta la democracia.
   c. debe protestar en contra de la herencia social de la nación.

4. Según el folleto, es obligatorio en este país
   a. votar en todas las elecciones.
   b. pagar impuestos.
   c. colaborar con varios partidos políticos.

5. Todo(a) buen(a) ciudadano(a) debe
   a. participar en manifestaciones a favor del gobierno.
   b. donar ayuda financiera a su partido político favorito.
   c. tener conocimiento de los derechos de otros ciudadanos.

III. Writing Proficiency *(10 points each)*

A. _____

_____

_____

_____

_____

_____

_____

B. _____ : _____

_____

_____

_____

_____

_____

_____

_____

_____

IV. Cultural Knowledge *(10 points each)*

A. _____

_____

_____

_____

_____

_____

_____

_____

CAPÍTULO 7

Fecha

B.

V. Speaking Proficiency *(20 points each)*

CAPÍTULO 8

Banco de ideas

I. Listening Comprehension *(10 points each)*

A. Unos estudiantes están en un museo y hacen comentarios sobre lo que ven en la exhibición. Escoge la letra de la expresión que corresponda a lo que cada persona está describiendo.

B. Jaime y Vicente, unos compañeros de clase, están hablando en la biblioteca de su escuela. Escucha su conversación y luego indica con *Sí* las oraciones correctas y con *No* las oraciones incorrectas.

II. Reading Comprehension *(10 points each)*

A. Encontraste unos artículos en una revista sobre fenómenos inexplicables. Escoge la letra de la frase que mejor complete cada oración.

LA MISTERIOSA CASA WINCHESTER

Según la explicación que se ofrece a los turistas que visitan esta casa misteriosa en San José, California, Sarah Winchester mandó construir su famosa mansión de 160 cuartos después de haber consultado con una espiritualista. Ésta le había dicho a la esposa del famoso Winchester, inventor del rifle del mismo nombre, que ella y su niña terminarían como las muchas otras víctimas matadas por el rifle que su esposo inventó. Siguiendo las instrucciones de la espiritualista, empezó la construcción de la casa, que costó una fortuna de 20 millones de dólares. Los cuartos están exquisitamente amueblados con tesoros de oro, plata y bronce traídos de varios países. Lo más curioso de todo es que los cuartos, las escaleras y las puertas fueron diseñados con la intención de confundir a los fantasmas que, según la imaginación de la señora Winchester, querían vivir en su casa. Hay puertas que no abren a ningún cuarto. Hay escaleras que miden sólo dos pulgadas de alto y escaleras que suben y bajan, bajan y suben, sin llevarle a uno a ningún cuarto de la casa. La señora Winchester vivió hasta los 85 años en su casa encantada, esperamos que sin ser molestada por la presencia de fantasmas.

LA *FATAMORGANA*

El fenómeno de un espejismo que se llama la *fatamorgana* ha ocurrido en los mares de Europa y en los desiertos de África. Según mucha gente que ha visto este fenómeno, se ven islas y barcos flotando en el agua o seres humanos con apariencia sobrenatural. A muchos les parecen ver ciudades y personas en el aire. A pesar de lo extraño y lo misterioso de este fenómeno, hay una explicación que prueba que es un hecho científico. Según los que lo han estudiado, no es otra cosa que una deformación de los rayos luminosos que ocurre cuando las capas de aire sobre la superficie de la tierra y del mar adquieren un nivel de temperatura tal que esas capas se convierten en espejos. Son esos "espejos" los que producen las imágenes distorsionadas que la gente ve. A pesar de que hay una explicación científica, la gente sigue impresionada con el extraño efecto que produce ver este espejismo.

B. En un folleto sobre México, leíste un artículo sobre una atracción turística. Léelo otra vez y después indica con *Sí* las oraciones correctas y con *No* las oraciones incorrectas.

> Muy cerca de la capital encontrarán algo fascinante que ocurrió en México hace unos siglos. Hasta hoy es considerado un fenómeno religioso, respetado y aceptado por la iglesia católica, aunque no haya evidencia científica que lo pruebe. En 1531, un indio que se llamaba Juan Diego vio la aparición de una mujer mientras él trabajaba en el campo. La mujer le dijo que era la verdadera madre de Cristo y que debían construir una iglesia en ese mismo lugar donde ella hablaba con Juan Diego. Como prueba de su aparición hizo que brotaran rosas en un lugar donde no crecían y le pidió a Juan Diego que las llevara envueltas en su capa al obispo de México, Juan de Zumárraga. Cuando abrieron la capa, vieron la imagen perfecta de la mujer, que ahora se llama la Virgen de Guadalupe. Lo inexplicable es que nadie sabe cómo apareció la imagen en la capa. La aparición de la Virgen de Guadalupe pertenece al mundo de fenómenos extraños y misteriosos. Se puede ver la capa en la Basílica de Guadalupe, en la Ciudad de México.

III. Writing Proficiency *(10 points each)*

A. Los estudiantes de español escriben artículos para el periódico bilingüe que la clase produce cada mes. Este mes tú quieres escribir sobre el fenómeno de Nazca. En tu artículo incluye la siguiente información:

- qué ocurrió en Nazca
- una descripción de las líneas y los diseños
- por qué son un fenómeno inexplicable
- cuáles son algunas teorías que existen sobre este fenómeno

B. Viste una película sobre un fenómeno extraño. Ahora quieres escribirle a un(a) amigo(a) una carta en la que le explicas el fenómeno. En tu carta incluye la siguiente información:

- una descripción de la situación
- los personajes, reales o fantásticos, relacionados con el fenómeno
- dónde y cuándo ocurrió
- una teoría sobre por qué existe este fenómeno

IV. Cultural Knowledge *(10 points each)*

A. Eres un(a) antropólogo(a) famoso(a). Descríbeme una leyenda o mito hispanoamericano que conozcas.

B. Trabajas para una agencia de turismo en Chile. Explícame por qué será una experiencia maravillosa visitar la Isla de Pascua.

V. Speaking Proficiency *(10 points each)*

A. Eres un(a) antropólogo(a) famoso(a). Por esa razón te invité a mi programa de entrevistas. En el programa de hoy vamos a hablar de civilizaciones antiguas y de cosas extrañas y extraordinarias que sabemos sobre las mismas. En la entrevista conmigo quisiera oír:

- una descripción de una de esas civilizaciones

- dónde y cuándo existió

- fenómenos relacionados con esa cultura

- las teorías que existen sobre esos fenómenos

- qué dudas tienes tú sobre esos misterios

Hazme algunas preguntas sobre el tema.

B. Quieres comunicarme algún fenómeno extraño y misterioso. Puede ser un fenómeno conocido, un sueño que hayas tenido o un fenómeno de tu imaginación. Durante nuestra conversación, dime:

- una descripción del fenómeno

- cuándo y dónde ocurrió

- cuáles son los personajes relacionados con el fenómeno

- tu teoría sobre por qué existe o no

- cuál fue tu reacción personal

Pregúntame algo sobre el tema de fenómenos.

Paso a paso 3

Nombre

CAPÍTULO 8

Fecha

Hoja para respuestas 1
Banco de ideas

I. Listening Comprehension *(10 points each)*

A. Museo

a. fenómenos inexplicables en el mar

b. ruinas precolombinas

c. tumba antigua egipcia

d. escritura mitológica

e. esculturas que protegían una tumba sagrada

f. arqueología acuática

g. vasijas y cuencos chinos

h. pirámides misteriosas

i. nave espacial

1. ___   **2.** ___   **3.** ___   **4.** ___   **5.** ___

B. Biblioteca

1. Los dos compañeros de clase están hablando sobre unas piedras enormes que se encuentran en la isla de Pascua.	Sí	No
2. Ninguno de los dos sabe por qué los escultores hicieron estas cabezas.	Sí	No
3. Hay unas 50 cabezas en la isla de Pascua.	Sí	No
4. La isla de Pascua está a unas pocas millas de la costa de Chile.	Sí	No
5. La mayoría de las esculturas tienen más o menos la misma altura de diez metros.	Sí	No
6. Es posible que las cabezas tengan algún significado religioso.	Sí	No
7. Los antiguos habitantes de la isla de Pascua no tenían ningún conocimiento sobre ingeniería ni astronomía.	Sí	No
8. El tío de Hernando es antropólogo. Por eso sabe tanto de la isla de Pascua.	Sí	No
9. Jaime quisiera impresionar a Hernando porque éste sabe mucho sobre Estados Unidos.	Sí	No
10. Hernando sabe muy poco sobre la isla de Pascua.	Sí	No

Paso a paso 3

Nombre

CAPÍTULO 8

Fecha

Hoja para respuestas 2
Banco de ideas

II. Reading Comprehension *(10 points each)*

A. Revista

1. En California hay una casa

   a. encantada donde los fantasmas entretienen a los turistas.

   b. que fue construida por una persona que creía en fenómenos inexplicables.

   c. donde encontraron evidencia para explicar los fenómenos extraños.

2. La señora Winchester

   a. consultó a su esposo antes de diseñar su casa de 160 cuartos.

   b. fue la esposa del creador de un rifle famoso.

   c. murió a los 85 años después de ver un fantasma en la torre de su casa.

3. Hay un fenómeno extraño que ocurre en los desiertos de África,

   a. en el que algunos habitantes creen que caminan sobre el agua.

   b. en el que se ven barcos que vuelan en el aire.

   c. en el que la gente ve reflexiones extrañas.

4. La *fatamorgana*

   a. pertenece a una leyenda antigua de África.

   b. es un fenómeno que tiene explicación científica.

   c. es un fenómeno que sólo ocurre en Europa.

5. Se supone que las imágenes de figuras de personas o islas que flotan en el aire

   a. ocurren debido a un fenómeno natural que produce el efecto de espejos sobre la tierra o el agua.

   b. se ven sólo en el mar.

   c. son fantasmas creados por la imaginación de los habitantes de desiertos africanos.

B. Virgen de Guadalupe

1. Lo inexplicable de lo que ocurrió en 1531 es que hay una explicación científica.   Sí   No

2. Juan Diego llevó maíz al obispo como evidencia de lo que había visto.   Sí   No

3. Se ha podido probar que la imagen fue pintada sobre la capa.   Sí   No

4. La Virgen de Guadalupe es el nombre que le dieron a la mujer que Juan Diego vio en el campo.   Sí   No

5. Juan Diego y Juan de Zumárraga eran dos misioneros españoles.   Sí   No

III. Writing Proficiency *(10 points each)*

A. _____

_____

Nombre _____

Fecha _____

_____
_____
_____
_____
_____
_____

B. _____ :

_____
_____
_____
_____
_____
_____
_____
_____
_____

IV. Cultural Knowledge *(10 points each)*

A. _____
_____
_____
_____
_____
_____
_____
_____
_____
_____
_____

Paso a paso 3

CAPÍTULO 8

Nombre

Fecha

Hoja para respuestas 4
Banco de ideas

B. _____

_____

_____

_____

_____

_____

_____

_____

V. Speaking Proficiency *(10 points each)*

CAPÍTULOS 9-12

Banco de ideas

I. Listening Comprehension *(10 points each)*

A. Estás escuchando un programa que dan por la radio cada semana en el que anuncian los diferentes empleos que se ofrecen en tu comunidad. Empareja cada descripción con el dibujo del trabajo que le corresponda.

B. Un policía está hablando con la señora Montoya. Escucha la conversación entre ellos y luego escoge la letra de la frase que mejor complete cada oración.

C. Claudia y su familia están de vacaciones. Una guía les está hablando sobre los diferentes lugares de interés. Escucha lo que dice y luego escoge el dibujo que corresponda a la descripción.

D. María y Vicente están en una agencia de empleos leyendo las descripciones de algunos trabajos. Empareja cada descripción con el dibujo del trabajo que le corresponda.

II. Reading Comprehension *(10 points each)*

A. Éstos son algunos anuncios publicados en el periódico. Léelos y escoge la letra del anuncio que mejor corresponda a la situación de cada estudiante.

EQUIPO DE EJERCICIOS, S.A. _____

Puestos vacantes en estas áreas: Entrega • Servicio • Venta

Nuestra meta es convencer a los clientes de la importancia de hacer ejercicio para mantener la buena salud. Sólo deben solicitar los que cumplan con los siguientes requisitos. Conviene que tengan coche, experiencia en ventas y mucha ambición de aprender. Sueldo fijo, más comisión. Aumento y ascenso para los que lo merezcan. Llame al 76-42-11 o pase por nuestra oficina, Calle Revolución 31, para llenar la solicitud.

**Si ya tiene destrezas administrativas, CEE le dará el entrenamiento que usted necesite.
¡Aprenda una destreza! ¡Avance en el mundo del trabajo!
¡Empiece su carrera en el Centro de Entrenamiento para Empleos!**

CEE es para la gente que tenga metas, que busque una carrera y no sólo un empleo.
CEE ha entrenado y colocado a más de 50,000 personas en empleos fijos.
- Ayuda financiera
- Profesores con mucha experiencia
- Entrenamiento para estas carreras:

Imprenta y artes gráficas	Servicios comerciales de alimentación
Mecánicos industriales	Limpieza y mantenimiento de edificios
Compra y venta	Diseño gráfico por computadora
Bienes raíces	Técnicos en equipo médico
Contabilidad	Mantenimiento de oficina

Entrénese de noche, mantenga su trabajo de día. Usará el mismo equipo que se usa en el trabajo. Recuerde, CEE es una organización sin fines de lucro.
Para saber dónde está el centro más cercano a Ud., llame al 45-20-43.

B. En tu clase de sociología los estudiantes tienen que investigar el problema de la violencia en la sociedad. Lee estos tres artículos que encontraste en la biblioteca y después escoge la letra de la frase que mejor complete cada oración.

ARTÍCULO 1

Desde la década de los ochenta, el porcentaje de homicidios cometidos con armas de fuego entre jóvenes de quince a diecinueve años aumentó un 61 por ciento. ¿A qué se debe que haya subido tanto el porcentaje? La razón es que muchos jóvenes tienen miedo y quieren protegerse, mientras que a otros les atrae la cultura de las pandillas. Por una u otra razón, el número de adolescentes que lleva armas es cada vez mayor. Un increíble 50 por ciento de los estudiantes de décimo grado afirmaron, en una encuesta a nivel nacional reciente, que pueden conseguir pistolas si lo desean. Debido a que cuatro de cada diez estudiantes de secundaria han participado en una pelea y un tercio de todos los estudiantes reporta que alguien les ha amenazado con lastimarlos, la probabilidad de que las discusiones terminen en violencia y muerte ha aumentado en gran medida.

ARTÍCULO 2

CÓMO EVITAR CONFLICTOS ENTRE JÓVENES

- Reconozcan el problema y tomen acción positiva.
- Reconozcan que tienen tendencia a reaccionar con violencia.
- Dense cuenta a tiempo de que la violencia no es una forma aceptable de solucionar los problemas.
- Busquen ayuda para encontrar la manera de comunicar sus sentimientos.
- Resuelvan los conflictos hablando y comunicando la ira y el enojo sin necesidad de usar violencia.
- Consulten y confíen sus problemas a otras personas.

ARTÍCULO 3

CONSEJOS ÚTILES PARA QUE NO HAYA VIOLENCIA EN LA SOCIEDAD

- Animen los esfuerzos de reducir la violencia en los medios de comunicación y en la publicidad.
- Hagan saber a los funcionarios públicos que les inquieta el problema de la violencia.
- Contribuyan a los esfuerzos de instrucción legales y sociales para poner fin a la violencia en el hogar.
- Apoyen las medidas que ayudan a eliminar la violencia en el hogar.
- Voten por programas que enseñen a la gente a expresar sus emociones sin recurrir a la violencia.

C. El club de español quiere celebrar un día de fiesta típico de un país hispano. Lee la información que algunos miembros del club encontraron en una enciclopedia sobre una celebración en particular. Escoge la letra de la frase que mejor complete cada oración.

La cultura popular de un país es frecuentemente una mezcla de influencias de otras culturas. Tal es el caso con un día muy popular en México, el Día de los Muertos, que se celebra el dos de noviembre. Mucho antes de la llegada de los españoles, las culturas indígenas del valle de México creían que la vida era como un sueño. Para la gente que tenía una vida difícil, la muerte era como un escape. No temían a la muerte porque pensaban que al morir realmente se despertaba. La fecha del calendario solar en que los aztecas conmemoraban la muerte curiosamente coincidía con el mismo mes en que los españoles celebraban el Día de Todos los Santos. Como resultado, muchas de las costumbres asociadas con este día son una combinación de las dos religiones y culturas.

Cada año en México la mayoría de las familias preparan una ofrenda o altar en su casa donde colocan las posesiones favoritas de la persona muerta y las comidas que le gustaban. Las decoraciones incluyen flores frescas, velas o una fotografía del muerto. Algunas familias van al cementerio, donde cenan y pasan la noche con el espíritu del muerto. Desde hace muchos siglos los pueblos indígenas han creído que los espíritus regresan a la Tierra para estar entre sus seres queridos. Días antes la gente prepara o compra el pan de muerto tradicional con diseños de calaveras y huesos. Los mercados también se llenan de los diferentes juguetes hechos para la conmemoración. Los hay en forma de esqueletos que bailan y tocan instrumentos. También se venden calaveras de azúcar a las que les ponen el nombre del niño o la niña que lo compre.

Por la noche, en las ciudades, la gente suele ir a ver la obra teatral *Don Juan Tenorio,* escrita por un español en el siglo XVII. Este drama es muy popular con el público mexicano porque el personaje de Don Juan, conocido por su corrupción y sus vicios, es salvado espiritualmente al final. Aunque el dos de noviembre sigue siendo un día de fiesta religioso importante en otros países hispanos, la forma en que se celebra en México es única gracias a su herencia indígena y española.

D. Unas personas están hablando mientras trabajan. ¿Puedes identificar la profesión de cada persona según lo que está diciendo? Empareja las descripciones con lo que cada persona dice.

1. Nos conviene interesarnos más en nuestros clientes al otro lado de la frontera. Este año pasado, gracias a ellos, la situación financiera de nuestro banco se ha beneficiado muchísimo. Por eso, nos conviene emplear a unos veinte representantes bilingües cuando sea posible.

2. No será tan fácil organizar sus asuntos financieros, pero haré todo lo que sea posible. Por ahora, necesito sus recibos y el balance de sus cuentas de cheques.

3. ¡Aló! ¿Me podría poner en contacto con el gerente? Me hacen falta unos datos para terminar mi artículo sobre viajes a lugares exóticos. ¿Él no habla inglés? Pues, en realidad no importa, porque como ya habrá notado, usted y yo estamos hablando en español. Sí, le puedo esperar. Gracias.

4. De todas las novelas que leí este mes, ésta tiene que ser la mejor. Está muy bien escrita. Tendré que cambiar muy poco de lo que la autora escribió. Sin embargo, sugiero que alguien la traduzca al inglés, porque el tema de esta obra es importante para las dos culturas. Espero que no se pierda el mensaje en la traducción.

5. Bueno, antes de empezar mi trabajo me gustaría entrevistar al autor para saber qué quiere comunicar a los lectores de su libro en el nuevo idioma.

III. Writing Proficiency *(10 points each)*

A. Quieres solicitar un trabajo que viste anunciado en el periódico. Escribe una carta para convencer a la compañía de tus habilidades y cualidades. En tu carta incluye información sobre:

- las destrezas y habilidades que posees para el trabajo
- tus cualidades como persona

- tus metas en esta carrera

- por qué la compañía debería aceptar tu solicitud

- cuáles son tus intereses personales que puedan contribuir al trabajo

B. Un(a) amigo(a) te escribió sobre un problema que tiene a causa de la violencia. Contéstale su carta e incluye:

- una descripción del problema

- experiencias personales que hayas tenido con un problema similar

- qué le recomiendas a tu amigo(a) que haga

- qué ayuda personal le ofreces a tu amigo(a)

C. Para la revista mensual que tu clase publica en español, quieres escribir un artículo sobre una cultura que haya influido en la cultura hispana. Escoge alguna que te interese de España o de Hispanoamérica. En tu artículo incluye:

- una descripción de la cultura, dónde y cuándo existió

- sus características sociales, religiosas, artísticas e intelectuales

- situaciones históricas o políticas que causaron cambios en esta cultura

- la influencia que ha tenido esta cultura sobre otra(s)

- la influencia de otra(s) cultura(s) sobre ésta

- los resultados positivos y negativos de la integración de esas culturas

D. Te invitaron a hablarles a estudiantes de primaria sobre las ventajas de saber un segundo idioma y conocer otras culturas. Antes de hablarles, quieres preparar unos apuntes. Incluye información sobre:

- las ventajas personales de saber un segundo idioma

- por qué es necesario que todos dominen otra lengua

- cómo se beneficia la sociedad

- qué profesiones y trabajos exigen que sepamos otra lengua

- lo que pueden hacer estos estudiantes para empezar a conocer otras culturas

Lee lo que escribiste antes de entregarlo. ¿Escribiste las palabras correctamente? Revisa las terminaciones de los adjetivos y los verbos. ¿Usaste el tiempo apropiado: presente, pretérito, imperfecto, presente perfecto, pluscuamperfecto, futuro? ¿Usaste el modo correcto: infinitivo, indicativo, subjuntivo, condicional, mandatos? ¿Escribiste sobre todas las ideas? ¿Incluiste una variedad de vocabulario y expresiones? Haz cambios si es necesario.

IV. Cultural Knowledge *(10 points each)*

A. ¿Cómo es el mundo del trabajo en México y qué oportunidades de empleo hay?

B. En tu clase de estudios sociales tienes que escribir sobre lo que hace la gente en nuestro país y en los países hispanos para protestar en contra de la violencia. ¿Qué puedes decir sobre ese tema?

C. Describe algunos festivales de origen hispano que se celebran en Estados Unidos.

D. ¿Por qué es más fácil hoy en día comunicarnos y entender otros idiomas?

V. Speaking Proficiency *(10 points each)*

A. Trabajas en una agencia de empleos y yo soy un(a) estudiante que está buscando trabajo. En tu conversación conmigo háblame de:

- los diferentes trabajos que hay que me pueden convenir
- una descripción de cada uno, cuánto paga, el horario y los requisitos
- qué destrezas y experiencia necesito para cada trabajo
- qué características personales debería poseer

Pregúntame sobre alguna información que yo no haya incluido.

B. Fuiste testigo de un crimen. Soy policía y tengo que entrevistarte para saber qué ocurrió. En la entrevista dime:

- cuándo y dónde ocurrió el crimen
- una descripción de la situación
- una descripción de cada persona: el(los) sospechoso(s) y la(s) víctima(s)
- qué hacían todos cuando ocurrió el crimen
- qué hiciste tú después de lo que ocurrió

Hazme una pregunta sobre la situación.

C. Tú y yo estamos participando en un debate sobre el tema de la violencia. Tu posición es que la violencia es un problema muy serio. Defiende tu posición sobre la violencia dándome:

- una descripción de una situación de violencia
- las causas
- las soluciones posibles
- cuáles serán las consecuencias si sigue la violencia

D. Yo quisiera saber cuál es tu herencia cultural. En nuestra conversación incluye esta información:

- una descripción de tus antepasados y de dónde vinieron
- las circunstancias históricas o políticas que los trajeron a este país
- las desventajas que sufrieron al cambiar de ambiente cultural

- las ventajas que disfrutas tú personalmente de lo que ellos hicieron

- las contribuciones de tu cultura a otra

Si prefieres no hablar de tu cultura personal, háblame de otra que te parezca interesante.

E. Estás a favor de un ambiente multicultural y el bilingüismo. Yo pienso que la diversificación está destruyendo la armonía de nuestro país. Defiende tu posición. Incluye la siguiente información en tu conversación conmigo:

- una descripción de un ambiente multicultural y bilingüe

- las ventajas y desventajas de ese ambiente

- cómo se beneficia la sociedad con la mezcla de culturas y lenguas

- cómo influye en el mundo de los trabajos saber otros idiomas

- qué se puede hacer para eliminar la violencia entre culturas diferentes

Paso a paso 3

Nombre

CAPÍTULOS 9-12

Fecha

Hoja para respuestas 1
Banco de ideas

I. Listening Comprehension *(10 points each)*

A. Empleos

a

c

e

b

d

f

1. ____   2. ____   3. ____   4. ____   5. ____

B. Un crimen

1. La señora Montoya
   a. llamó al policía desde el lugar de los hechos.
   b. llamó al policía porque alguien había asesinado a su gato.
   c. llamó al policía porque sospecha que alguien haya sido víctima de un crimen.

2. El policía quiere saber si
   a. la señora Montoya vio a los culpables del atentado.
   b. la señora Montoya se arriesgó y se defendió.
   c. la señora Montoya se presentó en el lugar de los hechos.

3. Según la señora Montoya,
   a. ella vio a uno de los sospechosos con un cuchillo.
   b. nunca vio a la mujer, sólo la oyó.
   c. ella tenía miedo de que hirieran a la mujer.

4. El policía
   a. llamó a Hernández para decirle lo que estaba ocurriendo.
   b. supo del rescate de la mujer por una llamada telefónica.
   c. se puso en contacto con el guardia del apartamento.

5. La señora Montoya seguramente
   a. tendrá que hablar enfrente de un jurado sobre lo que vio.
   b. soñó lo que había pasado.
   c. resultó herida en el brazo.

Paso a paso 3

CAPÍTULOS 9-12

Nombre

Fecha

Hoja para respuestas 2
Banco de ideas

C. Lugares de interés

a

d

g

j

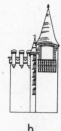

b

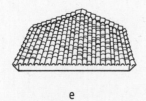

e

h

k

c

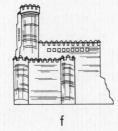

f

i

1. ___   3. ___   5. ___   7. ___   9. ___

2. ___   4. ___   6. ___   8. ___   10. ___

D. Agencia de empleos

a

c

e

b

d

f

1. ___   2. ___   3. ___   4. ___   5. ___

Paso a paso 3

Nombre _____

Fecha _____

CAPÍTULOS 9-12

Hoja para respuestas 3
Banco de ideas

II. Reading Comprehension *(10 points each)*

A. Anuncios

    a. EQUIPO DE EJERCICIOS, S.A.   **b.** CEE   **c.** $$$DINERO EXTRA$$$

____ **1.** Para los jóvenes que tengan carro y no tengan experiencia en ventas, se recomienda que lean este anuncio.

____ **2.** Este anuncio clasificado busca a personas que posean talentos administrativos.

____ **3.** José Luis es bilingüe y nació en El Salvador. Él quisiera entrenarse en alguna profesión asociada con la medicina.

____ **4.** Mariana quiere encontrar un empleo que le pague un buen sueldo y la prepare para el futuro. Ella tiene interés en vender o en ser repartidora de productos.

____ **5.** Julio tiene interés en una carrera en la que pueda usar sus talentos artísticos, pero no tiene ningún entrenamiento.

____ **6.** Rocío no puede trabajar todo el día y no tiene experiencia todavía.

____ **7.** Después de graduarse de la escuela secundaria, a Manolo le encantaría entrenarse en algún trabajo asociado con las computadoras.

____ **8.** Mateo es buen deportista y su meta es convencer a los demás de lo importante que es hacer ejercicio y comer bien.

____ **9.** A Soledad le encantan las matemáticas. Le interesa seguir una carrera relacionada con ese campo.

____ **10.** María Luisa ha estudiado arte en la universidad por tres años, pero no sabe qué carrera seguir todavía.

B. Violencia en la sociedad

ARTÍCULO 1

1. El aumento en el porcentaje de homicidios entre los jóvenes
    a. se debe al hecho de que más jóvenes no tienen miedo.
    b. se debe al hecho de que más jóvenes llevan armas actualmente.
    c. se debe al hecho de que más jóvenes practican la autodefensa.

2. Muchos jóvenes hoy en día
    a. tienen miedo de que alguien les venda armas.
    b. temen que no puedan protegerse sin armas.
    c. sienten que no saben cómo usar armas.

3. Según el artículo, muchos jóvenes
    a. tienen que recurrir a las armas para protegerse.
    b. no pueden conseguir armas.
    c. ganan dinero vendiendo armas.

ARTÍCULO 2

4. Este artículo fue escrito para las personas que
   a. no tengan preocupaciones sobre la violencia.
   b. quisieran acabar con la violencia en su vida, pero no saben cómo.
   c. trabajen ayudando a gente con tendencias violentas.

5. Conoces a alguien que este artículo describe. Podrías
   a. explicarle que a veces la violencia es la única manera de resolver un problema.
   b. castigarle con sentencias más severas.
   c. explicarle que hay maneras de comunicarse sin recurrir a la violencia.

6. Según este artículo, las personas con tendencias violentas
   a. no tienen ningún problema.
   b. necesitan reconocer que hay maneras de evitar el problema.
   c. cambiarán con el tiempo.

ARTÍCULO 3

7. Según este artículo, tenemos que
   a. reconocer que no existe la violencia en la sociedad.
   b. votar por funcionarios que hayan sido víctimas de la violencia.
   c. crear programas que apoyen a las personas con problemas.

8. Este artículo probablemente les habla directamente a
   a. las personas que no sepan evitar la violencia en su vida.
   b. la gente que quisiera acabar con la violencia en la sociedad.
   c. los psicólogos que trabajen con las personas violentas.

9. Según este artículo
   a. se debe animar más a la gente a tener reacciones violentas.
   b. se puede contribuir más a la violencia.
   c. se debe apoyar un programa que tenga como meta evitar la violencia.

10. En general, según los tres artículos,
   a. hay más jóvenes víctimas de las armas.
   b. siempre hay seguridad contra la violencia en el hogar.
   c. dónde haya enojo e ira, siempre habrá violencia y es imposible evitarla.

C. El Día de los Muertos

1. Los indígenas de México temían los sueños sobre la muerte.	Sí	No
2. El Día de los Muertos es el resultado de la integración de culturas diferentes.	Sí	No
3. Esta fiesta no comparte ningún rasgo indígena o europeo a través de los siglos.	Sí	No
4. Todos los países sudamericanos celebran el dos de noviembre de la misma manera.	Sí	No

Paso a paso 3

Nombre

CAPÍTULOS 9-12

Fecha

Hoja para respuestas 5
Banco de ideas

5. Un ejemplo de una fusión cultural es la obra teatral que se presenta en noviembre. Sí No

6. Según la gente indígena, los espíritus de los difuntos invaden la Tierra para estar con sus familias. Sí No

7. Todas las tradiciones y costumbres asociadas con el Día de los Muertos son serias y nadie se debe reír. Sí No

8. Una de las metas de la celebración de este día es que los niños tengan miedo de la muerte. Sí No

9. Los españoles trataron de eliminar el Día de los Muertos porque no coincidía con el Día de Todos los Santos. Sí No

10. Hacerle una ofrenda es la manera principal de conmemorar al (a la) muerto(a) y mostrarle respeto durante este día de fiesta. Sí No

D. Profesiones
   a. periodista bilingüe   **c.** contador(a)   **e.** traductor(a)
   b. redactor(a)   **d.** banquero(a) internacional   **f.** bibliotecario(a)

1. ___   **2.** ___   **3.** ___   **4.** ___   **5.** ___

III. Writing Proficiency *(10 points each)*

A. _____ :

_____

_____

_____

_____

_____

_____

_____

_____

                                        _____

                                        _____

B. _____ :

_____

_____

_____

_____

_____

_____

_____

                                               _____

                                               _____

C. _____

_____

_____

_____

_____

_____

_____

_____

_____

_____

D. _____

_____

_____

_____

_____

_____

_____

IV. Cultural Knowledge *(10 points each)*

A. _____

_____

Paso a paso 3

Nombre _____

CAPÍTULOS 9-12

Fecha _____

Hoja para respuestas 7
Banco de ideas

_____

_____

_____

_____

B. _____

_____

_____

_____

_____

_____

_____

_____

C. _____

_____

_____

_____

_____

_____

_____

D. _____

_____

_____

_____

_____

_____

_____

_____

V. Speaking Proficiency *(10 points each)*